DOCTEUR FERRON

PÈLERINAGE

Du même auteur

Mémoires d'outre-tonneau, Éditions Estérel, 1968
Race de monde, Éditions du Jour, 1968
La nuitte de Malcomm Hudd, Éditions du Jour, 1969
Jos Connaissant, Éditions du Jour, 1970
Pour saluer Victor Hugo, Éditions du Jour, 1970
Les grands-pères, Éditions du Jour, 1971
Jack Kerouac, Éditions du Jour, 1972
Un rêve québécois, Éditions du Jour, 1972
Oh Miami, Miami, Miami, Éditions du Jour, 1973
Don Quichotte de la démanche, Éditions de l'Aurore, 1974
En attendant Trudot, Éditions de l'Aurore, 1974
Manuel de la petite littérature du Québec, Éditions de l'Aurore, 1975
Blanche forcée, VLB Éditeur, 1976
Ma Corriveau, VLB Éditeur, 1976
N'évoque plus le désenchantement de la ténèbre, VLB Éditeur, 1976
Monsieur Zéro, VLB Éditeur, 1977
Sagamo Job J, VLB Éditeur, 1977
Cérémonial pour l'assassinat d'un ministre, VLB Éditeur, 1978
Monsieur Melville, VLB Éditeur, 1978
La tête de Monsieur Ferron ou les Chians, VLB Éditeur, 1979
Una, VLB Éditeur, 1979
Satan Belhumeur, VLB Éditeur, 1981
Moi Pierre Leroy, mystique, martyr et un peu fêlé du chaudron, VLB Éditeur, 1982
Entre la sainteté et le terrorisme, VLB Éditeur, 1984
Discours de Samm, VLB Éditeur, 1983
« La boule de caoutchouc », *in Dix nouvelles humoristiques*, Les Quinze, Éditeur, 1985
« Docteur Indienne », *in Aimer*, Les Quinze, Éditeur, 1985
Steven le Hérault, Éditions internationales Alain Stanké, 1985
Chroniques polissonnes d'un téléphage enragé, Éditions internationales Alain Stanké, 1986
L'héritage (L'automne), Éditions internationales Alain Stanké, 1987
Votre fille Peuplesse par inadvertance, VLB Éditeur, Éditions internationales Alain Stanké, 1990

VICTOR-LÉVY BEAULIEU

DOCTEUR FERRON

PÈLERINAGE

Stanké

Données de catalogage avant publication (Canada)

Beaulieu, Victor-Lévy, 1945-
Docteur Ferron : pèlerinage
ISBN 2-7604-0376-9
1. Ferron, Jacques, 1921-1985 - Critique et interprétation.
2. Ferron, Jacques, 1921-1985 - Résidences et lieux familiers. I Titre.
PS8511.E76Z56 1991 C843'.54 C91-096163-8
PS9511.E76Z56 1991
PQ3919.2.F47Z56 1991

Conception graphique et montage : Olivier Lasser

Photos de la couverture :
Alain Stanké pour Victor-Lévy Beaulieu
Édouard Boubat pour Jacques Ferron

Le manuscrit servant de trame pour la première de couverture est celui d'une lettre de Jacques Ferron à Victor-Lévy Beaulieu et le texte manuscrit sur la quatrième de couverture est celui de la première page du *Docteur Ferron.*

ISBN 2-7604-0376-9

Dépôt légal : premier trimestre 1991

IMPRIMÉ AU QUÉBEC (CANADA)

Pour Emmanuel Rioux
à cause de la passion
trois-pistolienne et ferronnienne
et de tout ce qu'il y a de précieux
dans l'amitié

Pour Doris Dumais
à cause du pays rimouskois
et radiophonique
par reconnaissance
et affection

Pour Jean-Eudes Dumont
mon Bélial chauffeur de taxi
postillon et conteur
à cause du plaisir
et de l'amitié

Remerciements

Au cours de n'importe quel pèlerinage on rencontre sur son chemin beaucoup de gens qui, pendant un moment ou pour toujours, deviennent vos complices. Ce livre n'aurait pas atteint à ses grosseurs sans eux. Qu'ils acceptent ici ma reconnaissance :

Mme Madeleine Lavallée-Ferron
Mme Marie Ferron
Mme Marcelle Ferron
M. Albert Lavautre de *L'Écho de Louiseville*
M. Charles-Arthur Milot, président de la Société historique de Louiseville
M. Lucien Bellemare, du rang des Ambroises de Saint-Léon de Maskinongé
M. Gilles Raymond, de la Société nationale de l'est du Québec
M. Pierre Collin, de la Société d'histoire de la Gaspésie et du Bas-Saint-Laurent
Mme Céline Gélinas, de la Société d'histoire de la Gaspésie
M. Rémi Garneau, de l'Institut culturel montagnais
M. Raymond Gros-Louis, du village huron de Loretteville
M. Rino Laforge, de la république du Madawaska
Mme Cathy Murphy, de l'office du tourisme du Nouveau-Brunswick
Mme Carmen Gilbert, de Saint-Zacharie en Dorchester
et Mlle Julie Beaulieu et M. Jan-Marc Lavergne, documentalistes et photographes
et M. Yvon Gamache, photographe, des Trois-Pistoles

Liminaire

Avec Jacques Ferron, nos classiques, à nous Québécois, sont contemporains.

Jean-Claude Germain

Victor-Lévy Beaulieu

Pèlerinage vient du mot latin *pelegrinus* qui veut dire étranger et voyageur. Du pèlerinage, le *Robert* donne une première définition : «Un pèlerinage est un voyage, individuel ou collectif, qu'on fait à un lieu saint pour des motifs religieux et dans un esprit de dévotion.» À cette première définition, le *Robert* ajoute celle-ci : «Un pèlerinage est un voyage, une visite qu'on fait, avec l'intention de rendre un hommage, de se recueillir, à un lieu qui est revêtu en quelque sorte d'un caractère sacré»; c'est également une «visite qu'on rend à un grand homme qu'on vénère». Ce voyageur ou ce visiteur est donc un pèlerin. Mais ce mot a au moins deux autres sens car, en zoologie, un pèlerin est en même temps une sorte de faucon, donc un oiseau rapace, et un requin, le plus grand d'ailleurs de sa nation. Si on fait un amalgame des trois virtualités qui constituent le mot *pèlerin*, on se retrouve ainsi devant un être hybride mais absolument convenant parce que, tout faucon, tout requin et tout étranger qu'il soit, sa qualité première est celle d'exister en fonction de *rendre hommage*, donc de *vénérer*.

En écrivant *Docteur Ferron*, je n'ai pas voulu donner d'autres sens à mon ouvrage. J'en ai entrepris la rédaction en 1981, dans l'aura tutélaire du *Monsieur Teste* de Paul Valéry, un auteur qu'a beaucoup fréquenté Jacques Ferron. La forme dialoguée de *Monsieur Teste* m'a fasciné, comme m'avait fasciné la *Neige noire* de Hubert Aquin, formidable éclatement de toute scénarisation potentielle dans le cadre d'une exploration romanesque. J'avais aussi en mémoire ce très jouissif *Impromptu des deux chiens* que Jacques Ferron lui-même a écrit après les représentations des *Grands soleils* et qui, rédigé sous la forme dialoguée lui aussi, met en situation Monsieur l'auteur et Albert Millaire, son metteur en scène. Dans le genre, il s'agit d'un véritable classique. Pour écrire mon ouvrage, je m'en suis donc inspiré, tout autant que de *Monsieur Teste* et de *Neige noire.*

J'avais aussi une autre raison et qui, me semble-t-il, rend bien compte de l'esprit ferronnien, celui du conteur voyageant de la tradition orale à la tradition écrite. Dans mon ouvrage, ce conteur-là a trois têtes : Samm, Abel et Bélial. Ils se répondent les uns aux autres dans une configuration qui n'en reste pas moins délibérément romanesque par la fiction qui les détient. De toute façon, l'essentiel pour moi n'est pas là : par les mots que j'ai écrits, j'ai désiré saluer à ma manière le seul écrivain véritablement national que le Québec contemporain ait produit. Et j'ai désiré le saluer au moyen du pèlerinage parce qu'il m'a paru qu'en faisant ainsi, je communiquerais mieux ma ferveur, mon enthousiasme, ma reconnaissance et mon affection. Bien évidemment, il en est certains qui pourront m'accuser d'avoir tourné certains coins un peu carré, comme on dit. J'en suis le premier conscient, mon objectif ici n'étant pas de me substituer ni aux chercheurs universitaires ni aux biographes de Jacques Ferron, dont le travail depuis quelques années est par ailleurs tout à fait remarquable. Je profite donc de l'occasion pour saluer chaleureusement les Roger Chamberland, Jean Marcel, Diane Potvin, Paul Lewis, Pierre Cantin *et alii* qui, par leurs études, ont contribué à l'approfondissement de l'univers ferronnien, tout à la fois d'une désarmante simplicité et d'une brillante complexité comme en font foi *Les lettres aux journaux*, *Le désarroi* (correspondance privilégiée entre le psychiatre Julien

Bigras et le docteur Ferron) et *Une amitié bien particulière*, série de lettres que se sont échangées le journaliste torontois John Grube et l'Éminence de la Grande Corne.

Pour finir, une dernière précision. Les lieux étant sacrés dans tout pèlerinage, et ceux de Jacques Ferron étant multiples, tant géographiquement que psychologiquement, je me suis donc livré depuis une dizaine d'années à une fébrile recherche iconographique qui, je l'espère, permettra au lecteur d'avoir, aussi bien par l'image que par les mots venus d'elle, une représentation aussi totalisante que possible de l'extraordinaire luxuriance des pays abordés par Jacques Ferron.

Quant au reste, et qui me concerne plus précisément, Jacques Ferron a déjà tout écrit, comme toujours. C'est dans l'une des lettres qu'il a envoyées à John Grube, et que je cite ici parce qu'elle est fabuleusement ironique, qu'il a dit ceci de moi :

« Sans la maladie qui lui a laissé une légère boiterie, la boiterie même d'Œdipe, il aurait continué de se nommer Lévis et serait devenu un artisan, un électricien, je suppose, compétent et utile à sa localité. S'il avait aspiré à la gloire, il aurait peut-être réussi, au terme de sa carrière, à se faire élire échevin ou commissaire d'école. Malade, il a eu les loisirs d'un garçon privilégié ; il les a occupés à lire, ce qui est encore le meilleur moyen de contracter le goût d'écrire. Il s'y est mis et c'est alors que, levant les yeux de la page, il a vu les cieux s'ouvrir, l'illuminant d'un pouvoir autrement plus grand que celui d'un échevin, pouvoir à la fois fictif et réel grâce auquel, depuis Balzac, il arrive qu'on fasse concurrence à l'état civil.

Ce pouvoir, il lui restait à l'exercer. Il ne suffit pas d'écrire, il faut ensuite porter son précieux manuscrit chez l'éditeur. Il choisira Fides, comme dans sa paroisse et à l'hôpital. Il y rencontrera quelques déconvenues. Cette maison catholique, par principe, s'oppose à toute avidité autre que celle de Dieu. C'est lui l'auteur et non monsieur Beaulieu. James Joyce, même irlandais, n'a pas pensé à se faire éditer au Vatican. Par contre, on l'accueillit dans les petites gazettes. Là, il apprendra comment se fabriquer un livre auprès d'imprimeurs juifs. De Lévis il devint Lévy. Enfin, il finit par sortir un roman, *Mémoires d'outre-tonneau*, qui déchaîna la critique contre lui. Ces huées et ces cris m'étonnèrent. Je lus le livre avec attention, chapitre par chapitre, en commençant par le dernier, et je me rendis jusqu'au premier. Cela me parut bon et j'en écrivis beaucoup de bien. ‹ Ah ! me dit Jacques Hébert, quel plaisir vous avez fait à Lévy ! › Je devins en quelque sorte son parrain et lui glissai quelques petits conseils, en particulier sur la Nouvelle-Angleterre, qui lui ont été utiles. Il a prétendu dans son *Melville* qu'il ne comprenait pas ce que je lui disais. Je n'en doute pas ; il tombait en transe dès que je lui parlais. Une telle frénésie m'impressionnait et je regardais son pied d'Œdipe : avec quelle allégresse il me culbuterait un jour de son chemin ! »

Comme on va le lire dans les pages qui suivent, si je crois bien par Bélial avoir gardé mon pied d'Œdipe, j'espère toutefois que l'allégresse de Samm et d'Abel n'a toujours rien à voir avec ce culbutement appréhendé que Jacques Ferron attendait peut-être de Victor-Lévy Beaulieu. Oh ! taccaouère non !

Montréal-Nord
ce 15 janvier 1991

1

Avant-dire

Seigneur, qu'adviendra-t-il de cette journée ? Donnera-t-elle lieu à ton apothéose ou à l'espace livide du temps noir, coagulé sur une croix dérisoire ? Aurais-je vécu inutilement dans l'obsession d'un pays perdu ? Alors, Seigneur, je te le dis : que le diable m'emporte.

Jacques Ferron,
Les deux lys

Le carré Saint-Louis. (Photo : Julie Beaulieu)

Bélial

Je n'ai pas mis de temps à le reconnaître. Malgré le froid qu'il fait aujourd'hui sur Montréal, il se promenait dans le carré Saint-Louis, avec l'air angoissé de celui qui attend quelque chose ou quelqu'un. Nous nous sommes croisés plusieurs fois, mais il n'a pas paru voir qui je suis. Il faut dire que je sais bien cacher ma patte de bouc quand je veux. Et puis, après toutes ces années, comment Abel Beauchemin pourrait-il deviner mon identité? Il y a long que nous ne faisons plus commerce ensemble, moi à la dérive dans un pays qui ne ressemble plus guère à tout ce que j'ai connu, et lui trop conscrit par son travail de scripteur à la télévision pour seulement avoir le temps de revenir au passé. C'est dans l'ordre des choses. Mais je ne serais pas celui que je suis si je m'en contentais. Aussi, quand Abel quitte enfin le carré Saint-Louis, j'en fais autant et le suis, quelques pas derrière lui. Il va vers ce café qu'il y a de l'autre côté de la rue Saint-Denis, et y entre, portant à la main ce bizarre portuna au cuir tout vermoulu. Abel s'assoit à cette table, tout près de la porte. Il ouvre le portuna, en retire ces grandes feuilles de notaire qu'il dépose sur la table puis, décapuchonnant son stylo feutre, il se met à écrire de la main gauche, relevant la tête de temps en temps pour regarder en direction du carré Saint-Louis. Que barbouille-t-il sur la grande feuille de notaire? Bien que je sache toute l'impolitesse que cela représente, je m'en vais derrière Abel et, tout en faisant semblant de ne m'intéresser qu'au carré Saint-Louis, je mange des yeux les mots qui viennent sur la grande feuille de notaire.

Abel

Il y a des années que je devrais en être là, de retour à cet an premier de l'écriture. Mais la vie m'a happé en quelque sorte et forcé à répondre d'abord à l'urgence. Et l'urgence, c'est tout ce que j'ai écrit pour la télévision, et c'est tout ce que j'ai essayé de faire pour que ma famille ne sombre pas. Si je pense ne pas avoir nui à personne quant à la télévision, je ne saurais en dire autant pour ma famille : je n'ai pas su être un compagnon ni un père dignes, tout ayant sans doute passé dans ces mots que j'écrivais pour la télévision. Quand ça s'est terminé, je me suis retrouvé vide de partout, avec plus un seul mot pouvant monter en moi. Ce qui explique que, depuis, je n'ai fait qu'errer, de Montréal aux Trois-Pistoles et des Trois-Pistoles à Montréal, incapable de colmater les brèches venues de ce qui malgré soi s'épuise dans le travail. Mais on ne sort de la fatigue que par une plus grande fatigue encore. Et c'est de cette nouvelle fatigue-là que je vais survivre, ne méritant pas mieux de toute façon.

Bélial

Abel a relevé la tête et regarde vers le carré Saint-Louis. Ce que j'ai lu par-dessus son épaule m'est suffisant pour que je comprenne moi-même pourquoi, en dépit de ma patte de bouc, je me retrouve ici : c'est que je vis aussi dans l'an premier de l'écriture, là où les symboles priment tout ce que la vie peut avoir d'avalant. Mais déjà Abel a laissé des yeux le carré Saint-Louis, pour reprendre son stylo feutre et former, sur la grande feuille de notaire, tous ces petits mots que je vais lire encore pour que l'an premier de l'écriture apparaisse vraiment.

Abel

Dans l'errance où je me retrouvais depuis que la télévision m'a enlevé le meilleur de moi-même, j'ai navigué de droite et de gauche, mais sans plus rien sentir, même ce qui aurait pu venir de mon corps. Et calé creux dans cette indigence-là, je ne referais sans doute plus jamais surface, n'était de ce rêve qui s'est emparé de moi cette nuit, pour faire basculer une autre fois ma vie. Ce rêve, il faut que je l'écrive pour que ça ne reste pas lettre morte. Le voici donc dans sa simplicité, moi le transcrivant afin que le recommencement puisse être possible. Je suis donc chez moi, à Montréal-Nord, et tout dépenaillé je dors sur le sofa quand le téléphone se met à sonner. C'est la femme de Jacques Ferron qui est à l'autre bout du fil. Elle veut que j'aille la voir. Jacques Ferron serait disparu et on aurait besoin de moi pour le retrouver. Il neige une neige toute mouillée et, au lieu de prendre ma voiture pour me rendre à Longueuil, je traverse tout Montréal-Nord à pied, étonné que cela aille aussi rapidement. En fait, je reste à la même place, et c'est Longueuil qui se porte à ma rencontre, la porte de la maison de Jacques Ferron ouverte, pareille à une bouche, pour m'avaler. On dirait une morgue, avec partout ces grands tiroirs que la femme de Jacques Ferron fait glisser, l'un après l'autre. Jacques Ferron est dans chacun des tiroirs et, en même temps, ce n'est jamais vraiment lui qui est là : il manque ou bien le nez, ou bien une oreille, ou bien les lèvres, ou bien les cheveux. La femme de Jacques Ferron s'affole. Elle voudrait que, de tous les *faux* Jacques Ferron qui sont là, faux parce que incomplets, j'en fasse venir un autre, *l'authentique* avec qui elle a toujours vécu. Je comprends alors pour la première fois que Jacques Ferron est mort et que, là où nous sommes, dans cette morgue humide, ce n'est rien de plus que l'antichambre de l'enfer. Je dis : « Il faudrait creuser » et, disant cela, j'empoigne une pelle et la fiche dans le sol. Du sang en sort, ce qui affole encore davantage la femme de Jacques Ferron. Elle m'arrache la pelle des mains, la lance sur un tiroir qui s'ouvre sur le cadavre d'un autre *faux* Jacques Ferron. Le sang sort toujours du sol. La peur me prend mais c'est comme si je ne voyais plus rien tout à coup, et je me cogne aux tiroirs, les faisant s'ouvrir. « Aidez-moi ! Aidez-moi ! » me crie la femme de Jacques Ferron. Alors, je vois à nouveau, et cela me pique partout comme le feraient de petites aiguilles m'entrant dans la peau : la femme de Jacques Ferron exhibe un nez, et puis des lèvres, et puis une oreille, et elle essaie de les remettre à la bonne place, dans le visage du *vrai* Jacques Ferron. Quand c'est fait, le nez, et puis les lèvres, et puis l'oreille, ils tombent en poussière. Je dis : « Il faut s'en aller, madame Ferron. » Mais elle ne m'écoute pas, condamnée sans doute à visser des nez, des lèvres et des oreilles à tous ces cadavres qui ne seront jamais le *vrai* Jacques Ferron. Je vomis et me réveille, un long filet de salive me coulant de la bouche au menton.

Jacques Ferron en 1971. (Photo : Daniel Fontigny)

Bélial

Ce long filet de salive dont parle Abel, je le vois bien qui reflue des commissures de ses lèvres jusqu'à son menton, pour que le rêve fasse son lit dans la réalité même.

Abel

Il y a donc eu ce rêve à cause duquel tout m'est revenu, d'abord que je n'ai jamais été un écrivain, en tout cas pas dans le sens que Jacques Ferron donnait à ce mot. Sinon, il y a bien des années déjà que, à travers moi, ça se serait mis à parler de lui, et de la plus haute autorité comme il disait. Pourquoi n'en ai-je rien fait pendant tout ce temps? Est-ce le scripteur en moi qui s'est laissé manger ? Ou n'est-ce pas plutôt le fait que, pour parler vraiment, il faut être à la hauteur, non seulement de la parole mais de ce qu'il y a de foncièrement *privé* dans toute parole? Et pour que s'ouvre la poche des eaux de ce privé-là, il faut que l'impudeur vous atteigne, il faut qu'il n'y ait plus de compromis.

Bélial

Rageusement, Abel biffe tous les mots qu'il vient d'écrire. Puis il lève les yeux et regarde en direction du carré Saint-Louis. Moi Bélial, je sais pourquoi. Et si je le sais si bien, c'est que j'étais là quand Abel est né. Il est venu au monde par ce petit matin de gros orage, avec un tonnerre tonitruant et des éclairs qui, pareils à de grands couteaux, découpaient tout l'espace. Quand Abel est apparu entre les cuisses de sa mère, il n'y a pas eu que lui qui y est venu : il y avait aussi ce veau à trois pattes, né en même temps que lui, et qu'il a fallu qu'on abatte pour que les signes ne soient pas illisibles à jamais. Du sacrifice de ce veau à trois pattes, le reste est venu et Abel en a parlé tellement de fois dans les histoires qu'il a racontées qu'il ne servirait à rien de s'étendre là-dessus, sinon pour dire qu'il est devenu lui-même un veau à trois pattes quand, à dix-huit ans, il a perdu l'usage de son bras gauche à cause de la poliomyélite. C'est cette maladie qui l'a fait devenir, bien malgré lui, écrivain. Et c'est cette maladie qui lui a fait découvrir Jacques Ferron. Et c'est cela même qu'Abel écrit maintenant sur la grande feuille de notaire, sa main gauche tressautant comme peut tressauter ma patte de bouc quand la fébrilité s'empare de moi.

Abel

C'était en 1965. Il ne se passait plus rien dans ma vie, la maladie m'ayant défait dans tout mon corps. Je ne me croyais plus bon pour rien, tout le miroir de moi-même déjà traversé. Tout ce que je faisais, c'était de lire. Et quand on vient de tous les arrière-pays, que peut-on lire sinon ce qui vous tombe sous la main parce que cela ne coûte pas cher ? À cette époque-là, il y avait la revue *Parti pris*, que je pouvais me procurer dans cette tabagie qu'il y avait juste en face de chez nous, rue Monselet, à Montréal-Nord. Je ne savais rien du marxisme, et rien du léninisme, et rien non plus des luttes de classes. Pour moi, le mot *classes* était en association directe avec le mot *école* et, parce que je venais de tous les arrière-pays, ce mot-là m'avait été refusé. Mais je lisais *Parti pris* pareil même si je n'y comprenais rien, car ainsi est la maladie, une blessure sans doute mais surtout ce qui ne fait jamais que s'ouvrir à cause d'elle. Et c'est à cause de cette blessure-là et de cette ouverture-là qu'en cette année 1965 je suis tombé comme par hasard sur *La nuit* de Jacques Ferron, moi croyant avoir acheté la dernière livraison de *Parti pris*, à cause que le format du livre, le papier, la présentation et le choix typographique étaient les mêmes que ceux de la revue. Et non seulement cela était-il tout pareil mais, en plus, c'était disponible, contrairement à n'importe quel livre, dans cette tabagie qu'il y avait juste en face de chez nous, rue Monselet, à Montréal-Nord.

Bélial

Comme pour la première naissance d'Abel, j'étais là aussi. Là où les parents d'Abel habitaient, il y avait cette grande terrasse derrière la maison. À cause de sa maladie, on avait dit à Abel qu'il lui fallait prendre le plus de soleil qu'il pouvait, ce à quoi il passait tout son temps, allongé sur ce vieux matelas dont un voisin avait fait cadeau. Et c'est entre les ressorts de ce vieux matelas puant la moisissure qu'Abel a lu *La nuit.*

Abel

En fait, je n'ai rien lu. Je n'ai rien lu parce que, quand on ne sait pas le prix des mots, c'est pareil à de la neige qui tombe sous les yeux : on lit mais ça ne fait que passer devant soi. Je ne comprenais rien à *Parti pris.* Comment aurais-je pu comprendre ce que *La nuit* portait, sinon par cette maladie, la tuberculose, dont le narrateur fait mention et dont, pour se guérir, il n'a plus d'autre choix que celui de s'enfarger dans les mots ? De cette première lecture de *La nuit,* c'est tout ce que j'ai retenu en 1965 : que les mots peuvent être au-delà même de toute maladie. Et cette leçon de choses m'a fait écrire ce roman que j'ai intitulé *Ti-Jean dans sa nuit* et qui m'a valu d'être reçu, pour la première fois, chez un éditeur.

Bélial

Dans un pays qui ne l'est jamais vraiment, on naît et on renaît comme on peut, par tout ce qui, du hasard, devient coïncidence. Et moi dont la patte de bouc tressaute dérisoirement derrière Abel dont je lis les mots par-dessus son épaule, je me dis qu'il est toujours difficile de faire venir la vérité, parce que le temps, ce n'est jamais rien de plus que ce qu'on sait tordre de lui. Mais pourquoi Abel semble-t-il s'y refuser ? Pourquoi semble-t-il s'y refuser encore ?

Abel

C'est à cause de ce qu'il y a d'allégorique dans toute représentation : c'est pareil à un pageant aérien ; on veut faire court, mais dessiner des signes dans le ciel c'est toujours très long, c'est pareil à ce que j'ai vécu entre ma première lecture de *La nuit* et ce qui est survenu ensuite.

Bélial

C'est-à-dire ?

Abel

Avant d'être victime de la poliomyélite, je travaillais à la Banque Canadienne Nationale, à l'angle des rues Saint-Denis et Roy. Par beau temps, j'allais le midi manger mon lunch au carré Saint-Louis. Je m'assoyais sur ce banc en face de la fontaine et, plus souvent qu'autrement, c'était aux oiseaux que je faisais don de mes sandwichs. Un jour, je me suis ressouvenu de cela, mais quand c'était au juste, je ne saurais dire parce que le temps, ce n'est rien de plus que ce que contient l'espace. Et l'espace, qu'il s'agisse de 1966, ou bien de 1967, quelle importance ? Ce qui importe, c'est que ce jour-là est venu, moi prenant à Montréal-Nord cet autobus qui allait m'emmener au carré Saint-Louis, devant cette fontaine où je comptais manger paisiblement mes sandwichs. Mais, à peine débarqué de l'autobus et ces premiers pas faits par moi dans le carré Saint-Louis, devant qui me suis-je retrouvé ? Et sans même le savoir ?

Bélial

Pareille à ma patte de bouc, la main gauche d'Abel tressaute vertigineusement au-dessus de la grande feuille de notaire. C'est que ce moment est de la plus haute importance et que ce moment-là, je l'ai vécu aussi. Ses sandwichs dans le petit sac qu'il tenait à la main, Abel ne pensait qu'à s'en aller s'asseoir sur ce banc face à la fontaine du carré Saint-Louis quand, brusquement et comme venu de nulle part, est apparu cet homme bizarre, tout décoiffé, la barbe longue et les vêtements désordonnés, sans parler des yeux qui, très loin dans leur enfoncement, ne semblaient rien voir.

Le carré Saint-Louis en été. (Photo : Yvon Gamache)

Abel

Mais ce n'est pas vraiment ce qui m'a frappé. Ce qui m'a frappé, c'est ce macaron de Pierre Elliott Trudeau que l'homme bizarre arborait sur son poitrail. Pour venir de tous les arrière-pays, et pour avoir sombré loin au creux de la maladie, ce n'était pas là quelque chose que je pouvais voir sans que je me sente agressé. Aussi ai-je laissé tomber par terre ce sac de papier brun dans lequel étaient mes sandwichs pour enguirlander de belle façon cet homme qu'il y avait devant moi et qui, à la fin de toutes les phrases que je lui disais, ne répondait que par un sourire d'extrême dérision. Cet homme bizarre, rencontré dans le carré Saint-Louis, avec un macaron de Pierre Elliott Trudeau sur le poitrail, c'était Jacques Ferron s'amusant de ma hargne. Il relevait d'une crise cardiaque et moi, j'étais devant lui, oublieux de cette *Nuit* qui, au lieu de lui ouvrir le pays comme à moi, n'avait fait que lui briser le cœur. D'où cet acte de dérision suprême, celui de ce macaron de Pierre Elliott Trudeau sur son poitrail. Comment Jacques Ferron a-t-il réussi à me calmer ? Je n'en sais plus rien. Tout ce dont je me souviens maintenant, c'est que je suis allé prendre ce café avec lui, dans ce restaurant de la rue Saint-Denis, et que tout le temps que nous avons été ensemble, il n'a fait que parler, et c'était déjà *La charrette* dont il était question, cette descente dans les enfers de la rue Saint-Denis où les mots portent plus loin que n'importe quelle maladie et plus loin que n'importe quel macaron de Pierre Elliott Trudeau que, même par dérision, on arbore sur son poitrail.

Bélial
Ce n'est qu'une fois sorti de ce restaurant de la rue Saint-Denis qu'Abel a compris avec qui il avait été car ce n'est qu'une fois revenu dans le carré Saint-Louis que Jacques Ferron s'est départi de son macaron de Pierre Elliott Trudeau et qu'il l'a épinglé sur la chemise d'Abel, lui disant, les paumes de ses mains levées vers le ciel : « Mon fils, je te baptise au nom de Papa Boss, de son fils et de Pierre Elliott Trudeau. Pour les siècles des siècles, moi Ferron je te dis : ne sois jamais un tueur de pères. Amen. »

Abel
Et c'est disparu comme c'était venu, peut-être au milieu même où la maladie m'avait laissé moi-même. Mais ce fut bien suffisant pour que, au lieu de rentrer chez moi, je traverse la rue Saint-Denis et me retrouve aux éditions du Jour, chez Jacques Hébert qui publiait n'importe qui et n'importe quoi, dans l'attente où il se trouvait, presque malgré lui, de devenir sénateur.

Bélial
Et moi, j'ai raccompagné Jacques Ferron jusqu'à cette chambre qu'il habitait à la *Villa Medica*. Je l'ai chicané un peu pour le baptême dont tout le carré Saint-Louis venait d'être témoin, mais il n'a fait que hausser les épaules, l'air de me dire : « Que pourrait bien être Bélial dans un pays qui n'arrive même plus à se représenter lui-même comme du monde ? » Et il s'est assis devant une petite table, et il s'est mis à écrire, au beau mitan de la dérision du pays.

Abel

Et moi, pendant ce temps, je traversais tout le Québec, aussi bien par les mots que je publiais en ma qualité d'éditeur que pour participer à toutes ces foires du livre qui foisonnaient alors en province. C'est ainsi que, peu de temps après la parution du *Ciel de Québec*, je me suis retrouvé à Chicoutimi. C'est là que j'ai fait la connaissance de Samm, une Montagnaise de la Pointe-Bleue, en rupture de ban aussi bien avec sa nation qu'avec tout le reste du monde connu. Pour la première fois de ma vie, je devins véritablement amoureux. Ah, tous ces jours et toutes ces soirées passés en sa compagnie, à ne faire rien d'autre que de toucher à de la peau chaude ! J'aurais donné tous les mots que je publiais et tous ceux que j'écrivais pour le simple plaisir de rester éternellement avec Samm. Mais elle ne voulait pas plus de moi que de sa société et que de tout le reste du monde connu. Le jour que nous nous sommes séparés, je lui ai remis un exemplaire du *Ciel de Québec* et je lui ai dit : « Si, dans vingt ans jour pour jour, ton point de vue devait changer, sur moi, sur les gens de ta nation et sur tout le reste du monde connu, nous nous retrouverons au carré Saint-Louis, rue Saint-Denis, à Montréal, et nous entreprendrons ensemble ce pèlerinage dans tous les pays de Jacques Ferron. » Samm ne m'a pas répondu. C'était il y a vingt ans, jour pour jour. Et je ne m'en suis souvenu que ce matin, après le rêve que j'ai fait sur Jacques Ferron. Voilà pourquoi je me retrouve ici, en face du carré Saint-Louis, à attendre Samm bien que je sache qu'elle ne viendra pas. Ce sera la nuit bientôt, les premiers cris des engoulevents et le passage dans la rue Saint-Denis du grand corbillard de toutes les morts.

Bélial

Abel recapuchonne son stylo feutre, prend les grandes feuilles de notaire qu'il glisse dans le portuna au cuir tout vermoulu. Il se lève, pousse la porte du restaurant et sort. Je le suis. Abel traverse la rue Saint-Denis, entre sous les grands arbres décharnés du carré Saint-Louis. Mais il s'arrête presque aussitôt, le portuna au cuir tout vermoulu lui tombant des mains. C'est que, sur ce banc, en face de la fontaine, est assise Samm, *Le ciel de Québec* de Jacques Ferron sur ses genoux, un gros corbeau noir juché sur sa tête. Samm se lève quand Abel arrive devant elle et se laisse embrasser sur le front. Puis elle dit :

Samm

J'avais oublié aussi bien le rendez-vous que tu m'as donné il y a vingt ans que *Le ciel de Québec*. J'étais trop préoccupée par la Montagnaise qu'il y a en moi, que j'ai d'abord voulu liquider pour ne plus avoir mal dans mon corps. Face au Saguenay, je me suis donc tranché les veines, et les eaux sont devenues toutes rouges, et le grand corbeau noir est apparu, ses plumes recouvrant ma blessure pour que le sang ne s'en aille pas complètement de mon corps. Je me suis retrouvée à l'hôpital et c'est là que j'ai finalement lu *Le ciel de Québec*. En refermant le livre, je me suis souvenue de toi et du pèlerinage que tu m'as jadis proposé de faire dans tous les pays de Jacques Ferron. Je suis prête aujourd'hui à t'accompagner. Veux-tu encore de moi ?

Bélial

Pour toute réponse, Abel presse Samm contre lui. Ils vont rester ainsi un bon moment, l'un contre l'autre, à rameuter les odeurs qu'il y avait dans leurs corps quand ils se sont connus il y a vingt ans. Pendant ce temps, Moi Bélial je vais récupérer le portuna au cuir tout vermoulu qu'Abel a laissé tomber dans la neigeante neige dès qu'il a vu Samm. Je le lui apporte et dis tout simplement : « Moi Bélial, pour vous servir. » Tout suspicieux, Abel me regarde puis part d'un grand éclat de rire. Pourtant, il ne peut pas voir la patte de bouc dont je suis muni parce que, enfoncée dans la neigeante neige comme elle est, elle ne se trouve guère visible. C'est Samm qui

Vision de Samm. (Photo : Radio-Canada)

questionne, sans doute intriguée par la cape et le chapeau à larges bords que je porte :

Samm
Qui êtes-vous ?

Bélial
Je vous l'ai dit : je m'appelle Moi Bélial. Je suis le prince des ténèbres, le maître des enfers, et j'ai longtemps tenu commerce dans l'arrière-boutique de la taverne du vieux Jack O'Rourke, rue des Commissaires, en face du port de Montréal. Jacques Ferron et Abel venaient souvent m'y voir à cette époque-là, fascinés par cette chaise de maréchal-ferrant dont j'étais le gardien.

Bélial selon l'*Ancien Testament.*

Samm
Je comprends rien à tout ce que vous me dites.

Bélial
Je suis en quelque sorte l'envers de ce gros corbeau qui est juché sur votre tête, et qui représente toute la sagesse des nations montagnaises.

Samm
Un gros corbeau? Mais il n'y a pas de gros corbeau juché sur ma tête!

Bélial
Bien que vous ne puissiez plus le voir, il est là quand même, aussi réel que moi, que vous et qu'Abel. Et du corbeau noir et de moi, je pourrais vous parler longtemps. Mais je ne crois pas que ce soit pour cela que nous nous retrouvons tous ici. La neige s'est mise à neiger plus dru et si nous voulons nous retrouver à Louiseville, comté de Maskinongé, avant que la nuit ne tombe pour tout de bon en tempête, il serait temps que vous montiez dans ma machine.

Abel
Votre machine? Mais de quelle machine parlez-vous?

Bélial
De ma chaise de maréchal-ferrant, cette affaire! Elle est stationnée dans la rue de Bullion et n'attend plus que vous y montiez pour que je vous conduise à Louiseville, comté de Maskinongé, premier pays de Jacques Ferron, là où doit commencer votre pèlerinage. Suivez-moi.

Samm
Je comprends toujours rien.

Abel
Je t'expliquerai en cours de route. En attendant, faisons ce que demande Bélial.

Bélial

Je me mets à marcher devant eux, peu soucieux maintenant de cacher ma patte de bouc. Même si j'entends Samm qui s'en inquiète auprès d'Abel, je fais le sourd, me contentant d'accélérer la cadence. Rue de Bullion, ça ne sera pas long qu'on va avoir devant les yeux la chaise de maréchal-ferrant. En fait, il s'agit d'une vieille Cadillac toute blanche dont les grands ailerons sont lumineux. C'est au père d'Abel que je l'ai achetée quand Jean Goupil a jeté, du haut du quai de Québec, ma vétuste chaise de maréchal-ferrant. Moi Bélial, il fallait bien que je continue à me déplacer, dans l'au-delà même de l'inefficacité qu'est devenue la magie. J'ouvre la portière arrière, Samm et Abel s'engouffrant sur la banquette, si totalement pris tous les deux par leurs retrouvailles qu'ils ne se sont même pas rendu compte que, en place et lieu de la vétuste chaise de maréchal-ferrant, c'est à bord de cette vieille Cadillac blanche dont les grands ailerons sont lumineux, qu'on va se rendre à Louiseville, comté de Maskinongé.

Abel

Car ainsi est l'écriture une fois que ça se réveille en soi : les signes prennent leur place comme d'eux-mêmes, sortant par paquets du tiroir de la mémoire, faisant venir même cette vieille Cadillac blanche dont les grands ailerons sont lumineux, et dont je me suis servi pour écrire *Monsieur Melville*. Elle appartenait à mon père et il m'avait promis de la conserver en bel état pour le jour où nous prendrions enfin la route vers les Trois-Pistoles afin d'y ameuter définitivement, parce que souverainement, la grande tribu. Mais c'était compter sans Bélial et sans ce rendez-vous que, il y a vingt ans, j'ai donné à Samm. Je jette un coup d'œil dans la vitre arrière de la vieille Cadillac blanche dont les grands ailerons sont lumineux. Le carré Saint-Louis va bientôt disparaître, de même que ce Jacques Ferron-là que j'y ai rencontré pour la première fois, tout décoiffé, sa barbe longue, et arborant ce macaron de Pierre Elliott Trudeau sur le poitrail. Je ne sais pas pourquoi mais je suis ému. Est-ce à cause de cette traversée de la nuit que nous entreprenons alors que tombe la neigeante neige ? Est-ce à cause de Samm à qui je tiens la main qu'elle a posée sur mon genou ? Je n'en sais rien. Je dis : « En attendant que nous arrivions à Louiseville, comté de Maskinongé, parle-moi de toi, Samm. » Elle ne répond pas. Je tourne la tête vers elle pour me rendre compte qu'elle a appuyé la sienne contre mon épaule et qu'elle s'est endormie. Alors, je regarde devant moi. Dans le rétroviseur, les yeux rouges de Bélial sont comme des braises. Je souris, me colle davantage contre Samm et ferme les yeux. Je crois bien qu'il y a longtemps que je n'ai pas été aussi heureux, à cause de Louiseville, comté de Maskinongé, qui s'en vient vers moi, pays sacré des tarlanes et des Magouas qui ont rendu possible la naissance de Jacques Ferron. Que j'ai hâte de m'y retrouver enfin !

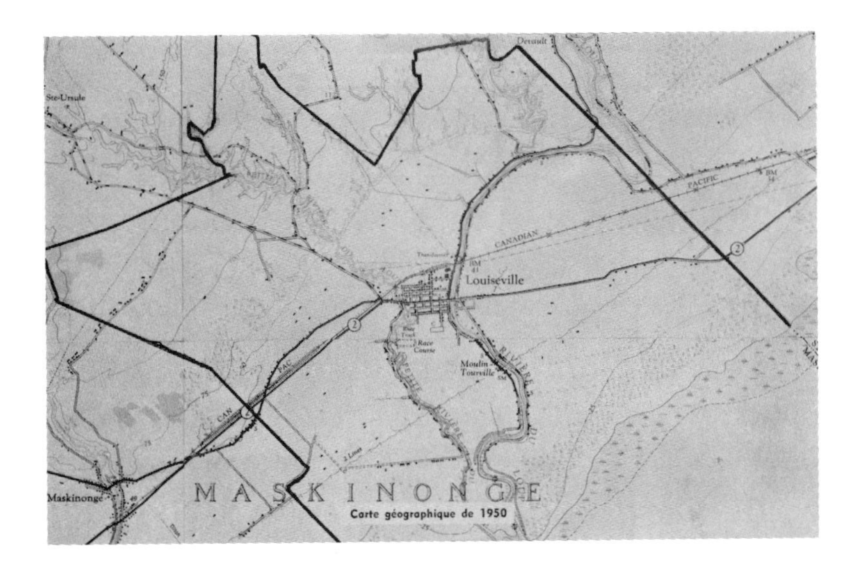

Carte géographique de 1950

2

Avant-dire

Mon père me faisait sauter sur son pied et il disait : « Ferre, ferre, mon p'tit cheval, pour aller à Montréal ; ferre, ferre, mon p'tit poulain pour aller à Saint-Paulin ; ferre, ferre, ma p'tite pouliche, pour aller à Yamachiche ! »

Jacques Ferron,
Le ciel de Québec

La rivière du Loup, toile d'Adrienne, mère de Jacques Ferron.
(Photo : Jean-Marie Bioteau)

Abel
Toute la nuit a roulé lentement la vieille Cadillac blanche dont les grands ailerons sont lumineux. Bélial est resté silencieux, les deux mains comme vissées sur le volant, ses yeux de braise fixés sur le chemin du Roy. J'ai fait tant de fois et par tous les temps cette voyagerie entre Montréal et Louiseville que je me sens un peu décati, assis comme je suis à côté de Samm sur la banquette arrière. Ça doit être à cause de la neige qui virevolte dans l'espace et de ce que Jacques Ferron a écrit à son sujet. Car la neige, c'est l'hiver qui symbolise la représentation la plus absolue qu'on puisse se faire du déluge. Jadis, le Québec vivait presque six mois par année dans ce déluge-là, à court de moyens et à court d'idées, ce qui rendait tout misérable. Jacques Ferron a écrit :

Bélial
« En Europe, l'hiver n'est qu'une des quatre saisons. Au Canada, il est un déluge de neige, un désert de froid ; il donne au pays sa cinquième dimension. L'esprit aventureux de nos ancêtres, qui leur faisait volontiers emprunter le mode de vie amérindien, leur venait sans doute de l'inconfort de la Nouvelle-France. C'était à proprement parler un esprit de fuite. La Canadienne restait à la maison. Son sexe fort ramenait les nomades. C'est elle qui a fixé le pays. Autour de ses jupes. La maison française ne convenait pas au climat. Toutes ses cheminées n'y pouvaient rien. Les feux ouverts brûlaient sans grand résultat. Il fallait pour entretenir un peu de

chaleur des efforts incessants. Le poêle libéra bien des énergies. Ce fut lorsqu'il fut installé dans chaque maison que l'hiver au Canada devint une saison de triomphe, de bonheur et de réjouissance. »

Abel

C'est dans une de ses nombreuses historiettes que Jacques Ferron raconte cela, en précisant que la France de cette époque, à cause de son climat et de ses velléités impériales, avait bien davantage besoin de bombes que de poêles. Aussi, quand elle envoya en Canada ses fondeurs, ses marteleurs et ses charbonniers pour qu'ils exploitent les sables ferrugineux des Trois-Rivières, il n'en sortit que de bien mauvais mortiers. Jacques Ferron ajoute :

La Gaspésie enneigée. (Photo : Jan-Marc Lavergne)

Bélial

« Par contre, le poêle à deux ponts était excellent. La France se fit passer un Québec et ce Québec atteignit sa perfection avec la bombe. On avait envoyé aux Trois-Rivières un maître-bombardier qu'il faut saluer. Il fut fort intelligent. Grâce à lui les forges produisirent un nombre considérable de bombes. Les commis parisiens devaient être satisfaits. Mais les Canadiens l'étaient aussi. Ces bombes, ils les mirent sur le feu. Elles n'éclatèrent pas, ne firent point sauter les maisons. Sur le feu elles se mirent à chanter. C'étaient d'innocentes bouilloires. On les nomma aussi canards. Et la Canadienne, avec sa bouilloire et son poêle, avec aussi son Canadien au pieu, put donner sa pleine mesure et étonner le monde par son tempérament. »

Abel

C'est ce à quoi je pense alors que sur le chemin du Roy roule lentement la vieille Cadillac blanche dont les grands ailerons sont lumineux. C'est comme si toute la profondeur du pays s'en venait au-devant de Bélial, de Samm et de moi. C'est ce qui explique sans doute pourquoi nous ne parlons pas, chacun réfugié dans sa chacune, avec de la neigeante neige plein les yeux. Mais nous ne sommes pas pressés. Après tout, le pèlerinage vient tout juste de commencer, le carré Saint-Louis et Montréal encore trop proches de nous pour que nous puissions accéder comme ça au monde d'enfance de Jacques Ferron. Les yeux me fermant, j'en reviens aux historiettes qu'il a écrites et qui constituent, de son aveu même, l'*Ancien Testament* de ses propres origines. Dans *Le passé change aussi*, Jacques Ferron a écrit :

Au commencement du Québec, toile de Léopold D'Amours.

Bélial

« En 1760, il y avait en Nouvelle-France soixante mille personnes éparses sur une étendue de pays qui en contient aujourd'hui cinq millions. Elles pratiquaient une économie de subsistance groupées par familles, chacune sur sa terre comme dans une île. Ces îles, la religion les réunissait en archipel paroissial. Chaque paroisse avait son cimetière autour de l'église; il était à toute fin pratique la grande porte de sortie. On a pu dire ainsi que le plus court chemin entre Lachine et Cap-Saint-Ignace passait par le ciel. Soixante mille personnes, c'était peu; c'était encore moins quand on pense qu'elles étaient pour la plupart étrangères les unes aux autres. L'hiver élargissait la paroisse, entre les avents et le carême, lorsque la glace et les loisirs de la saison permettaient des rencontres entre archipels voisins, rencontres merveilleuses où la culture traditionnelle française se ravivait dans une sorte de culte joyeux pour célébrer la victoire que les descendants des pionniers avaient remportées sur le climat canadien et pour marquer leur appartenance à un pays nouveau. »

Abel

De cet *Ancien Testament*, Jacques Ferron va se souvenir toujours car il est la source première de toute écriture, celle grâce à laquelle naît le conteur. C'est le sens du *Déluge*:

Bélial

« Un habitant, bon cultivateur, qui avait su obtenir de sa femme treize enfants de belle venue quoique d'inégale grosseur, vivait avec sa famille dans une maison d'habitant, qui était aussi une drôle de maison, car chaque année durant l'hiver elle flottait sur la neige quarante jours et plus ; toutefois, le printemps revenu, elle redevenait une maison comme les autres à la place même d'où elle était partie, dans le rang Fontarabie, à Sainte-Ursule de Maskinongé. »

Abel

Et de cette grande maison paternelle, les enfants, dès la fin de l'été, s'en vont les uns après les autres, sauf l'aîné qui en sera le seul héritier. C'est que la maison québécoise traditionnelle n'est pas suffisamment riche pour nourrir chacun de ses enfants, sauf en été alors que les travaux aux champs exigent une main-d'œuvre nombreuse. Aussi, les enfants doivent-ils quitter la maison avec les premières gelées, pour s'en aller qui à Québec, qui à Montréal, qui encore en Abitibi quand ce n'est pas à Winnipeg ou à Calgary, comme ce François Laterrière du rang Trompe-Souris de Maskinongé. Et aller aussi loin, c'est perdre aussi bien son âme que son nom. À Calgary, François Laterrière devient Frank Laterreur, c'est-à-dire quelqu'un qui ne peut plus être reconnu, aussi bien de lui-même que des siens, tel ce garçon dont parle *Le déluge* et dont le bonhomme de la maison ne se souvient même pas quand, quelques années plus tard, il revient dans le rang Fontarabie. Et le bonhomme, privé depuis qu'il est devenu vieux de la sensuelle promiscuité que ses enfants représentaient quand ils vivaient sous son toit, devient en vérité le cadet de sa progéniture. C'est à son tour de partir parce que, à bout d'âge et ne lui restant plus qu'un grand bâton rigide entre les jambes, il ne peut pas faire autrement que de s'enfuir et de laisser vide la maison. Jacques Ferron a écrit : « Il partit donc. L'automne était avancé. Bientôt la neige tomba et la drôle de maison, se détachant de Fontarabie, se mit à flotter ; elle passa lentement au-dessus de la génération perdue, arche dérisoire, barque des impuissants, au-dessus du bonhomme au fond du déluge, qui brandissait son terrible bâton. »

Samm

Là où il en est rendu dans son rêve, je n'ose pas déranger Abel. Depuis que j'ai quitté la Pointe-Bleue pour aller le rejoindre au carré Saint-Louis à Montréal, je me sens comme dépassée. Ce n'est pas à cause d'Abel lui-même car, aussitôt que je l'ai vu, je l'ai reconnu et tel qu'il était il y a vingt ans. Il a conservé les mêmes odeurs et la même chaleur comme si le temps, depuis vingt ans, n'était pas autre chose que ce qui de la vie s'arrête quand elle se dépense dans l'exclusivité de la solitude. Abel vient tout juste d'en sortir, et de le sentir aussi vulnérable quoique fébrile, cela ne m'autorise pour le moment qu'à garder le silence. Je regarde le paysage, tous ces petits villages que nous traversons et qui sont enfoncés dans la neigeante neige comme autant de vieilles barques démodées. Il me semble que tout devient irréel, aussi bien Abel que moi et que Bélial qui conduit la vieille Cadillac blanche dont les grands ailerons sont lumineux.

Bélial
C'est que nous sommes déjà rendus à Yamachiche. Une fois passé la maison de Nérée Beauchemin qui, entre ses deux filles, se berce sur la galerie, nous ne mettrons pas de temps à arriver à Louiseville. Nous sommes le 20 janvier 1921 et c'est ce jour-là que Jacques Ferron a choisi pour venir au monde. Louiseville n'a pas vraiment changé depuis 1921. Elle est toujours le chef-lieu de ce grand comté rural qui allait de Saint-Léon à Sainte-Ursule, de Saint-Alexis à Saint-Justin, et de Saint-Paulin à la mer des Tranquillités, c'est-à-dire le lac Saint-Pierre. Jacques Ferron a écrit :

Abel
« À cette époque, Louiseville était un lieu quadrangulaire, fermé au nord par la traque du Cipiar, à l'ouest par une sorte de grand fossé venant de Sainte-Ursule, nommé la Petite Rivière, à l'est par cette vraie, par cette belle rivière du Loup qui avait ses fontaines dans les montagnes, bien plus loin que le bout du monde, et, au sud, par les deux cimetières aboutés, celui des étrangers, tous repartis, moins les assimilés, moins les morts, et le nôtre. Ce rectangle approximatif, à peu près carré, était divisé en deux par la Grand-Rue qui d'est en ouest traversait la ville, ayant à chaque bout un pont, le plus petit pour continuer vers Berthier et Montréal, l'autre à la superstructure d'acier un peu branlante, sur lequel les

chevaux n'avaient pas le droit de trotter, pour arriver des Trois-Rivières, de Québec et peut-être de France. C'était elle, bien entendu, la première rue : à l'exception du palais de justice dans la rue Saint-Marc, de quelques maisons respectables dans les rues Notre-Dame et Saint-Aimé, elle avait le beau du décor et le meilleur de la représentation. »

Bélial

Cette Grand-Rue, on la retrouve dans tous les villages québécois traditionnels. L'habitaient les notables du comté, installés en rang d'oignons de chaque bord de

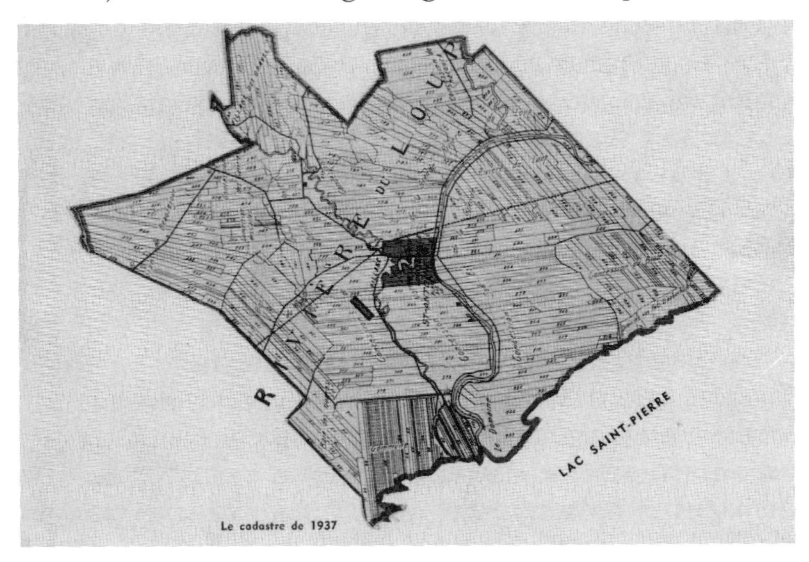

Le cadastre de 1937

l'église, pivot de toute l'organisation paroissiale. Comme a encore écrit Jacques Ferron :

Abel

« Cette église, comprise dans l'enceinte carrée, disposait nécessairement de moins d'étendue que la paroisse, mais de combien plus d'espace ! car c'était par elle, dans son grand bâtiment sacré, grâce à la magie de la religion, que l'enclos s'ouvrait et que du fini on passait à l'inaccessible, au Très-Haut, à un ciel aussi vaste que le monde et à un Dieu bien au-dessus du monde. »

Bélial
Mais cette magie dont parle Jacques Ferron n'était vraiment efficace que le dimanche. Les autres jours, la Grand-Rue retrouvait tous ses droits, à cause des notables qui l'habitaient. Et les rangs, que ce soient celui de Fontarabie, celui de Trompe-Souris ou n'importe quel autre, retournaient au quotidien des choses et sombraient, six mois par année, dans le grand déluge de neige et de froid. Isolée dans la tempête québécoise, la maison de rang devenait le centre du monde. À cause de l'hiver, ce centre du monde-là devenait, pour certains, bien pire qu'un enfermement. C'est ce qui explique que Jacques Ferron, qui n'a pas véritablement connu son grand-père maternel, en ait fait dans *La créance* ce personnage fictif qui sellait son grand cheval appelé Flambard pour descendre à toute vitesse des hauteurs de Saint-Alexis vers Louiseville afin d'y perdre sa dignité dans les hôtels de la Grand-Rue. Jacques Ferron a écrit :

Abel
« Il se saoulait à la bière, boisson du petit peuple, boisson méprisée que ne buvaient jamais les notables ni même les cultivateurs, en dépit de son père qui avait été colonel de la milice du comté, de ses trois sœurs ursulines et de son oncle, Monseigneur Charles-Olivier, grand vicaire du diocèse. »

Bélial
Et quand il avait bu assez de bière, le grand-père imaginé par Jacques Ferron remontait sur son grand cheval appelé Flambard et, par le chemin du Moulin, descendait aux enfers.

Abel
C'est une autre caractéristique de la paroisse québécoise traditionnelle, celle du monde d'en haut, la Grand-Rue, et celle du monde d'en bas situé à ses confins, toujours au-

delà du moulin, là où tous les réprouvés de la Terre formaient confédération. C'est là que tu allais quand le bas de ton corps te démangeait, parce que tu y trouvais toujours une mécréante pour te guérir. En 1921, cette réalité sociale avait encore tout son sens, aussi bien à Louiseville que dans n'importe quel autre village dûment formé. L'enfance de Jacques Ferron en a été profondément marquée et il s'en souviendra magistralement dans *Le ciel de Québec*. Mais, pour le moment, nous n'en sommes pas encore là. Assis sur la banquette arrière dans la vieille Cadillac blanche dont les grands ailerons sont lumineux, Samm et moi nous courons après le fabuleux grand-père maternel de Jacques Ferron qui, monté sur son grand cheval appelé Flambard, longe la rivière du Loup vers le village des Magouas.

Samm
Ah ! ces Magouas ! Comme ils m'ont fascinée quand j'ai lu *La créance* !

Victoria Lescadre et Benjamin Ferron, grand-mère et grand-père de Jacques Ferron.

Abel
« Ces Magouas, sous-prolétaires agricoles, qui se trouvaient excommuniés parce que faubouriens, exclus de l'état de grâce louisevillien, accablés de tous les péchés du monde, à qui on faisait la charité d'une main, qu'on exploitait de l'autre, au demeurant misérables comme cela ne se conçoit plus. »

Bélial
Les Magouas représentaient le monde des enfers, là même où Moi Bélial je suis venu au monde avec ma patte de bouc. Il n'y avait que le grand-père imaginé par Jacques Ferron pour y descendre aussi creux, et encore ne le faisait-il que quand il se retrouvait complètement saoul.

Abel
Il y avait aussi le docteur Michael Hart qui, peut-être parce que d'origine juive, se percevait lui-même comme un réprouvé, ne mettait jamais les pieds à l'église et avait élu, pour l'aider dans ses accouchements, Madame Théodora, cette sage-femme venue du pays des Magouas.

Samm
Au moment de la naissance de Jacques Ferron, Madame Théodora restait, dans la cinquantaine avancée, une grande rousse encore belle et capable de susciter d'obscures rumeurs à propos de ses mœurs. À Louiseville, on croyait qu'elle couchait avec le vieux docteur Hart, ce qui, le 20 janvier 1921, n'a pas empêché le père de Jacques Ferron de l'aller quérir avec sa jument Linette quand sa femme entra en contractions. Dans *La créance*, la chose est ainsi racontée:

Abel
« Pendant que mon père dételait Linette, la sage-femme avait fait connaissance avec les deux personnes du sexe qui devaient l'assister, la veuve Trépanier, plutôt

confiante, et une cousine venue de Saint-Léon, avantagée du titre de tante, une épaule trop haute, l'autre bras en plumeau, maigre, quelque peu bossue et la bosse remplie de sombres pressentiments, les lèvres pincées et trouvant moyen d'ouvrir la bouche pour parler de sa pauvre Adrienne. Mon père n'avait pas tardé à suivre. Quand Madame Théodora enfin monta, il était déjà dans la chambre, agenouillé contre le lit, tenant les mains de ma mère et pleurant. »

Bélial
Mais la mère ne filait guère mieux. Un brin hystérique, elle avait peur d'*acheter*, selon le mot que les *pelles-à-feu*, c'est-à-dire les sages-femmes, utilisaient à cette époque pour parler d'une mère *se délivrant* de son enfant. Née Caron et Bellerose, la mère avait été élevée par les Ursulines des Trois-Rivières qui, au lieu de lui apprendre les modalités somme toute simples de n'importe quel accouchement, lui ont enseigné la peinture.

Abel
J'ai vu l'une de ces peintures-là, sans doute la seule qui soit restée, dans le bureau de médecin de Jacques Ferron, chemin de Chambly, à Longueuil, quand, pour la première fois, j'y suis allé. C'était tout juste à côté de la porte et ç'avait la grandeur d'un énorme timbre-poste. Je me souviens que les couleurs du tableau étaient celles de l'été, que le vert, l'or et ce qui roussit sous le soleil y dominaient. Cette petite toile représentait les hauts de la rivière du Loup qui, venue d'au-delà même du pays de Saint-Alexis, celui du grand-père maternel, traverse Louiseville avant de se jeter dans le lac Saint-Pierre. Jacques Ferron était attaché presque maladivement à cette représentation faite par sa mère de son profond pays d'enfance. La première fois que je me suis retrouvé dans son bureau de médecin, c'est ainsi que Jacques Ferron m'a présenté à sa mère, par le biais du tableau de la

rivière du Loup qui restait d'elle. Sur le coup, je n'ai pas compris, sans doute parce que j'ai toujours eu l'œil mauvais, ce qui m'a fait préférer le monde des odeurs à celui des couleurs. Ma mère et mon père n'avaient pas de couleurs : ils *sentaient* fort et, quand je pense à eux, c'est d'abord ce dont je me souviens, *le goût* que ç'avait dans mon nez quand mon nez s'y frottait. Est-ce seulement à cause de l'enfance que tout ce qu'on est se trouve en quelque sorte déterminé avant même qu'on s'y retrouve? Pour moi, je ne peux pas en parler vraiment étant donné qu'il n'y a pas d'odeurs dans la peinture une fois que celle-ci se retrouve séchée et encadrée à jamais. Autrement dit, c'est ce qui s'est vécu dans l'enfance profonde qui vous conditionne. Moi, cela a été les odeurs des aisselles que *goûtait* ma mère et les odeurs des pieds fatigués que *goûtait* mon père. Pour Jacques Ferron, ce fut cette petite toile de la rivière du Loup dans le comté de Maskinongé, grand *crevage* des eaux de lui-même et dont sa mère ne s'est jamais remise. Ce n'est pas pour rien si Jacques Ferron a toujours mis la peinture au-dessus de tout :

Bélial
« L'homme est avant tout un visuel. Si les idées mènent le monde, les penseurs sont à la remorque des arts et tout particulièrement de la peinture. Le tableau est le grimoire où l'on peut lire l'avenir — après coup, bien sûr. »

Abel
Cet « après coup, bien sûr » ne vient pas impunément sous la plume de Jacques Ferron. Car cet « après coup, bien sûr » n'est entendable que par rapport au monde de son enfance, c'est-à-dire celui de sa mère. Même dans le génie de Paul-Émile Borduas, c'est elle que Jacques Ferron voit, c'est cet œil dans lequel tout passait. Sur son grand cheval appelé Flambard, le grand-père imaginé par Jacques Ferron avait tout emporté, aussi bien la fureur que la folie dont son

corps était plein. Quand ça se *désemplit*, il ne reste plus qu'un œil et l'œil est le lieu de toutes les couleurs, aussi bien dire ce point fixe par lequel on peut enfin se représenter l'espace, même et surtout si celui-ci est projeté hors du temps. Ce qui est sans forme est sans couleur, a dit Jacques Ferron. Mais quand cette phrase lui est venue, ce n'était pas la peinture qui l'obsédait, sinon par l'œil de sa mère, poitrinaire, et qui le regardait sans vraiment le voir, lui enfant non *formé* encore, donc non *irisé*. Et Jacques Ferron a mis trente ans à devenir l'œil de sa mère et, quand c'est arrivé, il n'y avait plus d'espoir, même pas dans cette petite toile qu'il y avait devant lui dans son bureau de médecin, chemin de Chambly, à Longueuil.

Samm

Abel s'est comme laissé tomber par-derrière, toute sa tête donnant contre le dossier de la banquette. Je voudrais bien lui donner l'aisselle de mon bras et les odeurs qui sont dedans car je devine bien qu'il en aurait besoin, et avant même que nous arrivions à Louiseville. Si l'enfance de Jacques Ferron a été un œil à cause de sa mère, celle d'Abel se résume peut-être à ce qu'il y avait d'inatteignable dans le monde de ceux qui *sentent*. Moi, amérindienne, c'est par le sang que je suis détenue et retenue : le sang est au-delà de n'importe quelle couleur et de n'importe quelle odeur. Mais comment le faire comprendre à Abel ? Comment lui faire comprendre que, pour sentir, il faut d'abord avoir un pays à soi, ne serait-ce qu'une aisselle avenante parce que disponible ? Et comment aussi lui faire comprendre que l'œil, ce n'est jamais rien de plus que l'envers et l'ados du sang qu'on détient et retient en soi ? Si ce n'était pas le cas, la mère de Jacques Ferron n'aurait jamais baptisé son fils Jean-Jacques en l'honneur de messire Rousseau, quelqu'un qui était poitrinaire comme elle et n'avait plus que son œil pour ne pas sombrer tout à fait.

Bélial

Moi Bélial, jadis chauffeur de Jacques Ferron et maintenant chauffeur de Samm et d'Abel, j'entends tout ce qui se dit dans le silence alors que, conduisant la vieille Cadillac blanche dont les grands ailerons sont lumineux, mes yeux de braise trouent l'espace de la neigeante neige qui tombe. Les premières habitations de Louiseville s'en viennent vers nous, bâtiments presque féeriques sous la poudrerie. Mais Abel ne voudra pas qu'on s'engage tout de suite dans la Grand-Rue : il ne veut pas encore voir la véritable maison

Vers 1915, la rue Saint-Laurent à Louiseville.

d'enfance de Jacques Ferron. Aussi fera-t-on d'abord ce grand détour par les rangs Fontarabie et Trompe-Souris, Abel étonné de se rendre compte qu'ils ressemblent à tous ces rangs qu'on rencontre partout au Québec, découpés par tranches et dont la ligne droite est le fondement.

Abel

J'avais oublié que c'est seulement l'écriture qui rend le paysage magique. La première fois que j'ai lu le mot *Fontarabie* chez Jacques Ferron, j'ai pensé qu'il l'avait inventé à cause des *Mille et une nuits* qui a longtemps été

Le moulin, à la frontière des Magouas.

son livre de chevet. Pour moi, *Fontarabie* veut dire « fond d'Arabie », c'est-à-dire la magie même de l'écriture. J'aurais dû savoir que ce ne sont pas là des mots qu'on invente. Mais laissons Fontarabie et montons dans les hauts de Saint-Alexis, là d'où descendait le grand-père imaginé par Jacques Ferron quand, lassé de son commerce de bois, il enfourchait son grand cheval appelé Flambard pour aller secouer ses puces avec les Magouas. Après Saint-Alexis, nous reviendrons vers Saint-Léon, car je veux voir le village des Ambroises, ce rang qu'habitait le grand-père paternel de Jacques Ferron, un cultivateur de caractère qui fit instruire onze de ses douze enfants par souci de notabilité. Quelques-uns de ces enfants-là deviendront juge, sénateur, religieux et religieuse, voire notaire comme le père de Jacques Ferron. Et ce n'est qu'une fois tout ceci arrivé, donc compris, qu'on pourra entrer dans Louiseville et entrer dans la maison d'enfance de Jacques Ferron, au coin de la rue Notre-Dame et de la Grand-Rue, près du pont, le long de la rivière du Loup. Ce qu'on devient provient de ses origines et si Jacques Ferron s'est tourné du bord de l'écriture c'est que, partagé depuis sa naissance entre les deux branches de sa famille, l'une tournée vers la folie et l'autre faisant son nid dans la notabilité, il ne lui restait plus que les mots pour ne pas sombrer. Sa mère le savait-elle déjà, elle qui a insisté pour le prénommer Jean-Jacques? Savait-elle déjà qu'elle avait mis au monde un écrivain, et non pas ce peintre qui constituait le fond secret de sa nature schizoïde, qu'elle devait aux Bellerose et aux Caron, pays de ses mère et père?

Samm

Abel m'a regardée, puis a tout de suite tourné la tête et fermé les yeux. Il ne les rouvrira plus tant que nous ne serons pas devant la maison d'enfance de Jacques Ferron. Tous les pèlerinages sont d'abord ce qui se joue à l'intérieur de soi. J'en sais suffisamment sur Abel pour deviner ce à quoi il pense. J'en sais suffisamment sur Abel pour comprendre que cette descente que nous faisons dans l'enfance profonde de Jacques Ferron le renvoie à la sienne, bien que ce soit à l'envers. Le grand-père d'Abel était forgeron-fondeur dans la Grand-Rue des Trois-Pistoles. C'était un notable assez fortuné pour jouer à la bourse malgré les dix enfants qu'il devait nourrir et faire éduquer. Mais aucun de ses enfants n'a voulu s'instruire comme aucun de ses enfants n'a voulu assumer la relève du forgeron-fondeur, surtout pas le père d'Abel qui avait peur des chevaux et qui, à cause de cela, est devenu beurrier-fromager dans un pays qui n'en avait plus besoin. Le résultat a été catastrophique: le père d'Abel a dû abandonner la Grand-Rue des Trois-Pistoles et monter dans les hauts de Saint-Jean-de-Dieu, pays de sa femme. Lui, devenir cultivateur alors qu'il ne connaissait rien ni aux bêtes ni à ce qui de la terre s'ouvre quand on met le piochon dedans! Encore une fois, le résultat a été catastrophique: après cinq ans de misère, il a bien fallu fuir vers Montréal, avec pour seul avenir le sous-prolétariat des Magouas. C'est exactement l'envers du monde que, dès sa naissance, Jacques Ferron a connu.

Abel

C'est que, dès sa naissance, le 20 janvier 1921, Jacques Ferron a toujours habité le monde d'en haut tandis que moi, c'est celui d'en bas qui m'a été dévolu. Même géographiquement, c'est là une théorie qui se tient. Car qui dit géographie dit toponymie. Et la toponymie québécoise a toujours été partagée en deux : à l'ouest de Québec, c'est le pays d'en haut. À l'est, c'est celui d'en bas. Et les gens venus de l'ouest qui se retrouvaient dans l'est nommaient les nouveaux lieux selon ceux qu'ils avaient connus dans leur profond pays d'enfance. C'est pourquoi on a un Berthier d'en haut, près de Louiseville, et un Berthier d'en bas, près de Montmagny. C'est pourquoi on a une rivière du Loup d'en haut, qui traverse Louiseville, et une rivière du Loup d'en bas, en amont de la ville du même nom. Il fut donc une époque où le pays se répondait à lui-même dans ses *nommaisons*, en tout cas le croyait-il. Mais c'était de l'usurpation pour le monde qui vivait dans le haut et ne faisait que s'assurer dans sa pérennité de notable. Et Louiseville, en 1921, c'était quoi sinon une banlieue des Trois-Rivières, c'est-à-dire tout ce dont on peut profiter parce qu'on peut choisir, sans risque d'y laisser sa peau, entre Québec et Montréal ? Pour les pays d'en bas, ce n'était pas la même histoire. Encore aujourd'hui, on retrouve peu de monde à Westmount, Mount-Royal et Outremont qui vient des pays d'en bas. On y retrouve plutôt ceux qui ont émigré des pays d'en haut, y compris Marcelle et Madeleine, les sœurs de Jacques Ferron qui y vivent, et qui, en plus, y vivent dans la fierté d'elles-mêmes.

Samm

Abel s'est collé contre moi et j'ai senti tout ce qui de son corps se rebelle. Est-ce que cela vient de l'épuisement dans lequel il se retrouve à cause de tout ce que la télévision a déchiré en lui, ou est-ce moi qui, parce que amérindienne, perturbe tous les signes dans lesquels il se débat? Quand je viens pour le lui dire, il colle sa joue contre ma bouche et dit:

Abel
Tout de tout reste tout le temps à comprendre. Et pour la compréhension, je ne suis pas doué pour: les pays d'en bas sont lents d'entendement. Je vais sans doute y arriver, mais il faut me laisser du temps.

Bélial
Le temps va nous manquer tantôt, car nous voici enfin arrivés à Louiseville, dans cette Grand-Rue qui nous mène tout droit à la maison d'enfance de Jacques Ferron. Maître, Moi Bélial, est-ce que je dois continuer ou bien arrêter?

La famille du forgeron-fondeur.

3

Avant-dire

C'est l'esprit immonde qui m'a engendré. Cela deviendra patent, quelques mois après, le temps de me détacher de l'amont, de procéder de mes confins et de quitter les limbes, quand bouffi, souillé, méchant, avec des grimaces d'énergumène, des cris de possédé, j'arriverai au monde auprès d'une mère blessée et d'un père impuissant, petite créature infernale, sans la moindre parcelle d'intelligence, plus démuni qu'un animal.

Jacques Ferron,
La créance

Jacques Ferron en 1923.

Abel
La vieille Cadillac blanche dont les grands ailerons sont lumineux est stationnée devant la maison d'enfance de Jacques Ferron, au coin de Notre-Dame et de la Grand-Rue, à Louiseville, comté de Maskinongé, près du pont et de la rivière du Loup. C'est une maison impressionnante, de briques rouges, et que ceinture une grande galerie dont le menuisier-charpentier a bien *goluré* les angles. Je ne sais pas ce que veut dire le mot *goluré*. Je n'ai pas besoin de le savoir : même oubliés dans la mémoire la plus lointaine, les mots vivent, et c'est ce qui importe. C'est sans doute pourquoi je n'arrive pas à sortir de la vieille Cadillac blanche dont les grands ailerons sont lumineux pour entrer dans la maison d'enfance de Jacques Ferron. Ouvrir une porte, c'est admettre que même le sens des choses peut être violé, ce que les Sarrasins comprenaient quand ils disaient qu'on ne trouve rien de plus dans une auberge espagnole que ce qu'on y apporte. Mais, malgré que je le sache, pourquoi ce besoin que j'éprouve quand même d'entrer dans cette maison? Et pourquoi y entrer après cette voyagerie que nous venons de faire dans les pays d'avant l'enfance de Jacques Ferron, et qui m'a laissé ce goût amer dans la bouche?

Samm
Je sais de quoi souffre Abel. C'est que, pas plus à Saint-Léon qu'ailleurs, Abel n'a reconnu les lieux dont Jacques Ferron a si bien parlé dans ses livres. Tous les rangs, aux noms si évocateurs, ont été débaptisés. La Petite-Route est

devenue la rue Grimard ; l'Ormière, divisée en deux, se nomme maintenant la rue Gagné et la rue Duchesnay ; le Grand-Trompe-Souris n'est plus que la rue Saint-Clément tandis que le Petit-Trompe-Souris porte le nom banal de Paquin. Pour le rang du Bois-Blanc, on n'a rien trouvé de mieux que de l'appeler la rue Savoie. En fait, un seul rang a conservé son nom original et c'est celui du Ruisseau-des-Aulnes. Voilà bien ce qui explique l'écœurement d'Abel : on met des siècles pour que le paysage prenne toute sa configuration puis, l'espace de deux générations, on oublie jusqu'au souvenir de cette configuration. C'est bien assez pour que la tristesse de ça vous habite même devant l'impressionnante maison de briques rouges dans laquelle est né Jacques Ferron.

La maison natale. (Photo : Yvon Gamache)

Bélial

Peut-être n'appartient-il qu'à Moi Bélial d'y entrer. Étant ce que je suis, je ne me sens pas porté au chagrin. Et puis, ce ne sont pas les portes qui manquent : il y en a cinq, ce dont Alphonse Ferron, le père, était très fier, tout autant que du reste de la maison d'ailleurs, surtout du toit en pyramide, son sommet engoncé dans une tourelle vitrée, elle-même coiffée de sa petite pyramide et portant mât à sa pointe. Cette maison extravagante, la première à sortir du rang, marquait l'ascension sociale de la famille Ferron, particulièrement pour le père si infatué de lui-même qu'il ne se faisait jamais appeler que Notaire, sa profession.

Samm
Bélial est descendu de la vieille Cadillac blanche dont les grands ailerons sont lumineux, et il marche vers cette porte qui donne sur le bureau de notaire d'Alphonse. Je dis : « Abel, tu es certain de ne pas vouloir y aller ? »

Abel
À quoi ça servirait ? Je crois que je connais cette maison par cœur. De toute façon, ce ne sont pas les murs qui m'intéressent ; c'est ce que Jacques Ferron a pu y vivre. Et tout cela, il l'a raconté dans cet appendice qu'il a écrit à ses *Confitures de coings*, titre qu'il a donné à cette nouvelle version de *La nuit* qu'il a fait publier en 1971. Tout sérieux qu'il était, le père de Jacques Ferron en prend pour son rhume. Il n'était pas que notaire, mais un organisateur politique intraitable. Comme il est dit dans *Le refus* :

Samm
« Mon père divisait la société en deux castes, la caste solaire, la sienne, plutôt païenne et anglomane, dont la couleur était le rouge, et la caste lunaire, plutôt romaine et nationaliste, dont la couleur était le bleu. Ces castes comprenaient tout ce que le comté avait d'instruit, de riche et de poli. Elles alternaient aux différents gouvernements fédéral, provincial et municipal comme la nuit succède au jour et le jour à la nuit. Leur opposition était fondamentale, ce qui ne les empêchait pas de s'accorder par le respect, les affaires, les mariages, et aussi par le commun mépris des pauvres et des illettrés dont elles se disputaient la clientèle à chaque élection. »

Abel
Et quoi de mieux pour gagner le pauvre électeur à sa cause que ce petit blanc de contrebande que fabriquait le

père et qu'il distribuait à la population laborieuse, les Magouas lui servant d'entremetteurs ? Heureusement qu'il y avait l'oncle Émile, d'abord député à Ottawa, puis petit juge. Coureur de jupons, beau parleur, il savait par cœur de longues tirades de Rostand et de Sacha Guitry. Bien plus que député et petit juge, l'oncle Émile avait rêvé et rêvera toute sa vie d'être un conteur public vagabondant de village en village, une manière de rabouin, de gitan. C'est de lui que s'inspirera Jacques Ferron quand il va se mettre à écrire.

Samm
De l'oncle Émile, bien sûr, mais aussi de sa mère, sa mère qui n'eut que le temps de mettre au monde cinq enfants avant de mourir de tuberculose en 1932, comme plusieurs autres membres de sa famille, et plus particulièrement Irène, cette tante que Jacques Ferron préférait à toute sa parenté :

Abel
« Lorsque tante Irène s'amenait à la maison pour les fêtes, elle arrivait toujours plus exubérante que je ne l'attendais, porteuse de mille joies et de menus cadeaux. Je ne savais trop où donner de la tête. Elle me pressait contre elle, son étreinte était longue, sa pelisse douce et fraîche ; elle m'appelait son trognon, son petit trognon. C'est seulement d'aujourd'hui que je sais la signification de ce mot affectueux. Auparavant, il me suffisait de m'en souvenir et de me le répéter. À lui seul il évoquait l'arrivée de cette tante si vivante et pourtant si près de mourir, l'unique sœur de ma mère plus blonde, plus placide, qui la regardait avec un peu d'indulgence, néanmoins toute rengorgée de joie. C'est un mystère pour moi que tante Irène ne se soit pas mariée. Elle aurait pu le faire et s'était refusée. Peut-être se savait-elle malade et ne tenait pas à mettre au monde des orphelins, elle qui avait à peine connu sa mère, si simple, blonde et placide comme

L'enfance.

Adrienne, sa mère, dont elle ne se souvenait pas, et peut-être l'avait-elle longuement regrettée ? Elle avait décidé de rester libre et, son héritage ne suffisant pas à l'entretenir, de faire carrière d'infirmière. Il n'y en avait pas d'autre à cette époque, qui convint à sa condition. Elle en avait entrepris l'apprentissage sur le tard, à vingt-cinq ou vingt-six ans, et quand elle arrivait ainsi pour les fêtes, c'est d'un hôpital de Montréal qu'elle venait. »

Samm
Mon trognon, mon petit trognon !

Abel
Larousse ne parle que du cœur de fruit ou de légume, du restant, de l'immangeable. Sans Littré, dont le dictionnaire nous est plus précieux qu'en France à cause de nos archaïsmes restés vivaces, il m'aurait fallu penser à un mot d'invention domestique. Figurément un petit trognon est une jeune fille petite et Littré de donner cet exemple de Gherardi : « Moi, quitter ce pauvre petit trognon ! Oh je l'aime trop. » À l'époque, il n'y avait pas grand-différence

Les funérailles du père de Jacques Ferron.

entre un garçon et une fille qui, les deux, aussi longtemps qu'ils restaient dans le gynécée, portaient la petite robe et les cheveux longs. Même après, jusqu'à la mue de la voix, un garçon ne perçoit de la parole du père que le laborieux agencement des monèmes, que le message. Et le père lui reste étranger tandis que par la mère, à cause du timbre si près du sien, il entend les modulations et le chant, ce qui fait qu'il reste féminin si longtemps.

Samm
Et c'est la tante Irène qui apporta à Jacques Ferron le seul jouet de son enfance dont il se souviendra.

Abel
Un sous-marin métallique, de couleur grise, avec lequel il s'amusait dans la baignoire familiale, tout bellement greyé de son habit de matelot. Jacques Ferron a écrit :

Samm
« Cet habit de matelot était un costume de rêve et encore ne le portais-je que pour le profit de ma mère qui s'était mariée dans le comté de Maskinongé, se greffant à un arbre en pleine croissance, à côté de la souche vermoulue des siens, mais qui aurait désiré en sortir, aller à l'aventure et échapper ainsi à sa maladie. »

Abel
Elle n'y échappera pas pourtant et mourra le 5 mars 1932. J'entends le glas qui sonne et je vois apparaître dans la Grand-Rue le lourd corbillard de la mort, monté sur patins, et que tirent quatre chevaux noirs, tout recouverts de noir aussi. Le lourd corbillard de la mort s'arrête devant la maison. Bientôt, ce sera la levée du corps, puis l'ébranlement du lourd corbillard de la mort vers l'église de Louiseville et le cimetière.

Samm
Ce que Jacques Ferron n'oubliera jamais, ce sera la présence de ces deux médecins, les docteurs Lionel Dugré et Agapit Livernoche, au premier rang du cortège:

Abel
« Tous deux s'étaient mis en frais, conscients de leur rôle, et portaient la queue de morue, le plastron, coiffés du tuyau huit reflets, dont le noir avait quelque reflet verdâtre, plus marqué sur celui du docteur Agapit Livernoche, étant donné qu'il en avait hérité du sénateur Legris, coiffure que tout le monde nommait chapeau de castor. Sur le moment, même s'ils avaient le pas sur moi et sur mon père, relégués au deuxième rang du cortège, je ne m'en formalisai pas trop, et leur place, quoiqu'il m'en déplût, me sembla sans doute ordinaire. D'ailleurs le trajet entre la maison et l'église fut vite fait. Par après, cependant, j'aurai lieu de m'étonner de leur préséance car jamais je ne revis de médecins assez consciencieux pour faire office de croque-morts. J'en viendrai même à penser que j'avais rêvé. Mais non! Il s'agissait bien d'un vieil usage, sur le point de tomber en désuétude, de la coutume mauricienne. »

Samm
Tandis qu'Abel songe à tout cela, Bélial est sorti de l'impressionnante maison de briques rouges. Il s'avance vers la vieille Cadillac blanche dont les grands ailerons sont lumineux, ouvre la portière, s'assoit au volant et dit :

Bélial
Vous avez bien fait de ne pas venir et de rester dans la voiture : ce n'était pas très gai à l'intérieur à cause du père qui se promenait dans la maison comme une âme en peine en exhibant un mouchoir tout souillé de sang brun. Ç'a été facile pour moi de comprendre qu'il ne remontera jamais de cette mort-là. Son lorgnon sur l'œil, il va se

mettre à boire, tout seul, parce que désormais la nuit va lui faire peur. Et le jour revenu, trop épuisé par son ivrognerie, il va travailler avec si peu d'entrain que la faillite ne manquera pas de se pointer le bout du nez :

Abel

« Car mon père n'aura plus personne au-dessus de lui et sera capable de défier Dieu, Prométhée à l'échelle du comté de Maskinongé, et sera capable de mourir comme il l'entendait, calculant bien son acte et choisissant son jour, le 5 mars, celui-là même où ma mère était morte et qui, comme par hasard, se trouvait être la date d'une échéance qu'il ne pouvait pas rencontrer et où il allait être mis en banqueroute. Il n'y eut pas de banqueroute, sa vie était assurée comme on dit par un curieux euphémisme, c'est-à-dire échangeable pour le montant d'argent qu'il lui manquait pour faire honneur à ses affaires. Tous ses biens vendus, y compris la maison au toit tarabiscoté de la Grand-Rue, l'actif dépassait le passif ; il me laissait un petit héritage suffisant pour continuer mes études et pourvoir à mon établissement loin de Louiseville. Tel fut son rachat, *cash down*, le diable n'en accepte pas d'autre. »

La mère et le père de Jacques Ferron.

Samm

Et glisse dans la neige le lourd corbillard de la mort que tirent quatre chevaux. Jacques Ferron n'oubliera jamais cette image qui marque la fin de son enfance tout autant que la fin de sa mère. Il y reviendra plusieurs fois dans ses livres, si ému par les évocations qu'il en fera qu'après quelques paragraphes il ne pourra que changer de sujet, sa blessure trop vive lui interdisant de tout dire. « Ah ma mère cadette ! » s'écriera-t-il souvent en songeant à cette petite toile de la rivière du Loup qu'elle avait peinte et que, toute sa vie, il a eue devant les yeux dans son bureau de médecin, chemin de Chambly, à Longueuil. « Ah ma mère cadette ! » s'écriera-t-il souvent en repensant à cet enterrement qui, en 1932, l'avait à ce point bouleversé qu'il a écrit :

Abel
« Le feu convient mieux à la dépouille des morts que la terre humide et la pourriture. Cette terre les garde captifs à jamais dans une profonde horreur tandis que le feu les libère en parcelles aériennes qui dansent dans les rayons du soleil. Je n'irai jamais sous la terre. »

Bélial
C'est que, pour Jacques Ferron, la tuberculose qui a emporté sa mère est en elle-même un grand pourrissement de tout l'intérieur et que seul le feu peut arrêter. Quelle étrange maladie tout de même que celle-là ! La seule avec la lèpre et la folie à avoir suscité des institutions qui lui soient propres, ces sanatoria mi-hôpitaux mi-prisons que Jacques Ferron connaîtra lui-même quand, dans la vingtaine, il sera tout comme sa mère atteint de consomption.

Abel
Consomption ! Dans mon enfance, pas un mot ne m'a terrorisé autant que celui-là. Sans doute parce que j'étais un brin dyslexique, je ne faisais pas la différence entre *consomption* et *conception*. À cette époque, il y avait un chant religieux très populaire qui portait précisément sur l'immaculée conception avec une finale qui vous obligeait à répéter par trois fois : « Ah l'immaculée conception ! » Comme j'étais incapable de négocier la différence entre *conception* et *consomption*, je gueulais : « Ah l'immaculée

consomption ! » avec tant d'acharnement que mon père m'a frappé pour la première fois et la dernière fois de sa vie.

Samm
La cérémonie de l'enterrement est maintenant terminée. Tiré par les quatre chevaux, le lourd corbillard de la mort va quitter le cimetière et glisser lentement vers la Grand-Rue pour disparaître à nos yeux. Bélial demande à Abel :

Bélial
Maître, il semble bien que cette première partie de notre pèlerinage est accomplie. Nous savons désormais que c'est l'enfance qui détermine l'individu par ses parents, ce qu'ils sont, ce qu'ils souffrent et rêvent, et les lieux qu'ils habitent. Nous savons aussi que l'enfance se termine souvent abruptement, faisant au centre de soi cette blessure qui, peut-être, ne guérira jamais plus, comme c'est arrivé pour Jacques Ferron à la mort de sa mère. Et parce que nous avons appris tout cela désormais, où voulez-vous que Moi Bélial je vous conduise dans la vieille Cadillac blanche dont les grands ailerons sont lumineux ?

Abel
L'enfance n'est pas tout. Il y a aussi ce qui lui survit et qu'on appelle adolescence.

Samm
Jacques Ferron n'a jamais dit grand-chose sur la sienne, sinon qu'il a été pensionnaire tout le temps qu'il a été aux études, d'abord au jardin de l'enfance aux Trois-Rivières, puis au collège Brébeuf de Montréal où il a fait son cours classique, a été mis deux fois à la porte par les autorités et repris deux fois par elles. Il lisait Verlaine, Mallarmé, Salluste, saint Augustin, Claudel, Péguy, Le Cardonnel, Anna de Noailles et Rotrou, ce qui, considéré du point de vue de Maskinongé, ne pouvait pas avoir une grande signification.

Abel

Cela, tout de même, en avait une : c'est en lisant tout aussi bien Anna de Noailles que Salluste et Mallarmé que Jacques Ferron a appris l'écriture et que, patiemment, il s'est forgé un style à nul autre pareil en pays québécois, tout à la fois ancien et moderne, mais dans une sonorité que peu d'écrivains ont pu atteindre. Et puis, le collège Brébeuf, que dirigeaient les Jésuites, lui a beaucoup donné, comme il s'en est expliqué dès les premières pages de son essai sur Claude Gauvreau :

Bélial

« J'ai fini ma versification au collège Saint-Laurent et les derniers mois de mon cours classique au collège de l'Assomption. Après mon premier renvoi, le Brébeuf m'avait repris. Sur les huit années de ce fameux cours, je me trouvai à y en avoir passé plus de sept et me considère brébeuvois, ancien des Jésuites, cela soit dit sans mépris pour les deux autres collèges précités étant donné que je n'eus guère le temps de m'y faire, occupé à m'adapter à des études quelque peu différentes, soumises aux normes de l'université alors que les Jésuites, sans doute à cause de leur humilité, n'étaient soumis qu'à leur fantaisie, quand ils en avaient, ou à leurs méthodes pédagogiques déjà célèbres sous Henri IV, quand ils n'en avaient pas. J'eus droit à une bonne part de fantaisie. Mon professeur de méthode jugeait primordiales les bonnes manières à table et nous

En 1939, à l'époque du collège Brébeuf.

les enseigna fort bien. Le professeur de grec nous lisait Ibsen et des journaux juifs qu'en sachant l'allemand, disait-il, n'importe qui pouvait déchiffrer. Mais je fus surtout marqué par mon professeur de belles-lettres qui nous initia à Alain et me conseilla de m'abonner à la NRF, de sorte que dès 1939 je connaissais Jean-Paul Sartre. Je lui en resterai toujours reconnaissant. »

Abel
Mais le fait d'avoir étudié au collège Brébeuf, au-delà même de l'enseignement qu'on y dispensait, a eu une grande influence sur Jacques Ferron. Dans une historiette intitulée *La table est mise pour les crapauds*, il a écrit :

Bélial
« Une chose vraiment importante que j'ai apprise chez les Jésuites, ce fut cette connaissance de mon pays par le truchement de ses fils de famille. La force des Jésuites ne réside pas en eux-mêmes. Leur force vient surtout de leurs élèves. Durant les années trente, alors que la crise empêchait le peuple d'accéder à la bourgeoisie, les familles arrivées pouvaient se croire de sang divin. Ces familles envoyaient leurs fils aux Jésuites, de tous les coins du pays. J'ai connu les petits Garneau, les petits Amyot de Québec, les petits Simard de Sorel, les petits Gourd d'Amos, les petits Geoffrion de Montréal. Et pour finir le paquet, la guerre nous avait amené les petits princes zazais, Bourbon-Parme et Luxembourg. Alors moi, après avoir vu de près toute cette aristocratie, je me suis dirigé sans regret vers des lieux où on ne la rencontre pas. Mais ce qui m'a encore le plus frappé, grâce à quoi j'ai compris que les frontières de mon pays étaient sur l'Outaouais, ce fut la rencontre dans ce collège de tout ce que l'Ouest avait produit de mieux, les Bernier, les Dubuc, les Boulanger, rescapés d'une grande défaite, de la perte d'une deuxième province française, et qui se sont tous fixés dans le Québec. »

Abel

Jacques Ferron n'aurait pas écrit ce qu'il a écrit si, après être passé par la mort de sa mère, il ne s'était pas retrouvé au collège Brébeuf. Ce sont ces deux éléments-là mis ensemble qui l'ont amené à faire une totalité du ciel de Québec.

Au temps de l'adolescence.

Samm

Et la médecine, qu'il a choisie plutôt que de devenir notaire comme son père le souhaitait?

Bélial

Jacques Ferron n'y croyait pas vraiment. Comme il a dit, s'il est devenu médecin, c'est que, sa décision d'écrire prise, il avait besoin d'un souteneur pour publier ses livres à compte d'auteur. S'il avait choisi le droit ou le notariat, le souteneur aurait occupé toute la place et Jacques Ferron n'aurait sans doute jamais écrit une ligne. Aussi c'est sans enthousiasme qu'il s'est retrouvé à la faculté de médecine de l'Université Laval à Québec. Toujours dans son essai sur Claude Gauvreau, il a écrit:

Abel

« Au cours de mes études de médecine à Québec, je m'étais trouvé au milieu de jeunes gens gais et naturels, incultes comme on ne se l'imagine jamais, qui n'ouvraient pas un livre, même un livre de médecine, se contentant de la copie des cours, toujours les mêmes d'une année à l'autre, où jusque les plaisanteries des professeurs avaient été notées, de sorte qu'on pouvait les voir venir et se trouver prêts à rire très fort quand les professeurs les reprenaient dans les mêmes termes. Par exemple, en obstétrique, cette description qui précède immédiatement la naissance de l'enfant: ‹ La vulve se tourne vers le ciel et implore sa délivrance. › Je ne rencontrai que deux exceptions, un condisciple qui continuait de s'intéresser à la philosophie et lisait Bergson, ce qui ne l'a guère avancé car il a viré narcomane, et le professeur Louis Berger qui, avec son accent rocailleux et chuintant, nous donnait un enseignement qui changeait d'une année à l'autre, ce qui faisait qu'il était redouté, guère aimé, vu qu'il ne jouait pas le jeu. Mais en l'écoutant, j'ai compris ce qu'était la science et resterai toujours en révérence devant elle, la trouvant autrement plus importante que la littérature. »

Samm

Assis dans la vieille Cadillac blanche dont les grands ailerons sont lumineux, il n'y a toujours que le cimetière de Louiseville devant nous. Tombe encore la neigeante neige alors que Bélial, Abel et moi, nous nous remémorons ces quatre années que Jacques Ferron a passées à la faculté de médecine de l'Université Laval de Québec. Bélial, qui se souvient de tout, va raconter une dernière anecdote au sujet du professeur Louis Berger. Il possédait un vieux chien qu'il aimait plus que tout au monde. Et son vieux chien devenu presque aveugle, il lui a inventé et fabriqué d'étranges lunettes. Le dimanche, le vieux chien portait ces lunettes quand il se rendait à la porte de l'église en compagnie de son vénéré maître, à Sainte-Pétronille, durant l'été, pour y attendre Madame Berger à la sortie de la grand-messe. L'image nous fait sourire, Abel et moi. Nous nous regardons, étonnés sans doute de nous reconnaître étant donné que, depuis notre départ du carré Saint-Louis à Montréal, nous n'avons vécu que dans l'effleurement de nos corps, pour ainsi dire à la périphérie de chacun de nous, trop avalés par le pèlerinage entrepris pour songer vraiment à nous. Son portuna au cuir tout vermoulu sur les genoux, Abel l'ouvre. Il en retire quelques photographies d'enfance de Jacques Ferron et me les montre. C'est curieux comme je trouve que les enfants se ressemblent tous, par leurs yeux qui semblent boire l'espace. Je dis à Abel : « Un jour, j'ai vu une photo d'enfance de toi publiée dans *Le Devoir*. Tu devais avoir sept ans, donc le même âge que Jacques Ferron a sûrement sur cette photo de lui que je tiens à la main. Il me semble que vos yeux voient le même paysage. Il y a comme quelque chose de terrorisé dedans. »

Abel

Tu as sans doute raison : je ne me suis jamais perçu autrement que comme un enfant terrorisé. Je pense que Jacques Ferron éprouvait le même sentiment. Ce n'est pas parce qu'on devient adulte que les choses changent. Sinon, Jacques Ferron, dans toute la force de son âge d'homme et d'écrivain, ne serait pas revenu, par *L'amélanchier*, à ce nœud gordien qu'est toute enfance. Près de la cinquantaine, il était encore terrorisé par elle, tout autant que lorsque, en 1945, il a quitté la faculté de médecine de l'Université Laval pour se retrouver médecin dans l'armée de Sa Majesté britannique, ce qui lui a permis de voyager à travers tout le Canada, de la Colombière jusqu'au camp Utopia, des sardinières de la baie de Fundy à Black-Harbour, en passant par Borden et Toronto-la-folle, sans oublier Fredericton et son petit village souriquois, pas plus d'ailleurs que Grande-Ligne, sur les hauteurs de Saint-Blaise. C'est en voyageant ainsi que Jacques Ferron a écrit un premier roman resté inédit : *La gorge de Minerve*. Lorsqu'on sait que, dans la mythologie romaine, Minerve est la protectrice et la patronne des artisans et que son personnage a été calqué sur celui d'Athéna, on devine un peu ce qu'il devait y avoir dans le roman de Jacques Ferron et dans quelle langue il devait être écrit, sinon prétentieuse, du moins parnassienne. Après tout, Athéna est la déesse de la pensée, des arts, des sciences et de l'industrie. *La gorge de Minerve* était un *veau*, a dit Jacques Ferron, c'est-à-dire une œuvre ratée. Elle venait, non d'un trop-plein de vie, mais d'un trop-plein de lectures non encore assimilées, tout autant d'ailleurs que cette enfance dont, depuis la mort de sa mère, Jacques Ferron se trouvait à être comme en exil. Quand il l'a compris, il a laissé l'armée de Sa Majesté britannique, s'est acheté une vieille Ford, a mis dedans son portuna et tout son gréement de médecin, et a pris la route pour la Gaspésie.

Athéna Parthénos.

Bélial

Nous voilà bien loin du cimetière de Louiseville dans lequel nous sommes pourtant toujours, assis tous les trois que nous sommes dans la vieille Cadillac blanche dont les grands ailerons sont lumineux. Maître, ne serait-il pas temps que nous décampions ? Si nous retardons trop à le faire, la neigeante neige qui tombe risque encore une fois de virer en tempête et nous risquons fort de ne pas arriver à Rivière-Madeleine avant le dégel du printemps.

Abel

Faites comme vous voulez, Bélial : c'est vous le chauffeur.

Samm

Alors que la vieille Cadillac blanche dont les grands ailerons sont lumineux traverse le cimetière de Louiseville, Abel remet dans son portuna au cuir tout vermoulu les photographies d'enfance de Jacques Ferron. Puis il renverse la tête par-derrière après avoir mis sa main gauche sur ma cuisse. Sa main gauche tressaute, comme si la fatigue reprenait le dessus sur son corps. Je tourne la tête vers Abel. Il a fermé les yeux et, par sa bouche entrouverte, respire par petits coups. C'est l'émotion qui le détient, tout comme elle me détient et détient Bélial. Sa patte de bouc doit tressauter aussi sur l'accélérateur, à cause de tous ces soubresauts qui déséquilibrent la vieille Cadillac blanche dont les grands ailerons sont lumineux. Je dis : « Parle-moi de toi, Abel », mais Abel ne répondra pas. Il s'est endormi, sa tête tanguant lentement contre mon épaule. De la joue, je lui effleure les lèvres. Et je pose ma main gauche sur sa main gauche toute froide contre ma cuisse. Aurai-je le temps de la réchauffer de Louiseville à Rivière-Madeleine ? Cet acte si simple auquel je m'emploie fera-t-il cesser la neigeante neige qui tombe et rameutera-t-il le printemps gaspésien de Jacques Ferron, ce vers quoi nous roulons lentement dans la vieille Cadillac blanche dont les grands ailerons sont lumineux ?

4

Avant-dire

Il se peut que je me trompe et que je force mon pessimisme pour mieux l'exprimer. Peu importe. Au fond, dans cet article où l'on me demandait de parler du conte, j'avais surtout le dessein de me définir par rapport aux conteurs populaires que j'ai admirés dans le comté de Maskinongé et en Gaspésie. Même si je n'ai guère inventorié, j'ai du moins recueilli dans cette dernière province un alexandrin que je trouve très beau et que disait la sage-femme en lavant le nouveau-né : « Ainsi te voici donc dans ton pays natal. » Et je me demande parfois s'il ne vaut pas plus que tout ce que j'ai écrit.

Jacques Ferron,
Le mythe d'Antée

Rivière-Madeleine. (Photo : Pierre Brunet *in La Gaspésie*)

Samm

Passé Québec, je ne connais pas la rive sud du Saint-Laurent, peut-être parce que je suis amérindienne, native de la bourgade de la Pointe-Bleue, sise sur la rive nord, et que je vis toujours dans ce temps où personne n'enfreignait les règles sacrées délimitant le territoire qu'on habite. Il y a combien d'heures, il y a combien de jours, il y a combien de semaines que Bélial, Abel et moi sommes partis de Louiseville, comté de Maskinongé, pour nous rendre à Rivière-Madeleine où nous nous trouvons aujourd'hui en même temps que l'arrivée du printemps ? Face à la mer, Abel et moi nous sommes assis sur ce gros rocher contre lequel les vagues donnent vertigineusement. Sur la grève, Bélial se promène, son chapeau à larges bords enfoncé sur la tête, sa longue cape flottant dans le vent. À cause de sa patte de bouc qui le fait claudiquer, on dirait un oiseau difforme qui voudrait s'envoler mais ne le peut. De nous trois, c'est sans doute Bélial qui est le plus ému de se retrouver à Rivière-Madeleine et dans ce que la Gaspésie a de plus profond. Car c'est ici, dans ce pays de la fin de toutes les terres selon le langage souriquois, que Bélial est venu au monde et que, tout de suite, il a été sacré diable à cause de ses yeux de braise et de sa patte de bouc. Je voudrais en parler à Abel, mais je n'ose pas le déranger ; dans ce petit calepin noir, il griffonne des notes presque illisibles parce que minuscules. Il va s'écouler un bon moment avant qu'Abel ne recapuchonne son stylo feutre et qu'il ne referme son petit calepin noir. Puis il va m'effleurer le nez du sien et dire :

Abel

Quand j'ai relu *À la recherche du temps perdu* de Marcel Proust, ce qui m'a impressionné ce n'est pas tellement l'histoire de Monsieur de Charlus ou celle d'Albertine fugitive, mais tous ces chapitres intitulés *Noms de pays* et dans lesquels l'auteur rend hommage à la sonorité des noms de lieux qui ont marqué sa vie. Je n'ai jamais vu Balbec ni Méséglise, mais Marcel Proust les a fait devenir miens, tout comme Jacques Ferron a fait devenir miens tous ces petits villages qu'il a connus quand, en 1946, il est venu s'établir comme médecin en Gaspésie. Sur soixante milles de côtes, de Cap-aux-Renards à Saint-Yvon, c'étaient des villages bellement nommés : Marsoui, Ruisseau-à-Rebours, Anse Pleureuse, Gros-Morne, Manche d'Épée, Pointe-à-la-Frégate. Quelles belles nommaisons que celles-là ! Celles par lesquelles un peuple s'approprie l'espace qu'il découvre. Dans *Gaspé-Mattempa* et dans la *Chronique de l'Anse Saint-Roch*, Jacques Ferron en raconte les fondements. Ce sont les gens du Bas-du-Fleuve, ceux de Montmagny, de Cap-Saint-Ignace, de l'Islet et de Rivière-Ouelle qui, au milieu du siècle dernier, ont vraiment occupé le territoire de Gaspé-Nord. Auparavant, les goélettes longeaient les côtes de la Gaspésie tout l'été. Mais dès que l'hiver se montrait le bout du nez, on laissait la Gaspésie et on rentrait à bon port, dans le Bas-du-Fleuve, les cales des goélettes pleines de morues salées. En Gaspésie, l'hiver était trop rigoureux pour les gens du Bas-du-Fleuve. Et il a fallu que l'histoire s'en mêle pour que les choses changent. Comme de bien entendu, ce sont des protestants, venus d'Angleterre, qui en ont été les instigateurs.

Samm

Au milieu du siècle dernier, le révérend William Andicotte, curé à la cathédrale de Liverpool, décide d'émigrer au Canada, avec sa femme et ses trois filles prénommées Jane, Elizabeth et Mary. On s'embarque sur le *Mérino*, un ancien négrier. Et la traversée commence, avec cinq cents passagers à bord. On ne sera pas encore rendu au milieu de l'Atlantique que le typhus va se déclarer.

Abel
« Le typhus vaut mieux que la peste ; il incline à la résignation. Un grand frisson moucheté de petites rougeurs s'empare du malade ; sa langue paralyse ; il n'articule plus sa plainte, il la chante doucement, tristement, sans révolte. On peut le jeter par-dessus bord avant qu'il soit mort. »

Samm
Un jour, Jane apprend que Tom, le nègre du capitaine, est mourant dans un cachot de la cale. Elle descend pour lui parler de Dieu et tombe entre les mains de quatre matelots qui la laissent meurtrie, souillée de larmes et de poussières, seule avec le nègre.

Abel
Le nègre eût tôt fait de compléter sur Jane le travail commencé par les quatre matelots, mais le capitaine du *Mérino* survenant à l'improviste, le nègre fut d'abord mis aux fers avant de se voir pendu haut et court au grand mât de misaine. La femme du pasteur William Andicotte ne s'en remit pas : le frisson moucheté du typhus l'assaillit ; quand elle en mourut, on était en face de Gros-Morne. Éploré, le pasteur William Andicotte ne voulut pas aller plus loin. Le capitaine du *Mérino* mit une chaloupe à sa disposition, et ce qui restait de la famille anglaise se retrouva sur les pleins de Gros-Morne.

Samm
Gros-Morne, quel nom bizarre tout de même !

Gros-Morne. (Photo : Pierre Beaudoin *in La Gaspésie*)

Abel

Ce nom était aussi très bizarre pour Jacques Ferron quand il s'est installé en Gaspésie. *Morne* vient d'un vieux mot français, *mornir*, qui veut dire mettre une mouchette à son épée plutôt que de l'affiler, de la rendre pointue et piquante. Gros-Morne, c'est donc un énorme cap qui s'avance dans la mer et que le temps, l'air salin et les vagues ont émoussé. Si *morne* a évolué vers la tristesse et l'abattement, c'est bien après que la Gaspésie se fût constituée en province. C'est bien après que le pasteur William Andicotte et ses trois filles s'y installèrent.

Samm

Ils y seraient peut-être restés à demeure, avec la grosse *Bible* anglicane comme livre de chevet, n'eut été de Thomette Gingras et de Sules Campion qui, partis comme tous les printemps du Bas-du-Fleuve, se retrouvèrent à Gros-Morne, si étonnés d'y rencontrer trois femmes et un pasteur anglais à cheveux roux qu'avant même de poser la question préalable, Thomette Gingras le mit en joue avec son fusil et tira, le tuant raide sur le coup. Quand l'automne arriva, ni Thomette Gingras ni Sules Campion ne retournèrent dans le Bas-du-Fleuve. On les crut noyés. Ce n'est que deux ans plus tard qu'on apprit qu'ils vivaient à Gros-Morne, bien-portants de corps quoique malades dans l'âme, acoquinés qu'ils étaient avec trois diablesses.

Abel
« Le printemps suivant, nombreux furent les pêcheurs du Bas-du-Fleuve que la morue attira en Gaspésie. À leur retour ils confirmèrent la nouvelle : Gingras et Campion sont installés à l'Anse Saint-Roch, chacun avec sa chacune et les enfants que par la main gauche il a déjà eus d'elle : bien-portants, heureux et disposés, dès que l'occasion se présentera, à changer de main ; nullement malades de l'âme. Leurs femmes sont deux magnifiques créatures, blanches comme le lait, rousses comme le feu, et distinguées, parlant anglais comme les personnes de la société. Quant à la diablerie, elle provient de la sœur aînée, fille bizarre, maigre, rousse sans le lait, qui lit dans un grimoire pendant qu'à ses côtés se tient l'enfant noir qu'elle a eu de Satan avant l'arrivée des pêcheurs. »

Samm
C'est ainsi que Gaspé-Nord s'est peuplé, à cause de toutes ces femmes du Bas-du-Fleuve qui, jalouses des sœurs Andicotte, montèrent sur les goélettes de leurs hommes pour les accompagner jusqu'à Gros-Morne. Ni elles ni leurs hommes ne revinrent dans le Bas-du-Fleuve, malgré le petit nègre, fils de Satan et de Jane l'Anglaise. Mais comme il se doit, le mauvais sort veillait, aussi bien sur le petit nègre que sur la Gaspésie : aucun pays ne se fonde sans sacrifice propitiatoire. Et la Gaspésie, sans doute, ne serait jamais venue au monde sans celui du petit nègre, fils de Satan et de Jane l'Anglaise. Quand ça arrive, Jane

l'Anglaise est sur la grève, avec son fils, et les deux attendent que Thomette Gingras et Sules Campion reviennent de leur pêche. Jacques Ferron a écrit :

Abel
« Quand le petit nègre aperçut sa mère, il abandonna les coquillages et les corneilles ; elle le prit dans ses bras et le berça. Elle avait sommeil ; elle aurait aimé qu'il s'endormît, mais lui ne la quittait pas de ses yeux rieurs. Peu après, la barque des oncles arriva du large. Ils jetèrent sur le plein des amas de poissons ; ensuite ils débarquèrent ; ils étaient joyeux comme des gamins. Sules Campion, ramassant un caillou, le lança ; à sa grande surprise, il atteignit une corneille, qui resta sur place, l'aile étendue, le cou rentré, le bec entrouvert. Jane d'un cri avait tenté de prévenir le coup. Elle se leva, il était trop tard ; le malheur l'avait frappée. Elle prit l'oiseau dans ses mains. L'oiseau la regardait fixement. Elle s'excusa, mais vit qu'on ne lui pardonnerait jamais. Alors elle libéra l'oiseau, qui s'éloigna à petits pas, traînant son aile cassée. Sules et Thomette riaient de son effroi. Deux jours plus tard, le négrillon se coupa au pied sur un coquillage ; la blessure s'envenima, ses cheveux crépus se mouillèrent de sueur. Toute une nuit, il délira, puis à l'aube, les oiseaux stridents du vent de terre emportèrent son âme. »

Samm
C'est ainsi que commença Gaspé-Nord. Par sa mort, le petit nègre en devint le dieu tutélaire, ce Satan-Mattempa qui, en l'espace de quelques générations, perdit sa couleur de peau pour ne garder que le maléfice en lui.

Abel
Alors que Samm et moi nous nous parlons de tout ceci, Bélial s'en vient vers nous. Auparavant, il a cessé de se promener sur la grève, est allé vers la vieille Cadillac blanche dont les grands ailerons sont lumineux, en a ouvert

le coffre arrière, et a pris ce panier de pique-nique. Il va s'asseoir entre Samm et moi et distribuer à chacun sa part de nourriture. Puis, mordant à belles dents dans cette tranche de lard salé, il va dire :

La sorcière blanche face aux Micmacs gaspésiens.

Bélial

Après ce que vous vous êtes raconté sur le petit nègre, je sais que je ne peux plus vous apprendre que Moi Bélial, je suis né ici en Gaspésie. Lui redescendu aux enfers, il a bien fallu que je m'adapte, il a bien fallu que je devienne ce Satan-Mattempa dont, aujourd'hui, on a oublié même la mémoire. Pourtant, pendant longtemps, j'ai fait peur au monde, à cause de toutes les possibilités maléfiques dont mon seul nom pouvait rendre compte. Après la mort du petit nègre, on m'a longtemps considéré comme un géant qui, de nuit et par temps de tempête, se promenait au-dessus des monts Chic-Chocs pour terroriser le monde. Après, je suis devenu une sirène à la voix écorchée. Tout diable que je suis, je trouve que c'est une évolution qui s'en est allée vers le moins.

Abel

C'est que la Gaspésie, une fois qu'on s'y est installé, a beaucoup changé et très rapidement. Satan est légitime dans le monde des hommes mais non pas dans celui des femmes. C'est ce qui explique que, de Satan-Mattempa, on est passé au mythe de l'Homme-Sans-Tête qui, le soir, se dresse sur le chemin des jeunes gens voulant courir trop fort la galipote. C'est ce qui explique aussi que, dans Gaspé-Nord, ce n'est pas le Sauvage qui préside à la naissance de l'enfant en l'apportant lui-même dans la maison, mais la Mi-Carême, cette manière de sorcière toute dépenaillée dans ses vêtements et que la sage-femme doit battre avec un gros bâton pour la faire fuir. C'est dans un conte précisément intitulé *La Mi-Carême* que Jacques Ferron explicite le phénomène. Et c'est aussi dans un autre conte, *La sorcière et le grain d'orge*, que l'écrivain en lui se sert du mythe originel pour le transformer et le faire devenir sien en quelque sorte. L'histoire, somme toute, est assez simple. La nuit, une petite fille appelée Céline entend de drôles

La célèbre sorcière d'Albrecht Dürer.

de bruits qui proviennent de la chambre où dorment ses parents. Quand elle s'informe à son père de l'origine de ces drôles de bruits, celui-ci lui répond qu'il arrive parfois qu'une sorcière pénètre dans la maison pour tourmenter sa mère. La sorcière est évidemment affreuse, a les yeux croches, deux trous à la place du nez, la bave aux lèvres et trois chicots noirs dans la bouche. Mais elle n'est pas malveillante. Même qu'elle s'en veut de la répugnance qu'elle inspire à la mère qu'elle voudrait consoler. Mais comme elle ne sait pas parler, elle ne réussit qu'à geindre et qu'à se lamenter. Pour qu'elle s'en aille, il faut faire venir la Mi-Carême et Madame Marie. Après leur visite, les bruits cessent la nuit.

Samm
Le sens du conte est limpide : les bruits de la sorcière, ce n'est rien de plus que ce qui se passe entre une femme et un homme quand ils font l'amour. Et la Mi-Carême, c'est l'enfant qui survient en même temps que Madame Marie, la sage-femme.

Abel
Comme médecin dans Gaspé-Nord, Jacques Ferron a eu souvent l'occasion de vérifier la réalité de son conte. Dans plusieurs autres textes qu'il a écrits, il y reviendra, en privilégiant parfois la sorcière, parfois la Mi-Carême et parfois la sage-femme, tout dépendant de son implication en tant que médecin. À cette époque, la Gaspésie n'était pas encore électrifiée, les vieilles femmes soignaient toujours avec les herbes du *Petit Albert* et, sauf pour les naissances, on faisait bien davantage appel aux ramancheurs qu'aux médecins quand on se trouvait malade. Jacques Ferron raconte même l'histoire de ce ramancheur qui ramanchait tellement durant la semaine que, le dimanche, il était si démanché lui-même qu'il lui fallait aller voir un autre ramancheur pour reprendre sa formance d'homme.

Samm

Mais moi, ce que je retiens surtout de tous ces contes gaspésiens qu'a écrits Jacques Ferron, c'est celui de la première visite qu'il a faite à domicile quand il s'est établi à Rivière-Madeleine. Le conte s'intitule *Une fâcheuse compagnie* et commence ainsi :

Bélial

« J'étais nouveau dans la pratique ; par un air de suffisance je cachais les inquiétudes que me causait mon personnage. Un jour je fus appelé à Saint-Yvon, un des villages de la paroisse de Cloridorme, dans le comté de Gaspé-Nord. On était en hiver ; la mer formait un immense champ de glace avec, çà et là, des trouées noires et fumantes. Dans les vieux comtés, où règne l'habitant casanier et chatouilleux sur la propriété, on ne partage jamais avec ses voisins d'autre bétail que les oiseaux du ciel. À Saint-Yvon, il n'en va pas de même ; on subit l'influence de la mer, qui est à tous et à chacun. Cela donne un régime moins mesquin, favorisant l'entraide et la société. Par exemple, chats et chiens sont au soin de

Un snowmobile typique de la Gaspésie.

tout le monde ; et les cochons aussi, hélas ! Ces derniers restent dehors durant l'hiver. On prétend que ça les dégourdit. Ils errent autour des maisons, impudents et familiers, en quête de déchets. Par les jours ensoleillés, ils se divisent en truies et en verrats, mais c'est pour mieux se rapprocher; ils s'en donnent alors à cœur joie, sans aucune retenue, comme de vrais cochons. Un passant survient-il, ils enfilent derrière lui sans attendre d'invitation. Tombe-t-il une bordée, ce sont eux qui tracent des sentiers dans la neige fraîche. Tels sont les cochons de Saint-Yvon, au demeurant fabricants de lard comme leurs confrères des vieux comtés et criant aussi haut leur déplaisir quand vient l'heure de le livrer. »

Samm

Donc, Jacques Ferron, mandé à Saint-Yvon, y arrive dans le snowmobile du postillon, tenant à la main sa trousse de médecin, ou plutôt son portuna ainsi que va le rebaptiser le marchand du village à qui il s'informe pour savoir dans quelle famille il va se rendre. Et Jacques Ferron de prendre le chemin, à pied, vers ladite famille. Au bout d'un moment, entendant un grognement, il se retourne, étonné de voir qu'un cochon marche derrière lui :

Bélial

« D'abord, je me demandai, amusé : ‹ Qu'est-ce qui lui prend de me suivre, ce cochon ? › Mon amusement, hélas ! ne dura guère ; je me souvins du coin obscur, quelque peu truffé, que j'avais dans le cœur et que je croyais, à cette époque, être le seul à posséder. Pour rien au monde je n'en eusse avoué la présence. Et voilà qu'au moment où, par une démarche lente de cheval de corbillard, je cherchais à être digne de ma noble profession, cette horrible bête, de son groin infaillible, découvrait ce coin caché à la vue de tout un village ! Que faire en l'occurrence ? ‹ Le mieux, me dis-je, est de n'en pas faire cas. › Je continuai donc, mais je n'étais pas heureux. Le cochon ne me laissait guère ; je l'entendais grogner à intervalles réguliers. Bientôt, il me sembla que ces intervalles se rapprochaient et que, de l'un à l'autre, les grognements ne se ressemblaient guère. Qu'est-ce que cela pouvait signifier ? Pour en avoir le cœur net, je jetai un autre coup d'œil par-dessus mon épaule ; le portuna faillit me tomber des bras : ils étaient quatre ! Un, passe encore, mais quatre, c'était plus que mon amour-propre n'en pouvait souffrir. Je fus donc sur le point de perdre la tête et de me retourner contre ces maudits cochons pour leur botter le groin. La dignité m'en empêcha. D'ailleurs, je n'étais pas à bout de ressources. ‹ Si je m'arrête, me dis-je, ils passeront peut-être devant moi. Il s'agira alors de ne pas les suivre. › Je me mets donc à côté du sentier ; j'allume une cigarette. Les cochons n'ont rien à fumer, mais ils s'arrêtent aussi et rien n'indique qu'ils se laisseront persuader de prendre les devants. Je continue alors avec l'espoir qu'ils resteront figés sur place ; ils repartent aussitôt. Il me reste, hâtant le pas, à décourager leur poursuite ; peine perdue, ils ne me lâchent pas, ils trottent derrière moi avec de joyeux grognements. Il n'y a plus rien à faire ; je suis déshonoré à jamais. Les maisons se pressent sur mon passage ; tout le village a le spectacle d'un docteur en médecine suivi de

Jacques Ferron à cheval.

quatre cochons. J'eus le courage de continuer. J'arrivais d'ailleurs à la maison où j'étais attendu. Je frappai. On vint ouvrir. Je m'attendais au pire, par exemple à ce qu'on dise : ‹ Ne vous gênez pas, docteur, faites entrer vos amis. › On me reçut avec une politesse exquise. Les cochons restèrent dehors. »

Abel

Il y aurait tout un bestiaire de la Gaspésie à établir à partir des contes imaginés par Jacques Ferron. Car la corneille et le cochon ne sont pas les seules bêtes qu'on y trouve. Dans *Les Méchins*, un vieux médecin, opiomane, doit se rendre chez cette femme qui, bientôt, va accoucher. Le vieux médecin sait que si on l'a appelé, c'est que la sage-femme n'a pas voulu y aller. Malgré la tempête qui s'annonce, il lui faut donc se mettre en route. Il monte alors dans cette carriole que traîne un vieux cheval blanc pelé à la saillie des os, dont l'échine ressemble à une arête, et qui a la queue coupée. Dès qu'il se met au trot, le cheval se fatigue. Mais aussitôt qu'il prend le pas, c'est le cocher qui s'impatiente, qui se lève dans la carriole et qui frappe la bête. Le vieux médecin, opiomane, ne réagit pas. Tout ce qu'il souhaite, c'est qu'on arrive enfin à cette cabane de rondins où l'attendent deux ou trois petits morveux et une femme en travail qu'il va aider à accoucher aux lueurs d'un misérable fanal : « Tout était approximatif, incertain, douteux sauf le froid ; l'enfant sortit tout fumant du ventre de sa mère. » Triste besogne, ajoute le vieux médecin, opiomane, triste besogne pour laquelle il ne sera pas payé parce que, dans la cabane, il n'y a pas une vieille piastre ni même un faux dix cents. Et le vieux médecin, opiomane, qui comptait là-dessus pour se rendre à Rimouski afin de s'y procurer cette drogue qui lui manque tant ! Toute cette voyagerie pour rien ! Et encore est-ce dans la tempête qu'il faut revenir aux Méchins, dans cette carriole que traîne un vieux cheval blanc pelé à la saillie des os, dont l'échine ressemble à une arête, et qui a la queue coupée. Jacques Ferron a écrit:

Bélial

« Cependant le cocher ne frappait plus son cheval pour qu'il trotte, seulement pour qu'il franchisse les bancs de neige. Ces bancs de neige montaient de la mer comme de grandes lames. L'un d'eux venait de biais ; il souleva la carriole et la renversa. Pendant que nous nous dégagions, pendant que je retrouvais mon bonnet et mon portuna, que

Le blizzard. (Cornelius Krieghoff)

le cocher se relevait furieux, le bâton à la main, le cheval resté debout, une menoire passée entre les jambes, tourna vers nous sa tête épouvantée. Ce fut alors que j'eus la révélation d'une détresse plus grande que la mienne et que j'éprouvai pour la première fois une pitié qui ne fût pour moi. Ce cheval, je l'aimai comme un frère. Il a été mon rédempteur. Jusque-là, égoïste et méchant, j'aurais mérité mille fois d'être foudroyé au milieu des Méchins. Depuis, je ne pense plus à moi, j'en rends grâce à Dieu. Il ne m'a pas guéri, il m'a sauvé. Quand je réussis à trouver un peu d'opium, il me semble que c'est à cette pauvre bête, la queue coupée, la gueule ensanglantée, les yeux troubles, l'oreille affolée, que je l'injecte. Je ne l'ai pas oubliée. Sa misère me hante. Je suis resté au milieu de la tempête ; le vent souffle encore des rochers maudits. Les lames montent vers moi. Le cheval est cerné par toute la méchanceté du monde. Il faut que je le soulage. D'ailleurs je le lui dois : ne m'a-t-il pas sauvé ? C'est lui désormais le narcomane. »

Abel

Après la corneille, le cochon et le cheval, ce sont bien évidemment les chiens qui occupent tout le paysage de la Gaspésie. Peter Bezeau, le seigneur de Grand-Étang, en a quatre, aussi noirs que féroces. Veuf et vivant avec sa fille unique, Peter Bezeau a peur de la nuit, au point de ne pas pouvoir s'endormir sans avoir bu une grande bouteille de rhum et fait entrer ses chiens. Un matin, quand il se réveille, il a la surprise de voir qu'il y a maintenant cinq chiens dans la maison, les quatre qu'il a toujours possédés et cet autre dont il s'inquiète parce qu'il est gris et qu'il a les yeux rouges.

Bélial

On sait déjà de quoi l'histoire va retourner : le chien gris qui a les yeux rouges, ce n'est rien de plus que Moi Bélial, alors un tout jeune homme qui, amoureux de la fille de Peter Bezeau, l'allais voir tous les soirs quand je savais le bonhomme saoul mort. Travaillant en tant que commis de Peter Bezeau, j'étais bien au courant de sa passion pour le rhum. Sans qu'il s'en aperçoive, je lui en ai refilé plusieurs bouteilles, désireux que j'étais de me pousser par-devers sa fille, quitte à l'engrosser à l'insu du bonhomme pour faire mien l'héritage qui, de toute façon, ne pouvait pas revenir à quelqu'un d'autre que moi. Après la naissance de l'enfant, Peter Bezeau n'a pas fait de vieux os ; une dernière bouteille de rhum et il s'en est allé manger des pissenlits sous la terre. Après avoir hurlé quelque temps à la lune sur sa tombe dans le cimetière de Grand-Étang, ses quatre chiens, aussi noirs que féroces, sont disparus du village. Mais moi, chien gris aux yeux rouges, je suis resté. Cette fois-ci, Satan-Mattempa a gagné sur toute la ligne, et souverainement pourrais-je dire.

Abel
La souveraineté pour le diable, qu'il soit québécois ou de n'importe quelle autre nation, ne veut jamais dire grand-chose car c'est une souveraineté qui, malgré le chien gris aux yeux rouges, a fait son temps. Le ciel et l'enfer s'étant déplacés, pour ne pas dire compromis dans ce qui, traditionnellement, en constituait les fondements mêmes, que peut bien être le diable sinon ce qui de lui se laisse ironiquement rouler?

Bélial
Je me permets de ne pas être d'accord. Après tout, je suis toujours muni de ma patte de bouc et, l'occasion s'y prêtant, je pourrais m'en servir encore et tout aussi bien qu'avant. Le monde n'a pas changé malgré les nouvelles images qu'il croit faire venir. Il y a toujours un monde d'en haut et un monde d'en bas, et Moi Bélial j'en suis le cerbère sacré.

Abel
C'est ce que nous allons bientôt savoir car, de tous les contes gaspésiens de Jacques Ferron, *La chaise du maréchal-ferrant* est le plus important.

Bélial
Il s'agit d'un livre tout à fait dérisoire!

Abel
Nous verrons bien quand, tantôt, nous y serons. Pour le moment, il vaudrait mieux que nous terminions notre repas.

Samm
Abel a souri, ce que Bélial a pris comme une insulte. De sa patte de bouc, il a renversé le panier de pique-nique et, tenant son chapeau à larges bords des deux mains, il s'en est allé vers les battures. Je ne sais pas pourquoi mais j'aurais envie d'aller le rejoindre. Mais Abel pose sa main sur mon poignet et dit:

Abel
Non, tout cela peut attendre. Là, j'ai besoin que tu restes assise à côté de moi, sur cette grosse roche. J'ai besoin que nous regardions ensemble les mouettes, et toute cette étendue d'eau qui divague devant nous. Je suis certain que Jacques Ferron, lassé du curé Vaillancourt qui était son seul interlocuteur à Rivière-Madeleine, montait dans sa vieille Ford qu'il conduisait jusqu'ici avant de s'asseoir sur ce gros rocher où nous sommes, rien que pour laisser tout le paysage lui investir le corps. Mon avantage sur lui, c'est que je ne suis pas seul à regarder, à sentir et à vivre le grand moutonnement de la mer. Mon avantage sur lui, c'est que tu es là, que ta peau contre la mienne est chaude et que cela me rend heureux. Samm, est-ce que je peux t'embrasser? Je veux dire: est-ce que je peux t'embrasser vraiment pour la première fois?

Samm
Oui, je veux, Abel. Oui, je le veux.

5

Avant-dire

Je tiens à dire les choses telles qu'elles ont été. Autrement, le conte permet tant de facilités, dont le merveilleux n'est pas la moindre, qu'il semblerait dégagé de toute réalité, insignifiant, niaiseux, alors que par son biais aigu, c'est une façon de la surprendre et de la dire dans toute sa simplicité.

Jacques Ferron,
La chaise du maréchal-ferrant

Jacques Ferron médecin, en 1944. (D'après un portrait de Stengel)

Samm

Loin derrière Bélial, Abel et moi nous marchons sur les battures de la grève. Au-delà des crans, le petit village de Rivière-Madeleine a l'air d'une carte postale. Je pense à ce conte qu'a écrit Jacques Ferron, qui s'intitule *Le paysagiste* et qui n'a pas pu se passer ailleurs qu'ici. Le Jérémie dont il est question dans le conte était un paresseux doublé d'un simple d'esprit. Il passait ses journées sur les battures, à bâiller pour que l'espace le happe. Alors, a dit Jacques Ferron, il devenait cette barque ancrée au large et cette autre enlisée dans l'anse ; il devenait le soleil, cette toupie dont l'axe giratoire est le cœur de la trombe d'oiseaux ameutés par le retour des pêcheurs et l'éviscération du poisson ; il devenait tout ce qu'il voyait au hasard des yeux, aussi bien le goéland retardataire que ce qui, des vagues, est gonflement d'écume. Puis, quand il était devenu tout cela, Jérémie cessait de bâiller et se mettait à peindre, lui pourtant si paresseux et si simple d'esprit. Dans n'importe quelle autre contrée, on l'aurait envoyé chez les fous car, comme a encore écrit Jacques Ferron, dans les provinces où on s'éclaire à l'électricité depuis plus d'une génération, on se croit déjà au ciel : on choisit ses enfants ; les autres vont en prison, damnés. La Gaspésie n'en est pas encore là : on y reste du monde. D'où cette compréhension que l'on a pour Jérémie et d'où ce statut social qu'on lui accorde, celui d'être paysagiste dans un monde qui, pourtant, n'en éprouve pas la nécessité. C'est Abel qui m'a parlé de ce conte, ému malgré lui je crois bien. Mais pourquoi ? Je regarde Bélial qui claudique sur les battures à cause de sa patte de bouc, je regarde la vieille Cadillac blanche dont les grands ailerons sont lumineux et qui, sur la côte, brille comme un diamant au soleil, puis je regarde Abel. Il a l'air si ténébreux que je ne peux pas m'empêcher de lui demander : « Qu'est-ce qui ne va pas, Abel ? On dirait que tu es profondément malheureux depuis que nous sommes à Rivière-Madeleine. Est-ce que le paysage, est-ce que Bélial et moi, nous te décevons à ce point ? »

Abel

Ne pense pas ça, Samm. Mais c'est la première fois que je viens ici avec quelqu'un pour m'accompagner vraiment. Et c'est la première fois aussi que je comprends non seulement les contes que Jacques Ferron a écrits, mais d'où je viens moi-même, ce Bas-du-Fleuve d'où, un jour, il a bien fallu que je m'exile, n'ayant pas eu cette chance du paysagiste de Rivière-Madeleine. Depuis que nous sommes ici, c'est comme si je rêvais, c'est comme si j'avais

Le moulin à farine des Mantines.

un pied dans le pays gaspésien et l'autre dans le mien, c'est comme si je comprenais enfin pourquoi je ne suis pas et ne serai jamais écrivain, dans le sens que Jacques Ferron donnait à ce mot. Pourtant, j'ai connu dans mon pays tout ce dont parle Jacques Ferron. La vie est partout pareille, sauf dans cet ailleurs qui, d'elle, nous échappera à jamais. J'ai connu la Mi-Carême, sauf qu'aux Trois-Pistoles c'était un grand Sauvage tout mataché qui ne survenait que par temps de tempête pour nous terroriser. J'ai connu les Magouas, sauf qu'aux Trois-Pistoles on les appelait les Mantines, à cause des grands manteaux qu'ils portaient. Ils habitaient le vieux moulin à farine désaffecté et la légende veut qu'ils en aient été chassés parce que le père avait engrossé trois de ses filles. J'ai vu les Mantines quitter les Trois-Pistoles et je n'avais pas encore l'âge de raison. Mais je me souviendrai toujours de cette charrette bringuebalante et du tracteur aux impressionnantes roues de fer qui, ce jour-là, ont traversé la rue Notre-Dame. Dans la charrette et sur le tracteur aux impressionnantes roues de fer, ce n'était que ramassis de guenilles et de gros ventres. Le long de la rue Notre-Dame, tout le monde qui regardait les Mantines s'en aller faisait le signe de la croix, à cause du bonhomme Mantines, incarnation même de Satan. Ma tante Alice était à mon côté quand c'est arrivé. En tant que pelle-à-feu, elle avait mis au monde la moitié des enfants nés aux Trois-Pistoles, y compris plusieurs des rejetons du bonhomme Mantines. Mais elle n'a jamais porté de jugement sur ce qu'elle avait vu. Elle disait : « Satan est puissant mais ce n'est que quand la nuit se referme sur le monde qu'il peut agir. En dehors de ça, il ne sera toujours que la cinquième roue de n'importe quel carrosse. »

Samm

Je ne crois pas que Bélial serait d'accord avec cette manière que ta tante Alice avait de se figurer le diable.

Abel

C'est qu'il est devenu bien vieux, le pauvre, et bien vieux dans un continent qui n'avait plus besoin de lui. Quand, à l'époque des inquisiteurs, le diable vivait en Europe, il avait une fonction sociale bien précise comme le disent bien tous ces cas de possession qui pullulaient dans les couvents et les monastères. Possédé, on traversait de l'autre côté du miroir, là où trônait Lucifer, si puissant qu'il pouvait se décomposer en autant de diables, incubes et succubes, et tous plus maléfiques les uns que les autres. Quand j'ai lu l'histoire des possédées de Loudun, c'est le langage grossier, pour ne pas dire obscène, qu'on met dans la bouche de Lucifer qui m'a impressionné. De petites religieuses, jusqu'alors saintes nitouches, deviennent forcenées, aussi bien de corps que de langage. Elles vocifèrent, dans des mots pornographes qui auraient fait baver de contentement le divin marquis de Sade. Quoi de plus normal pourtant dans une société qui, pour être mal sortie du Moyen Âge, ne pouvait pas comprendre cette révolution que constituait la Renaissance ? Les prêtres, comme toujours, tiraient de la patte parce que ce à quoi ils tenaient avant tout, c'était d'assurer la pérennité de leur pouvoir. Ils avaient donc besoin d'un diable extrêmement fonctionnel pour y arriver. Et ce diable-là était si efficace que, même exorcisées, les possédées restaient plus souvent qu'autrement fidèles à Satan. On les brûlait alors : seul le feu peut venir à bout du diable, ce qui est paradoxal étant donné que son royaume, ce sont les enfers et que ceux-ci sont faits exclusivement de feu. Autre chose étonnante : les cas de possession ont disparu de l'Europe en même temps que la véritable colonisation de l'Amérique a commencé. Le vent soufflant vers l'Ouest a libéré les possédées et le diable a perdu le rôle social qu'il avait joué jusque-là. En traversant l'Atlantique, il s'est étiolé au point d'en devenir dérisoire. Jacques Ferron a dit tout ce qu'il fallait là-dessus dans son essai sur la chasse-galerie.

Samm
La chasse-galerie, c'est ce conte dans lequel il y a un canot

volant qu'empruntent des hommes de chantier pour pouvoir aller voir leurs blondes dans le temps des fêtes?

Abel
Oui, mais cela c'est la version québécoise. La version originale met en cause un grand seigneur féodal français, le sieur de Gallery qui, en expiation de la faute qu'il avait commise de chasser un dimanche, pendant la grand-messe, fut condamné à chasser la nuit dans les plaines éthérées jusqu'à la consommation des temps. Cette chasse

La chasse-galerie.

nocturne se faisait dans de grands galops de chevaux, des aboiements de chiens, des sons de trompes, des cris de chasseurs, sans parler de tous ces bruits confus qui provenaient du sabbat des sorciers. Pour comprendre le sens de la chasse-galerie originale, il faut savoir que quand ce conte est apparu en France, le régime seigneurial interdisait la chasse aux paysans. Car qui dit chasse dit aussi armements. Si les paysans français s'étaient armés pour la chasse, ils auraient pu se servir de leurs fusils pour mettre fin à l'oppression dont ils étaient les victimes. Démunis, ils ont donc inventé le conte de la chasse-galerie pour se venger de leurs seigneurs. Mais au Québec, ce conte n'avait plus vraiment de sens, tout le monde ici ayant droit de chasse. La chasse-galerie s'est donc transformée : le seigneur, sa meute et sa cavalerie ont été remplacés par un canot volant. Jacques Ferron en parle dans ces termes :

Samm
« C'est l'hiver, des gars de chantier veulent aller voir leurs blondes ; il y a moyen : enlever son scapulaire, prononcer la formule conjuratoire : Acabri, Acabra, Acabram, sauter dans le grand canot, le grand canot s'envole — il le faut bien car c'est l'hiver. À la condition de ne point prononcer le nom de Dieu, de ne pas toucher au clocher des églises, les gars pourront arriver à destination, danser avec leurs blondes toute la nuit et être revenus aux chantiers avec le lever du soleil. »

Bélial
Et Moi Bélial dans tout cela ?

Abel
Tu as subi le même sort que les inquisiteurs et les moines bourrus de l'Europe : en traversant l'Atlantique, tu as perdu ta fonction sociale et la religion t'a mangé tout rond. D'une certaine façon, tu es devenu plus catholique que le pape, te déguisant même en grand cheval noir pour aider à la construction des églises. Dans *Rose Latulippe*, si tu as toujours tes yeux de braise et ta patte de bouc, il suffit que tu voies une petite croix dans le cou de la jeune fille que tu veux enfirouaper pour que tu prennes la poudre d'escampette. Dans *La chaise du maréchal-ferrant*, qui règle définitivement ton sort, tu

deviens le frère du sénateur Goupil, te fais couper ta patte de bouc et te retrouves, fait jusqu'à l'os, avec une prothèse. Pour le diable enquébécoisé, quelle évolution plus logique que celle-là?

Samm
Bélial ne répond pas. C'est sa patte de bouc qui a pris tout le coup : Bélial a dû s'appuyer à mon épaule pour ne pas tomber. Puis il s'est assis sur ce rocher, ses yeux de braise tournés vers la mer. Une flopée de mouettes virevoltent dans le ciel, taches blanches dans l'immensité bleue. J'ai tant de pitié pour Bélial tout à coup ! Sous son chapeau à larges bords et cette longue cape noire, il a l'air aussi démuni qu'un enfant. Sa patte de bouc tressaute, soulevant de petits nuages de sable. Abel et moi, nous nous regardons. Puis nous nous assoyons à notre tour aux côtés de Bélial. Abel dit :

Abel
Mon pauvre Bélial, il en est des pèlerinages comme du reste : c'est parfois une grande joie et c'est parfois aussi un grand arrachement de tout ce qu'on est. Je comprends que *La chaise du maréchal-ferrant* de Jacques Ferron te fasse aussi mal dans ta patte de bouc.

Bélial
Parce que c'est ma mort qui, là-dedans, est signée en toutes lettres !

Abel
Oui, sans doute, mais avant que ça n'arrive, tu as quand même eu le temps de jouer une dernière partie de dés qui n'était pas piquée des vers. Admets-le au moins.

Bélial
On ne peut pas admettre sa propre mort. Si c'était le cas, ça voudrait dire que ce qui a été vécu l'a été pour rien.

Le maréchal-ferrant de *l'Encyclopédie* de Diderot.

Abel

Ça, je peux le comprendre. Mais est-ce vraiment ta mort que Jacques Ferron a signée avec *La chaise du maréchal-ferrant*? Je n'en suis personnellement pas certain tant il est vrai que, quand on est québécois, rien ne saurait être définitif, même quand on joue avec des dés pipés. Si tu me permets, je vais rappeler les faits, et tels qu'ils sont consignés dans *La chaise du maréchal-ferrant*. Au commencement, on est à Rivière-Blanche, près de Matane. Il y a là une famille de Goupil, autrement dit une famille de fins renards étant donné que renard et goupil, c'est du pareil au même. Dans cette famille-là, naît Jean, neuvième d'une famille de treize. Neuf et treize sont des chiffres québécois sacrés car c'est par le neuf que le treize se fait et se défait. J'en parle en connaissance de cause, moi qui viens aussi d'une famille de treize, mais qui occupe la position du neuf inversé, c'est-à-dire le six. Le six est retournement, c'est-à-dire ce qui se vit à l'intérieur de soi et par-devers les autres, tandis que le neuf, c'est ce qui vous porte vers l'extérieur, autrement dit la conquête de l'espace. Et cette conquête de l'espace, voilà le destin du petit Jean Goupil. On ne sait rien des origines paternelles de sa famille, trop neuve en pays gaspésien où le nom des Goupil est rare. Du côté maternel, Jacques Ferron est plus explicite : la mère, prénommée Fabienne, est originaire de Rivière-Blanche, une vieille famille de Blanchette alliée aux Roy, aux Caron et aux Côté des pays de Montmagny et de Rivière-Ouelle, lieux sacrés des grands départs de goélettes. Et ces goélettes, c'est ce qui fascine le petit Jean Goupil : il rêve d'en posséder une un jour et d'écumer tout le pays marin, de Montréal à la Gaspésie. Aussi n'a-t-il pas encore treize ans qu'il se retrouve flow-débardeur au port de Montréal. Mais flow-débardeur, il ne le restera pas tout le reste de sa vie : quand on vient de la Gaspésie, on sait ce que c'est que la débrouillardise. Et bientôt, le petit Jean Goupil est nommé arrimeur-chef, ce qui l'autorise à entrer à la taverne *Neptune*, dieu de toutes les mers. Cette taverne est gérée par Jack O'Rourke, un Irlandais comme il se doit. Son rôle, c'est celui que les Irlandais ont toujours tenu au Québec : celui d'intermédiaires entre les francophones et le reste du monde. Autrement dit, Jack O'Rourke est le suppôt de Satan, qui, dans l'arrière-cuisine de la taverne *Neptune*, convie tous les marins qui se présentent à lui à jouer une partie de ses dés pipés, question de les ruiner. C'est ce qui arrive avec ce capitaine d'une goélette baptisée *La Sainte-Anne*. Dans l'arrière-cuisine du *Neptune*, il joue avec le diable et perd bien évidemment sa mise, aussi bien dire son âme. Sa goélette, son seul bien, il est bien obligé de la vendre, et c'est le petit Jean Goupil qui va l'acheter. Lui, il a compris ce que le diable était, il a vu ses dés pipés et ne s'est pas laissé embarquer dans la voiture piégée du prince des enfers. On ne vend pas son âme pour des pinottes ; on la vend quand, dans cette vie, il y a grand profit à en tirer. Le diable, claquemuré depuis trop longtemps dans l'arrière-cuisine de la taverne *Neptune*, ne comprend pas qu'il a affaire à forte partie. Il ne comprend surtout pas que les temps ont changé, qu'il ne suffit plus de jouer avec des dés pipés pour gagner. Car le véritable jeu, c'est bien ailleurs qu'il se passe maintenant : le Gouvernement a fait voter la prohibition et les Québécois, anarchistes comme ils l'ont toujours été, vont s'amuser à jouer les contrebandiers, toute leur dévotion allant au grand saint Pierre de Miquelon. C'est ainsi que Jean Goupil, grâce à sa goélette rebaptisée *La Fabienne* en l'honneur de sa mère, va faire fortune en utilisant toutes les astuces possibles pour que le culte au grand saint Pierre de Miquelon, le whisky, envahisse les côtes gaspésiennes avant d'inonder la Nouvelle-Angleterre. Jacques Ferron a écrit :

Samm

« Jean Goupil jouissait de toute la complicité de la Gaspésie dont il devint le héros par quelques coups d'audace. Quand il était dans Gaspé-Nord, il se servait comme paravent de feu du docteur Dontigny, médecin respecté de tous dont la maison était ouverte, à cause de sa femme, la grand Thérèse Deschêsnes, à tous les officiers de la Gendarmerie royale qui venaient jouer aux cartes quand la contrebande leur laissait des répits, ce qui arrivait souvent. Alors, quand Jean Goupil avait à traverser un barrage de police, il emmenait au-delà le docteur Dontigny auprès d'une pauvre malade n'en pouvant plus de douleur et que le médecin calmait d'une injection de morphine, ‹ notre seul remède ›, disait le vieux praticien qui ne se trompait guère, puis il le ramenait, le coffre de l'auto rempli de bidons, et au barrage, quand la police les stoppait, le docteur Dontigny baissait la vitre et s'écriait : ‹ Vous ne me reconnaissez donc pas, vieilles faces ! › Alors, bien respectueusement, on se mettait au garde-à-vous et le lourd véhicule passait sans plus de difficulté. Dans Gaspé-Sud, Jean Goupil se permit la plus grande des prouesses. Ce jour-là, toutes les populations étaient le long de la route pour rendre hommage à Monseigneur Ross qui, de Gaspé, se rendait à New Carlisle pour une cérémonie de confirmation. Sa

Une visite de Monseigneur Ross en Gaspésie.

Grandeur était haute auprès de Dieu et fort aimée dans tout le diocèse. Un peu avant l'heure prévue, debout dans une décapotable suivie de quatre limousines de dignitaires, elle passa en bénissant, à une vitesse moyenne qui était peut-être supérieure au petit train ecclésiastique, ce dont d'ailleurs personne ne se formalisa, car tout le monde avait été béni et l'on croyait que Sa Grandeur, pour une raison connue seulement du

Seigneur, était en retard. Mais lorsque le vénéré Monseigneur Ross s'amena par après, il n'y avait plus personne pour le saluer au passage, plus personne à bénir. »

Abel

Ce n'est qu'une fois rendu à New Carlisle que Monseigneur Ross comprit qu'avant lui étaient passés un autre Monseigneur Ross et sa suite, mais dans des limousines autrement plus pesantes que les siennes étant donné qu'elles étaient pleines de bidons d'alcool. C'était l'œuvre de Jean Goupil qui, à force de multiplier ainsi les coups d'audace, devint si riche qu'il n'eut bientôt plus besoin de sa goélette. Il la vendit donc, trouva femme, s'établit à Cap-Chat et se fit notable, dans une grande maison sise juste à côté du presbytère du curé Godfrey et son bedeau Émery Samuel. C'est là qu'à la fin de sa vie le diable vint le trouver.

Bélial

Il le fallait bien. Jeune, Jean Goupil se pensait plus fin que les autres et, dans l'arrière-cuisine de la taverne *Neptune*, il n'avait pas voulu me vendre son âme qui, je dois l'admettre, ne valait pas cher à l'époque. C'est pourquoi, du haut du toit de la taverne *Neptune,* je me suis envolé dans ma chaise du maréchal-ferrant pour aller régler mes comptes avec lui : il était devenu juste assez riche pour considérer enfin ma propre richesse. Mais on ne se méfie jamais assez des mécréants qui deviennent notables car ils n'ont plus d'âme. Le curé Godfrey se tenait derrière lui dans la cuisine. Non content de coucher avec la femme de Jean Goupil, il voulait aussi sa part du butin que j'apportais à Cap-Chat. Mon tort a été de voir trop tard le curé Godfrey et la croix qu'il m'a brandie dans la face, ce qui m'a obligé à déguerpir, laissant là tous mes avoirs, aussi bien mon argent que la chaise du maréchal-ferrant. Comme le plus pitoyable des paysans, j'ai été obligé de prendre le train, L'Océan Limité, pour m'en retourner à Montréal. Me faire ça à Moi Bélial, prince des enfers ! Quelle dérision!

Abel
Oui, c'est dérisoire mais ça ne l'est qu'à moitié. Si le diable a perdu la partie, il n'en reste pas moins que son véhicule sacré a triomphé. Il a triomphé avec le bedeau Émery Samuel qui, un jour, s'est assis dedans avant de se retrouver dans les airs pour s'envoler vers Québec puis vers Montréal où, devenu communiste, il a joué, à l'Université populaire, l'atout préféré du diable: le rouge.

Bélial
Quel triomphe que celui-là ! Quel triomphe que de devenir communiste dans un semblant de pays qui n'a jamais su devenir politique! Ah, la belle affaire! Et qui s'est terminée sordidement : émasculé par la Gendarmerie royale, Émery Samuel a dû s'exiler dans la Colombière, qui n'est rien de plus que la Colombie-Britannique, où il a fini ses jours, mangé par les ulcères.

Samm
Mais il n'en demeure pas moins que la chaise du maréchal-ferrant, elle, est restée au Québec.

Bélial
Pour satisfaire un autre Jean Goupil, deuxième à porter le nom de cette race infâme! Peu m'importe que ce Jean Goupil-là fût un enfant trouvé, un orphelin que le pape Poulin, de Saint-Zacharie en Dorchester, prit en élève chez lui pour le rendre à ses grosseurs. Car dès son enfance, ce deuxième Jean Goupil n'était qu'un petit ambitieux. Il avait juste ce qu'il lui fallait d'âme pour s'emparer de ma chaise de maréchal-ferrant et faire, grâce à elle, toutes les jobs sales que lui demandaient les politiciens.

Samm

Est-ce que, autrement, il est possible pour un orphelin de devenir sénateur en Canada, un pays dont la politique a toujours été le fait de quelques grandes familles à prétention aristocratique? Moi, ce n'est de toute façon pas ce côté-là qui me fascine dans *La chaise du maréchal-ferrant*. Ce qui me fascine plutôt, c'est que le véhicule sacré du diable a servi, pour une fois, à tout autre chose qu'à la politique. Il a servi à rendre réelles et belles les amours entre Jean Goupil et Tinamer, l'une des filles du pape Poulin. C'est beau ce que Jacques Ferron a écrit là-dessus, quand Tinamer Poulin et Jean Goupil, arrimés l'un à l'autre sur la chaise sacrée, montent dans le ciel de Saint-Zacharie en Dorchester pour se rendre dans les Caraïbes afin de se faire mutuellement don de leurs corps, entourés par le soleil, la mer et toute la luxuriance végétale qu'on y trouve.

La goélette *La Canadienne*.

Abel

Voilà bien ce qui importe dans le conte de Jacques Ferron: défait dans tous ses maléfices, le diable n'a plus d'autre choix que de se tourner, même malgré lui, du côté de l'amour. Et c'est quand il se retrouve à parlementer dans l'arrière-cuisine de la taverne *Neptune* avec Jean Goupil, né du mariage de Tinamer Poulin et de Jean Goupil devenu sénateur, qu'il le comprend : dans l'ordre du conte, quand la femme y triomphe, le diable n'a plus le choix ; il doit se faire ermite ou bien jardinier, ce qui, à toute fin pratique, revient à la même chose.

Bélial
Avec, en lieu et place d'une patte de bouc, cette affreuse prothèse artificielle grâce à laquelle Jacques Ferron a pu boucler son conte, ce qui, pour moi, Moi Bélial et Moi Satan-Mattempa, restera toujours la plus inqualifiable de toutes les entourloupettes ! Vous allez m'excuser mais je ne serai jamais de ce bord-là de la création !

Samm
Abel a bien tenté de retenir Bélial mais ce fut là de la grande peine perdue. Bélial a enfoncé sur sa tête son grand chapeau à larges bords, il a glissé les mains dans les poches de sa longue cape et, claudiquant de toute sa patte de bouc, il s'en est allé, par-delà les crans, vers la vieille Cadillac blanche dont les grands ailerons sont lumineux. Abel a dit :

Abel
Je comprends l'indignation de Bélial. Après avoir été le diable, ce ne doit pas être facile de n'être plus qu'un simple chauffeur. Jacques Ferron aurait peut-être dû le comprendre, ne serait-ce que pour tous ces services que le diable a rendus par-devers une société qui en avait bien besoin pour ne pas sombrer dans la déliquescence bondieusarde. Mais on n'échappe pas à l'évolution, pas plus dans le conte qu'ailleurs. Et les racines des mythes de maintenant, elles passent par le ciel. Le diable a toujours été une créature souterraine et c'est pourquoi Jacques

Ferron, qui le savait, a démanché le grand canot volant, qui ne voulait pas dire grand-chose au Québec, pour le faire devenir cette chaise de maréchal-ferrant qui marque la fin de toute la tradition orale, pour ne pas dire la fin de la tradition tout court. Car qui dit maréchal-ferrant dit forgeron, et qui dit forgeron dit Vulcain, dieu du feu. À l'origine, ce dieu travaillait sous terre et n'avait généralement qu'un œil. L'autre, il l'avait perdu, une étincelle le lui ayant brûlé. Aussi, bien que dieu, Vulcain n'avait-il pas droit au ciel, les enfers, c'est-à-dire ce qui brûle sous terre, étant son seul royaume.

Samm
Comment sais-tu tout cela?

Abel
Mon grand-père Antoine des Trois-Pistoles était forgeron et maréchal-ferrant. C'était de famille, depuis douze générations. À Dieppe, jusqu'où il m'a été possible de remonter, l'ancêtre, forgeron, a épousé la grande Baleine-Mère, une amazone huguenote pour l'amour de laquelle, dans une guerre de religion contre les catholiques, il a perdu son œil droit et son bras droit, ce qui l'a obligé à émigrer au Québec. Quand j'étais enfant et que je retrouvais mon grand-père Antoine dans sa boutique de forge, il me racontait cette histoire-là, moi assis sur ses genoux et lui pareil à l'image que j'aurai toujours de Vulcain tant que je vivrai : cet antre, ce feu de forge, ce soufflet qui, grâce au vent qui faisait virevolter les étincelles, calcinait cette vieille chaise de maréchal-ferrant sur laquelle trônait mon grand-père, son épaule gauche découverte dans cette grande pièce de cuir qui lui servait de tablier. En relisant *La chaise du maréchal-ferrant*, c'est toute cette enfance-là que j'ai revécue car mon grand-père, j'ai toujours pensé que c'était lui le diable et non pas Bélial.

Samm
Une fois que nous aurons quitté la Gaspésie de Jacques Ferron, j'aimerais que nous nous retrouvions aux Trois-Pistoles, toi et moi. Tu n'as pas voulu que nous nous y arrêtions en venant de Louiseville à Rivière-Madeleine.

Abel
Je ne pouvais pas. Ce n'est pas d'abord chez soi qu'on s'arrête quand on lit : on ne s'arrête jamais chez soi tant qu'on n'a pas compris le reste. Maintenant que je sais tout ce que Jacques Ferron a vu dans cette Gaspésie où il a vécu quelques années, c'est possible pour moi de me retrouver avec toi aux Trois-Pistoles. Ce n'est évidemment plus le pays dont mon enfance est venue, mais c'est quand même là que, pour la première fois, j'ai lu *Cotnoir*, et *Papa Boss*, et relu *La nuit*, couché dans les hautes herbes avec, devant mes yeux, le cimetière et, au-delà du cimetière, la mer qui, me semble-t-il, avait la même sauvagerie que celle qu'on retrouve ici, à Rivière-Madeleine.

Samm
Abel s'est redressé. Il m'a tendu cette main gauche que j'ai prise. Nous allons quitter les battures du fleuve, nous allons naviguer entre les crans, puis monter cette côte raide qui va nous emmener vers cette vieille Cadillac blanche dont les grands ailerons sont lumineux. Sur la banquette avant, Bélial est assis, ses mains comme vissées sur le volant. Il n'a pas besoin de demander à Abel ce que celui-ci désire : il sait que nous allons laisser Rivière-Madeleine et revoir une dernière fois ces soixante milles de côtes dont Jacques Ferron, pendant trois ans, a été le médecin, non seulement pour y soigner la maladie mais pour se découvrir lui-même dans ce grand écrivain qui le portait. Une fois arrivés à Saint-Yvon, nous allons revirer de bord pour entreprendre cette fabuleuse descente vers les Trois-Pistoles, là où les mondes de Jacques Ferron et d'Abel vont assurer dans le temps le grand partage des

eaux de la création. Alors que la vieille Cadillac blanche dont les grands ailerons sont lumineux s'ébranle, je me sens par avance déjà toute conquise. Mais pourquoi?

6

Avant-dire

Ce médecin, qui avait vu plus de malades que de gens heureux et bien-portants, croyait à peine à la maladie et, si près de mourir, ne concevait encore la mort que par une sorte de suicide. Cela ne l'aidait pas à s'illusionner sur un art dont la bassesse ne lui échappait pas.

Jacques Ferron,
Cotnoir

Une légende indienne illustrée par l'abbé Guindon.

Bélial

Dès que derrière nous nous avons laissé les côtes gaspésiennes, je me suis calmé, me contentant de me concentrer sur la route. Une fois passé Sainte-Anne-des-Monts, qui marque le passage de la Gaspésie au Bas-du-Fleuve, toute ma sérénité m'est revenue et, un bon moment, je me suis imaginé être non plus Moi Bélial, mais le docteur Jacques Ferron quand, en 1948, il a laissé Rivière-Madeleine pour rentrer à Montréal au volant de sa vieille Ford. Deux raisons ont motivé son départ : la perte de cette allocation mensuelle de cent dollars que Maurice Duplessis accordait aux médecins qui pratiquaient en régions éloignées et le fait que Jacques Ferron ressentait dans son corps les premiers symptômes de la tuberculose qui avait emporté sa mère cadette et qui, bientôt, va l'obliger à aller se faire soigner dans ce sanatorium de Sainte-Agathe. Mais cela, ce n'est que de l'anecdote. Autrement plus important est le butin dont son portuna est plein, et que Jacques Ferron va rapporter à Montréal.

Abel

C'est en Gaspésie que Jacques Ferron a pris la décision de devenir conteur : de Rivière-Madeleine à Saint-Yvon, il en a tellement entendu et qui l'ont tant impressionné que, pour la première fois, l'envie lui est venue d'aller dans le même sens qu'eux, par l'écriture. Dans l'histoire du Québec, cela arrivait à point nommé : l'électrification des campagnes, la venue de la radio, puis celle de la télévision, ne pouvaient que mettre fin au règne du conteur, du moins dans tout ce qui de lui était oral. Pour rameuter le conte et en continuer la beauté ludique, une seule possibilité : que l'écriture prenne le relais de l'oralité. Jacques Ferron en était si convaincu qu'il a dit de lui qu'il était le dernier représentant de la tradition orale et le premier de la transposition écrite. Il a ajouté :

Samm

« C'est dans cette conjoncture que j'ai connu le conte. Je ne l'ai pas lu, je l'ai écouté. Pour le transcrire, il a fallu que je l'entende. D'ailleurs, il ne s'agissait pas de contes, mais d'histoires, d'historiettes plus précisément. Elles constituent en grande part la monnaie d'une richesse

Le conteur dans un camp de bûcherons, selon une gravure de A.B. Frost.

populaire. Pour une bien bonne, on en trouve une meilleure, et pour celle-ci une meilleure encore. On peut se relancer ainsi longtemps. Il est arrivé que trois ou quatre beaux conteurs réunis après souper, dès la fin de l'après-midi, l'aient fait jusqu'au lendemain. La barre du jour alors marquait l'accomplissement d'une prouesse qui était en quelque sorte leur prix David : magnifiquement, mieux qu'un jury, elle les confirmait dans leur vocation poétique. Au-delà de la nuit, grandis par les lumières basses, ces conteurs semblaient sortir de leur répertoire et devenaient eux-mêmes des personnages de conte. Je n'étais pas un anthropologue. Ces historiettes d'ailleurs, dites aussi magistralement, sortaient trop dru pour venir d'une source sur le point de se tarir. C'était du moins mon opinion. Je n'ai pas pensé à les inventorier, les croyant inépuisables. Et je me demande aujourd'hui si je n'ai pas commis là une grave erreur. Ce doute me gâte les quelques contes que j'ai pu réussir. Je les ai écrits dans l'impuissance où je me sentais de devenir moi-même un conteur naturel. L'eussé-je pu que jamais je n'aurais tracé une seule ligne. J'estimais utile néanmoins d'aider au passage d'un patrimoine oral à une littérature écrite, mais pas au point de sacrifier l'un à l'autre et encore moins de faire carrière d'écrivain en n'étant par le fait même qu'un naufrageur. »

Abel

Mais quand Jacques Ferron avoue qu'il n'a pas pensé inventorier les contes parce qu'il les croyait inépuisables, il ne dit pas toute la vérité en ce qui le concerne. Car répertorier les contes n'est pas tout, le plus important étant de pouvoir les situer dans leur temps et leur espace de manière à ce que rien de leur sens ne soit occulté. Jacques Ferron n'a pas fait qu'écouter et que lire des contes ; il n'a jamais cessé de se documenter sur ce qui les avait fait venir au monde. Déjà en Gaspésie, il était un grand lecteur de toutes ces monographies de paroisses qui, du début du siècle dernier jusqu'à maintenant, ont pullulé partout au Québec. C'est lui qui me les a fait découvrir, comme il m'a fait connaître tous ces ouvrages qui, pendant deux siècles, ont été publiés à compte d'auteur partout en province. Jacques Ferron mettait cette littérature-là au-dessus de l'officielle, et il l'a beaucoup utilisée, autant dans ses contes que dans ses romans. Quand je travaillais aux éditions du Jour, Jacques Ferron m'a fait cadeau de toutes les monographies de paroisses qu'il avait collectionnées de la Gaspésie et du Bas-du-Fleuve, et dont plusieurs venaient de ce temps où il avait été médecin à Rivière-Madeleine. C'est là-dedans que j'ai appris à peu près tout ce que je sais de mon pays. Et c'est là-dedans aussi que j'ai puisé l'essentiel que j'ai mis dans mes livres. Et c'est encore là-dedans que j'ai compris pourquoi Jacques Ferron est un écrivain aussi considérable. Nul ici n'a eu le courage de cette profonde curiosité qui fut la sienne. Nul ici n'a poussé aussi loin l'érudition et dans ce que l'érudition doit avoir de prégnant, c'est-à-dire de totalement vivant. Quand, à mes tout débuts aux éditions du Jour, Jacques Ferron venait m'y voir, il n'était jamais seul. L'accompagnaient tous ces ouvrages qu'il lisait et dans lesquels il découvrait la substance même du pays. Parfois, dans un livre de six cents pages, il ne s'agissait que de quelques paragraphes, mais si éclairants sur ce que nous sommes qu'ils étaient pour ainsi dire sans prix. Quel lecteur Jacques Ferron était ! Cela me fascinait et me fascinait à ce point que j'aurais voulu être pour lui un interlocuteur valable. Y suis-je arrivé ? Je ne crois pas car la patience m'a toujours manqué, tout autant que le reste d'ailleurs.

Bélial

Abel a appuyé sa tête contre la vitre de la portière. Ce qu'il n'ose pas dire, c'est que, depuis qu'il a lu le premier livre de Jacques Ferron, en 1965, il a été habité aussi bien par l'œuvre que par l'auteur qui l'écrivait. Et je sais bien qu'il a été déçu par ce qu'il a vu à Rivière-Madeleine, où l'on n'a pas gardé la mémoire du médecin que Jacques Ferron y a été, pas plus d'ailleurs que l'on n'a gardé la mémoire des contes gaspésiens qui en sont venus. Abel dit :

Abel

Mais c'est surtout pour le docteur Augustin Cotnoir que tout cela me fait de la peine. Après tout, il a été le prédécesseur de Jacques Ferron dans Gaspé-Nord. Quand nous nous promenions de Rivière-Madeleine à Saint-Yvon, je m'attendais au moins à ce que quelqu'un puisse me parler de lui, ne serait-ce que par-devers les livres de Jacques Ferron, mais ça ne s'est pas présenté une seule fois. Pourtant, le docteur Augustin Cotnoir est l'un des plus beaux personnages que Jacques Ferron a créés. Je pense même que c'est celui auquel il tenait le plus étant donné qu'après l'avoir fait mourir dans le premier texte qu'il a écrit sur lui, il n'a pas pu faire autrement que de le ressusciter.

Un médecin traditionnel, Joseph Masson de Montmagny.

Samm

De le ressusciter, mais encore n'est-ce que pour le faire mourir définitivement dans *Le ciel de Québec* et, cette fois-là, sans que Jacques Ferron ne fasse mention que le docteur Cotnoir était ou bien opiomane ou bien ivrogne.

Abel

Je sais. Mais quelle importance, au fond, que le docteur Augustin Cotnoir fût opiomane ou bien ivrogne ? Opiomanes ou bien ivrognes, les médecins ruraux, selon Jacques Ferron, l'étaient tous parce qu'ils n'avaient pas le choix d'être autrement, à cause du genre de vie qui était le leur. On les appelait à toute heure du jour comme à toute heure de la nuit, et surtout en hiver parce que l'isolement, quand on est malade, est difficile à vivre une fois que les bancs de neige font six pieds de haut tout autour de soi. Le médecin étant rarement un athlète, comment pourrait-il lui-même s'en tirer, sinon en buvant du gros gin ou bien en fumant de l'opium? Dans une première version, celle des contes gaspésiens, le docteur Augustin Cotnoir se drogue. Dans une autre, celle de *Gaspé-Mattempa*, il se saoule. Mais ces deux versions sont venues bien après *Cotnoir*, ce conte qui fut publié en 1962. Quand l'histoire commence, le docteur Augustin Cotnoir vient de mourir et sa veuve, comme il se doit, n'a pas d'autre choix que celui de lui organiser ses funérailles. Jacques Ferron, se souvenant de ce qui est arrivé à sa mère cadette au moment de sa mort en 1932, fait porter le cercueil du docteur Augustin Cotnoir par des croque-morts médecins et un notaire qui n'est nul autre que son propre père : « Il avait l'air d'un rat, écrit Jacques Ferron, les lèvres pincées et les dentiers trop grands. » On ne peut pas s'y tromper : ce notaire, c'est Alphonse Ferron, le géniteur de Louiseville qui, à cause de ses fausses dents, parlait en chuintant, ce qui explique pourquoi il préférait s'exprimer en anglais, faisant porter sur le compte de sa méconnaissance de la langue la malorganisation de sa bouche. Mais ce compte que Jacques Ferron règle avec son père ne constitue pas le nœud même de *Cotnoir*. C'est que, parmi les trois médecins qui se retrouvent comme croque-morts aux funérailles de leur confrère, il en est un, le docteur Antonio Bessette, qui est un imposteur : il n'a pas connu le docteur Augustin Cotnoir, comme il ne connaît pas tous ces autres médecins qui, régulièrement, meurent partout au Québec. Mais dès qu'il apprend la mort de l'un de ses confrères, le docteur Antonio Bessette quitte le Témiscouata pour se retrouver dans la famille éplorée où il simule la maladie afin qu'on lui injecte de la morphine. Ce n'est donc pas le docteur Augustin Cotnoir qui est narcomane, mais le docteur Antonio Bessette. Peut-être le docteur Augustin Cotnoir avait-il un petit faible

Le grand corbillard de la mort.

pour la bouteille, mais quand le cortège s'ébranle vers l'église, là n'est plus le problème, ni même ce qui l'a toujours représenté. Jacques Ferron a écrit :

Bélial

« Madame Cotnoir suivait le cortège dans la limousine noire, haute, démodée, cabossée, dont son mari durant quinze ans s'était servi, qu'il avait achetée au temps de ses splendeurs, pendant la guerre, lorsque, à défaut de concurrence, il jouissait d'une nombreuse clientèle, voiture de maître qu'il avait toujours conduite lui-même, permettant ainsi aux malins de se demander de qui il était le chauffeur, du diable, de la mort ou de la bouteille. Avec les années et les racontars, cette voiture avait pris une allure inquiétante. Son passage désolait plus qu'il ne réconfortait. On avait fini par la surnommer dans les faubourgs : le corbillard. »

Abel

Ce corbillard, ce n'est rien de plus que ce que Jacques Ferron a retenu de son enfance à Louiseville, c'est-à-dire l'image de son grand-père qui, monté sur Flambard, le meilleur cheval du pays, descendait à toute vitesse des hauteurs de Saint-Alexis pour que le trop-plein de son énergie trouve son compte avec les Magouas. Ce corbillard, ce n'est rien de plus non plus que ces grosses voitures que le père même de Jacques Ferron a toujours conduites dans Maskinongé une fois que les chevaux furent passés de mode. C'est ce qu'en littérature on appelle une image récurrente, et qui va poursuivre Jacques Ferron jusque dans *Le ciel de Québec* alors que, ressuscité d'entre les morts, le docteur Augustin Cotnoir va se retrouver au volant du corbillard d'entre tous les corbillards, cette grosse Roadmaster dans laquelle il va s'en aller pour tout de bon dans les grands fonds de la rivière Jacques-Cartier.

Samm
Tout cela, je veux bien l'entendre, Abel. Mais quand j'ai lu *Cotnoir*, je n'y ai pas compris grand-chose.

Abel
Parce que c'est un conte qui renverse les données mêmes du conte étant donné qu'il commence à l'envers, par les funérailles du docteur Augustin Cotnoir. Les funérailles terminées, on remonte le temps, à petits pas, et c'est l'agonie même du docteur Augustin Cotnoir qu'on a dans la face.

Bélial
« Rendu chez lui à Longueuil, Cotnoir se couchait pour ne plus se relever. Au milieu de la nuit s'écoutant râler : ‹ Suis-je saoul ou malade ? › se demanda-t-il. La question posée, il comprit soudain qu'il ne disposait que d'un instant pour y répondre, ce qui le fixa sur son sort. Depuis des années, il éprouvait une grande difficulté à vivre et sans sa femme eût lâché déjà. Or, voici qu'il se trouvait à l'improviste devant la simplicité de mourir, un acte qui n'implique que soi, involontaire, c'est sa faiblesse, mais qui devient propre quand on l'assume seul. Il eut la dignité de ne pas appeler. Il fit ouf ! et sombra ; auparavant eut encore le temps de penser que sa mort titubante déjouerait tout le monde et qu'on ne se porterait à son secours que trop tard ; il n'eut pas toutefois le loisir de s'en amuser. Les mourants d'ailleurs n'ont pas d'humeur ; ils voient, ils constatent, c'est tout ; le moment est trop vif pour qu'ils puissent l'approfondir, l'apprécier, le goûter. L'opérateur tombe ; la caméra continue d'enregistrer un dernier bout de film qui ne sera jamais projeté. Le cœur s'arrête ; les poils continuent de pousser. Tout cela fait partie du résidu et n'offre aucun intérêt. »

Abel
Parce que l'intérêt, ce n'est pas ni l'agonie ni la mort mais ce que le docteur Augustin Cotnoir a essayé de faire avant de s'y retrouver dans toute sa solitude. Lui, simple petit médecin de faubourg, il a voulu sauver de son ignominie un plus démuni que lui, cet Emmanuel, un simple d'esprit qui, pendant vingt ans, a été plumeur de volailles. Son *boss* trépassé, Emmanuel se retrouve tout seul, bientôt avalé par la manie qui lui vient de se déculotter en public. On l'interne donc à Bordeaux. Quand on le relâche, Emmanuel se retrouve chez son cousin Aubertin, un charbonnier père de six filles qui ont la passion des perruches. Non content de menacer de plumer les perruches, Emmanuel recommence à se déculotter ou bien s'enferme dans la salle de bains où il fait débilement couler l'eau du robinet. Et dire qu'à Bordeaux, on avait dit à la famille Aubertin qu'il était guéri ! La famille Aubertin serait pour qu'on interne à nouveau Emmanuel, et définitivement cette fois-ci. Mais avant, on demande conseil au docteur Augustin Cotnoir. Celui-ci suggère plutôt qu'on mette Emmanuel dans ce train qui va l'emmener à Québec. De là, il pourra monter dans les chantiers et travailler dans la cookerie comme tant de ses pareils. Dans les chantiers, on est plutôt tolérant pour ceux qui se déculottent devant le monde, comme on est plutôt tolérant pour les plumeurs de volailles. La famille Aubertin se laisse convaincre et Emmanuel se retrouve à Québec, pas plus fin qu'avant sans doute mais heureux de son sort, grâce au docteur Augustin Cotnoir qui avait compris que la débilité n'est pas la folie et qu'elle n'a pas à être traitée de la même façon. Et cette rédemption d'Emmanuel, grâce au train qui l'a emmené à Québec, dans les chantiers et la cookerie, voilà le dernier haut fait d'armes du docteur Augustin Cotnoir, celui qui rend possibles ses funérailles. Dans ce conte, le premier qu'il ait publié, l'écriture de Jacques Ferron a quelque chose de magique. Toutes les fois que je lis *Cotnoir*, je suis comme

Scène de chantier. (Photo : famille André Beaulieu)

ensorcelé, par autant de simplicité et de retenue, même quand ce n'est que de corneilles qu'il s'agit :

Bélial

« Les corneilles sont toujours aux aguets. Quand il y a relâche, elles approchent. Elles lancent des cris brefs et se parlent ainsi au-dessus de la ville. Il y a toujours relâche au petit matin. C'est à ce moment que la nuit se fait blanche et que les malheureux, qui n'ont pas dormi, les entendent. Mais les corneilles se disent : ‹ Ce ne sera pas encore pour aujourd'hui ›, et elles s'éloignent pendant que la ville s'éveille. Tous les matins, elles reviennent. Elles attendent le jour où la ville ne s'éveillera pas. Alors elles entreront par les fenêtres... L'œil ! Il n'y a rien de meilleur pour une corneille qu'un œil d'homme. »

Samm

La vieille Cadillac blanche dont les grands ailerons sont lumineux roule toujours sur la route nationale, vers les Trois-Pistoles que nous devrions atteindre dans peu de temps. Abel nous raconte, à Bélial et à moi, qu'après avoir été victime de la poliomyélite, il se retrouvait tous les étés aux Trois-Pistoles où il passait un mois, louant cette petite chambre à l'*Hôtel Victoria*, et louant aussi cette bicyclette grâce à laquelle il pouvait s'enfoncer tout à son aise dans son profond pays d'enfance. Abel dit :

Abel

Je me levais avec le petit matin, je me faisais préparer un lunch que je mettais dans le panier de la bicyclette, je prenais quelques-uns des livres que j'avais apportés avec moi, et je partais à l'aventure pour essayer de retrouver toutes les odeurs et toutes les couleurs dont je m'ennuyais depuis que mes parents, à cause de la misère noire, avaient dû s'exiler à Montréal. Souvent, je me retrouvais chez ma tante Germaine. C'était une femme admirable, comme la tante Irène de Jacques Ferron, qui aurait dû se marier mais s'en était empêchée pour prendre soin de sa mère et de son père. Après leur mort, ma tante Germaine a continué d'habiter la maison paternelle, rue Vézina, en tous les cas tant que la succession n'a pas été réglée. Quand j'y entrais, je retrouvais les images de mon enfance, et telles qu'elles me sont toujours apparues : ces vieux meubles que le temps avait patinés, cet énorme coffre-fort près du secrétaire et dont mon grand-père m'avait appris la combinaison et qu'il me laissait ouvrir, heureux de me faire connaître les trésors qui s'y trouvaient : ces actions minières que le *krach* de 1929 avait rendues caduques, ces vieilles lettres de famille, dont certaines venaient d'aussi loin que d'Afrique et d'Asie à cause de tous ces oncles, de toutes ces tantes, de tous ces cousins et de toutes ces cousines qui, en leur qualité de missionnaires, y avaient œuvré — et ces livres de comptes, si bellement écrits par ma grand-mère qui avait appris la calligraphie. Sur les murs, tous ces encadrements représentant les ancêtres. Et aussi, dans ces boîtes à chaussures que de vieux lacets tenaient ensemble, des centaines de photographies qui racontaient l'histoire du monde et la nôtre. Une fois que ma tante Germaine et moi en avions fait le tour, je la laissais à sa manie, celle du ménage, et je m'en allais derrière la maison, dans ce champ qui n'existe plus maintenant, comme n'existent plus les deux érables que mon grand-père avait plantés, entre la maison et sa boutique de forge, quand mon père et mon oncle Phil sont nés. Après la mort de mon grand-père, on les a abattus, comme on a abattu la cuisine d'été, comme on a abattu les grandes galeries qui ceinturaient la maison, comme on a abattu également la boutique de forge et comme on a abattu encore tous ces grands framboisiers qui contournaient le domaine. Au-delà, c'était le cimetière, toutes ces croix de bois blanches qu'on a abolies parce qu'on avait besoin de l'espace pour en faire un parking hideux comme le sont tous les parkings. Mais en 1966, le paysage était pour moi tel qu'il l'avait toujours été depuis mon enfance. C'est pourquoi je m'allongeais dans les hautes herbes derrière la maison de mon grand-père et lisais l'un ou l'autre des ouvrages que j'avais apportés de Montréal. Je me souviens : il y avait *La fosse de Babel* de Raymond Abellio, il y avait *Le cimetière marin* de Paul Valéry, et il y avait *Cotnoir*, *Papa Boss* et *La nuit* de Jacques Ferron. *La fosse de Babel*, je ne l'ai jamais lue en entier : c'était une histoire trop française pour moi et c'était trop plein de toutes sortes de personnages qui se prenaient pour d'autres, si ambitieux que tout ce à quoi ils pensaient, c'était à établir un gouvernement mondial dont, pour eux-mêmes, ils tireraient toutes les ficelles. J'aimais mieux relire *Cotnoir* et j'aimais mieux aussi relire *Papa Boss* même si, à cette époque, je ne comprenais pas grand-chose à l'histoire qui y était racontée.

Bélial

Parce que c'est encore un conte dans lequel le diable, pour vouloir maîtriser tous les cordeaux, s'y empêtre d'une façon inextricable !

Parti pris : André Major, Gérald Godin, Claude Jasmin, Jacques Renaud, Laurent Girouard, Jean-Marc Piotte. (Photo : Beaudin)

Abel

Il faut d'abord savoir que *Papa Boss* a été écrit tout de suite après *La nuit*, en ce temps où Jacques Ferron fréquentait la revue *Parti pris* que dirigeaient de jeunes radicaux marxistes : ils appelaient la dictature du prolétariat, la déconfessionnalisation de l'enseignement et l'indépendance du Québec. Ils étaient contre le système américain, ce capitalisme sauvage qui, pour prospérer, arrosait les Vietnamiens au napalm et armait Israël contre les Palestiniens. Sympathique aux idées défendues par les rédacteurs de *Parti pris*, Jacques Ferron a donc écrit *Papa Boss*. Et Papa Boss, c'est le dieu tout-puissant du dollar américain, représenté dans le conte par la Asshold Finance qui tient à la gorge les plus démunis de la société en leur faisant crédit. Une fois entré dans l'engrenage de la Asshold Finance, il est impossible de s'en sortir autrement que par la folie ou bien la mort après des années passées à végéter dans les bas-fonds de l'être, et dans une paupérisation toujours de plus en plus grande. C'est que Papa Boss, le dieu tout-puissant du dollar américain, contrôle tout, sauf peut-être le rêve. Ce rêve, une femme, jamais nommée, le vit à Montréal, dans ce beau bloc en briques rouges qui appartient à Gérald Pelletier, petit propriétaire véreux qui couche avec sa locataire. Elle, elle s'imagine qu'elle a affaire à un ange.

À force de vivre dans son minable logement avec un mari que le travail a rendu malade, la pauvre femme, jadis nonnette chez les Ursulines des Trois-Rivières, ne voit plus rien qu'en fonction de son adolescence, alors que toute vie lui paraissait pleine de promesses. Vingt ans de misère rentrée lui ont donné des araignées au plafond, ce qui la mène tout droit au mysticisme : elle prend son bain et elle a des visions. Elle prend son bain et tantôt c'est Gérald Pelletier qui, déguisé en ange, vient la visiter. Et tantôt c'est le vieux Louis Barnèche qui, après avoir laissé les hauteurs de Kamouraska, s'est retrouvé à Montréal, avec son vétuste violon auquel il manque maintenant toutes les cordes. Il le traîne quand même partout avec lui, comme le symbole de cette tradition qui, pour avoir abandonné les hauteurs de Kamouraska, ne peut désormais plus chanter. Il n'en reste que la mémoire et la mémoire est inefficace une fois que Papa Boss met sa grande patte velue sur votre corps : vous n'êtes plus un artiste, pas plus d'ailleurs que vous n'êtes un homme ; vous devenez un numéro parmi tant d'autres, un numéro qu'on vous a attribué dès votre naissance, question de vous avoir tout le temps à l'œil afin que vous ne deveniez jamais autre chose que cette viande dont le système a besoin pour profiter. Autrement dit, Papa Boss triomphe parce qu'il sait vous rendre asocial en vous faisant accroire que par la Asshold Finance, il s'adresse à vous et à vous seul. Ainsi maîtrise-t-il toutes les données, de votre naissance à votre mort. Peu lui chaut que les anges vous apparaissent et forniquent avec vous. Peu lui chaut aussi que vous vous suicidiez : toute votre vie, vous avez payé tellement cher vos primes d'assurances que lui seul encore va en profiter dans l'au-delà même de votre mort grâce à l'argent qu'il a déjà fait sur votre dos. Voilà la symbolique de *Papa Boss*, sans doute le conte le plus étrange qu'ait écrit Jacques Ferron, celui qu'en 1966 je ne comprenais pas quand, allongé dans les hautes herbes derrière la maison de mon grand-père, je le lisais à petite vitesse, ma tante Germaine venant me retrouver dans le champ, un panier de pique-nique sous le bras. Nous nous assoyions l'un en face de l'autre, nous mangions les œufs durs, le pain de seigle et les vertes crudités, et je racontais à ma tante Germaine tout ce que je croyais voir dans *Papa Boss*. Même si elle ne comprenait pas alors plus que moi ce qu'il y avait dans le conte de Jacques Ferron, ce furent là de beaux moments : pour être, la complicité n'a pas besoin de se comprendre, elle n'a qu'à s'exprimer dans la chaleur du corps. C'est peut-être ce que Jacques Ferron, dans *Papa Boss*, a écrit de plus beau :

Bélial

« Tirez-vous d'un côté, elle vous aide et penche la tête de l'autre dans un hochement d'acquiescement, de complaisance, sinon de volupté. Vous n'êtes pas loin de ressembler à deux chats qui se lèchent le pourtour des oreilles réciproquement. Jamais elle ne vous adresserait la parole sans que vous lui parliez en même temps. Si vous lui dites des mots, elle les répète tout simplement. Son attachement est la réplique du vôtre. Ses yeux ne vous regardent pas pour vous voir ni pour vous comprendre, mais pour vous montrer qu'elle vous aime autant que vous l'aimez. Quand vous vous détournez du miroir et qu'elle disparaît, vous avez l'impression qu'elle reste en vous. »

Abel

Telle était ma tante Germaine quand, sans compromis, derrière la maison de mon grand-père, nous franchissions ce miroir que nous étions l'un pour l'autre. Peut-être ma tante Germaine me voyait-elle comme l'héroïne de *Papa Boss* voyait Gérald Pelletier, tout de blanc vêtu et avec une grande paire d'ailes dans le dos, pareil à un ange. Sinon, pourquoi m'aurait-elle donné tous ces encadrements d'ancêtres que j'ai rapportés à Montréal avant de les installer dans cette vaste maison que j'ai achetée aux Trois-Pistoles une fois que, défait par mon Papa Boss à moi, c'est-à-dire la télévision, j'ai éprouvé le besoin de me redonner un peu de dignité?

Samm

Abel me regarde. Ses yeux vont se brouiller de larmes, mais il va faire de grands efforts pour les retenir en lui. Je pose ma main sur la sienne. Rien qu'à la toucher, je trouve qu'elle ressemble au pays que nous traversons : ce n'est déjà plus les côtes sauvages gaspésiennes mais ça ne ressemble à rien de ce que j'ai touché quand j'ai revu Abel devant cette fontaine gelée du carré Saint-Louis à Montréal. Peut-être est-ce parce que nous arrivons enfin à *La nuit* et que, par grands pans sombres, ça se jette comme à corps perdu dans le paysage, les corneilles y virevoltant comme virevoltaient dans le ciel ces engoulevents lorsque nous avons laissé derrière nous la rue Saint-Denis. Bélial dit:

Bélial

Maître, le jour tombe. Voulez-vous que nous nous arrêtions ici, à Saint-Simon, ou préférez-vous que nous fassions face à la nuit qui s'ouvre comme un cœur?

Abel

Il n'y a pas de cœur dans la nuit : il n'y a que de l'ombrage. Aussi, le plus vite nous y serons maintenant, le mieux ce sera.

Samm

Pour toute réponse, Bélial pèse de toute sa patte de bouc tressautante sur l'accélérateur. Vrombit le moteur de la vieille Cadillac blanche dont les grands ailerons sont lumineux. Je serre la main d'Abel dans la mienne car ça sera bientôt la nuit et personne encore ne sait ce qu'on va y trouver.

7

Avant-dire

On dort beaucoup sur la planète Terre, les enfants mêlés aux enfants, les parents aux parents, les apprentis de l'amour à d'autres apprentis, sans autres avantages que de passer la nuit.

Jacques Ferron,
La nuit

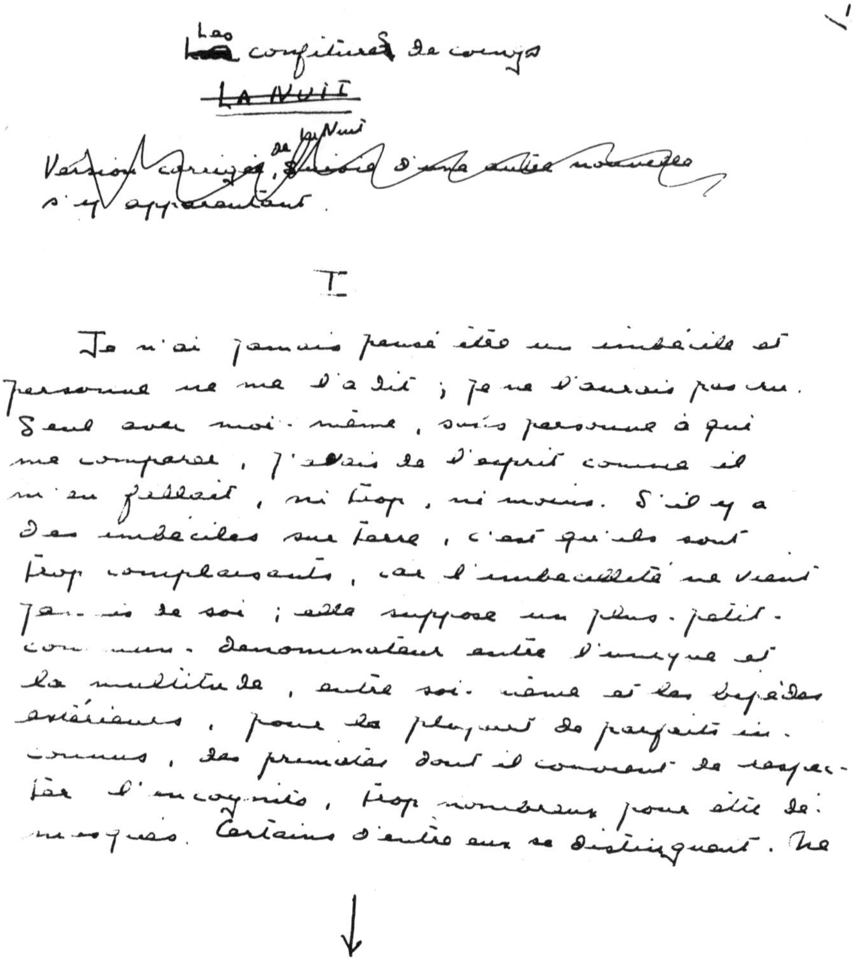

1

~~La~~ Les confitures de coings

~~LA NUIT~~

Version corrigée de La Nuit ~~suivie d'une autre nouvelle s'y apparentant~~.

I

Je n'ai jamais pensé être un imbécile et personne ne me l'a dit ; je ne l'aurais pas cru. Seul avec moi-même, sans personne à qui me comparer, j'étais de l'esprit comme il m'en fallait, ni trop, ni moins. S'il y a des imbéciles sur terre, c'est qu'ils sont trop complaisants, car l'imbécillité ne vient jamais de soi ; elle suppose un plus-petit-commun-dénominateur entre l'unique et la multitude, entre soi-même et les bipèdes extérieurs, pour la plupart de parfaits inconnus, des premiers dont il convient de respecter l'incognito, trop nombreux pour être démasqués. Certains d'entre eux se distinguent. Ne

↓

Première page du manuscrit *Les confitures de coings*, nouvelle version de *La nuit*.

Samm

À la hauteur des Trois-Pistoles, dès que le jour baisse, le temps bascule si rapidement qu'il faut garder les yeux grands ouverts si on veut vraiment voir le soleil tomber dans la mer. Ça dure l'espace de quelques minutes puis n'existent plus que ces jeux d'ombres qui, continuellement, redessinent le paysage. La nuit est un peuplement baroque, avec plein de fantômes qui se noient dedans. C'est le moment de la journée que je préfère entre tous à cause de la magie qui le détient. La vieille Cadillac blanche dont les grands ailerons sont lumineux roule sur la route nationale, ses phares puissants faisant ces trouées de lumière dans les ténèbres. Bientôt, nous serons devant cette vaste maison qu'Abel habite presque en permanence depuis que la télévision s'en est allée de lui. Dans l'entrée, Bélial arrête la vieille Cadillac blanche dont les grands ailerons sont lumineux. Nous descendons. Du large, vient ce vent qui rend la nuit odorante. Quelques lumières éclairent le jardin bellement fleurifleurant devant la vaste maison. Abel me remet son portuna au cuir tout vermoulu, il va vers le grand escalier, y monte. Bélial et moi, nous le suivons. Je trouve qu'Abel a l'air d'un seigneur féodal, et peut-être bien aussi d'un vieux capitaine de vaisseau tant cette vaste maison me paraît ressembler à une prodigieuse barque que la nuit fait bouger. Nous entrons dans la vaste maison et c'est une grande douceur qui nous accueille, une douceur qui vient autant des murs de pin que le temps a dorés que de toutes ces plantes qui leur donnent vie. Sur les murs, tous ces encadrements qui racontent la vie d'Abel : ces photographies de ses parents, ces illustrations venues de *L'héritage*, ces gravures de théâtre, ces portraits de Victor Hugo, de Jack Kerouac et de Herman Melville. Dans le corridor, cette autre collection de photographies sur la crise d'Octobre. Et puis, ces grandes toiles peintes par Léopold D'Amours, l'une représentant le *Château Frontenac* et l'autre une scène de chasse aux marsouins sur le Saint-Laurent. Bélial, Abel et moi, nous faisons le tour de la maison. Ça respire la tranquillité, comme si une grande force sereine avait pris possession de la vaste maison. Tout ce qui m'étonne, c'est que, dans la vaste maison, on ne retrouve rien de Jacques Ferron, même pas une image de lui. Alors que nous nous assoyons autour de la grande table de pommier qu'Abel nous a dit avoir achetée à Sainte-Ursule, dans le pays natal de Jacques Ferron, je lui pose cette question qui me brûle les lèvres : pourquoi cette absence de Jacques Ferron ? Abel répond :

Abel

Parce que je n'en suis pas encore digne. Toi qui es montagnaise, tu devrais savoir que toute image est un vol

La vaste maison. (Photo : Yvon Gamache)

et un viol, et qu'on ne doit y arriver qu'une fois qu'on a vraiment traversé le miroir. Sinon, on ne fait que le jeu de la tromperie, aussi bien dire de ce qu'il y a de malpropre dans la malhonnêteté. Si j'agissais ainsi envers Jacques Ferron, je me sentirais comme le plus misérable des hommes.

Samm

Je ne suis pas bien certaine de saisir ce que dit Abel, mais je n'ose pas lui demander de préciser sa pensée. Bélial ne m'en laisserait pas le temps de toute façon. Il a enlevé son

L'oncle Phil. (Photo : Mélanie Beaulieu)

chapeau à larges bords, il a enlevé sa longue cape, il a allumé le gros poêle à deux ponts, il a préparé ces trois verres de gin puis, tirant la berceuse vers la table, il s'est assis dedans. N'était de ses yeux de braise et de sa patte de bouc, je croirais que ce n'est pas Bélial qui est là avec nous, mais cet oncle Phil qui, pendant des années, a été le seul interlocuteur d'Abel. C'était un musicien et un conteur. Sur la route qui nous a emmenés de Rivière-

Madeleine aux Trois-Pistoles, Abel nous a beaucoup parlé de son oncle Phil. Tant de nuits qu'ils ont passées ensemble, à parlementer, même de Jacques Ferron. Les deux sont morts la même année, l'oncle Phil le 15 mars 1985 et Jacques Ferron un peu plus d'un mois après, soit le 22 avril. Mais Abel ne veut pas y penser maintenant. Il a ouvert le portuna au cuir tout vermoulu et en a retiré *La nuit* qu'il met sur la table. Après tout, si nous nous retrouvons, Abel, Bélial et moi, dans cette vaste maison des Trois-Pistoles alors que les ténèbres nous environnent de toutes parts, c'est d'abord et avant tout pour relire l'un des plus beaux textes que Jacques Ferron a écrits. Feuilletant *La nuit*, Abel dit :

Abel

Mais toute lecture est un acte privé. Si je mets parfois *La nuit* au-dessus de tout, peut-être cela ne concerne-t-il que moi : n'importe quel autre lecteur ne peut sans doute pas y trouver son fond de penouil comme l'a si bien écrit Jorge Luis Borges. Il n'y a pas de raisons qui expliquent le phénomène, sinon cette disponibilité sans laquelle aucun livre n'existe vraiment. J'ai déjà dit qu'en 1965, après avoir été victime de la poliomyélite, c'était là tout ce que j'étais : disponible. Et ce soir, je me retrouve tel que j'étais alors, prêt à recommencer la traversée de *La nuit* parce que j'aime comme un oncle, sinon comme un frère, ce François Ménard qui, tout en étant banquier le jour, ne retrouve pourtant ce qu'il est profondément que la nuit. Et la nuit, c'est ce que de sa solitude on assume, et pour ainsi dire sans compromis. Même quand on dort dans le même lit que cette femme qu'il y a vingt ans on a épousée, les règles qui régissent la nuit sont immuables. Tant que le jour existe, on peut se tromper sur tout, sur le métier qu'on fait, sur les vêtements qu'on porte, sur la nourriture qu'on mange, sur les meubles qu'on achète : le jour n'est jamais rien de plus que ce par quoi la société vous encadre et qui est aliénation. Le jour, on ne décide pas ; ça se décide pour soi. C'est la constatation que François Ménard fait quand il dit :

Bélial

« Je me sentais pris au-dedans de moi-même, n'ayant pour esprit qu'une lampe fumeuse qui ne me semblait guère favoriser l'introspection ni la vie intérieure. J'ai même douté de celle-ci et c'était pis encore que de me prendre pour un imbécile car j'entendais dire que les gens remarquables et dignes d'envie s'y complaisaient, retirés en eux-mêmes. Ma condition me paraissait absurde. Je n'en parlais à personne, encore moins à ma femme. Nous habitions une banlieue populaire. À cause du voisinage, j'appréhendais la gêne qui de la sorte me commanda longtemps, m'obligeant à taire ma différence, à me montrer comme tout le monde, bon chrétien, bon citoyen, bon époux. Je ne me résignais pas cependant à la laisser donner tout son sens à ma vie. Je ne me soumettais que pour mieux la prendre en patience ; j'attendais mon heure sans trop savoir ce que celle-ci serait, peut-être l'occasion de cesser d'être un autre parmi les autres et de courir me rejoindre, à tout le moins de me chercher, nullement sûr de pouvoir me trouver. Le jour, je vaquais aux occupations de mon emploi, commis dans une banque, d'autant plus retenu que je n'y étais pas indispensable. La routine me réglait tel un astéroïde, et la nuit venue, la nuit dont j'ignorais l'édifice et les proportions, je ne me faisais pas astronome ; je dormais tout simplement. J'avais oublié Frank et ma jeunesse derrière lui. Me cherchait-il ? La ville est grande et je n'y étais pas grand-chose. »

Abel

Le jour, on n'est rien dans la grande ville et pour toutes ces raisons dont *Papa Boss* parle si bien : le jour, c'est le capital qui est maître de tout, aussi bien des rues que des maisons, aussi bien de la lumière que des couleurs. Banquier, François Ménard s'y laisse aspirer : comme individu dont on peut faire l'économie, a-t-il d'autre choix que celui de se faire varloper par un système qui ne le tolère que pour cette plus-value que son travail représente ? Mais dès que la nuit vient, les données changent et les dés pipés du jour se retournent sur eux-mêmes, modifiant l'ordre des chiffres. Et les chiffres, il faut bien les interroger un moment donné si on ne veut pas se noyer définitivement dans l'absurde. C'est ce que fait François Ménard dès que les ténèbres l'entourent et que, au lit, il se retrouve avec sa femme Marguerite. François Ménard dit d'elle :

Samm

« Je m'accrochais à elle, son corps était à l'agonie, mais de toute son âme, avec courage et fierté, j'avais l'impression qu'elle se sacrifiait pour mon salut et je ne savais plus si j'étais son mari ou un centurion romain. Marguerite était la meilleure des compagnes mais il ne fallait pas lui parler de grand-chose : tout avait été dit depuis le commencement des temps. Elle n'admettait le monde que dans le

En 1972. (Archives nationales du Québec à Montréal, photo : Michel Elliott)

silence et la contrainte. Je ne pensais donc que pour moi, seul, en secret, un peu comme si je lui avais faussé compagnie. Elle favorisait mon évasion. Souffrait-elle de sa stérilité ? Il n'en fut jamais question entre nous. Son sentiment était sans doute partagé. Si elle n'avait pas d'enfant, elle devait penser que sa mère en avait eu trop. »

Abel
Dans ce contexte, que reste-t-il à François Ménard, sinon la possibilité de rêver un peu? Mais il devra le faire sans sa femme Marguerite puisque, quand il lui en parle, elle lui répond :

Samm
« Si je commençais à rêver, moi, je n'arrêterais plus, non, plus jamais, je le sais, et tu te retrouverais avec une pauvre folle, dans ta maison sens dessus dessous. »

Abel
Velléitaire, François Ménard resterait sans doute sur son quant-à-soi si, au milieu de la nuit, la sonnerie du téléphone ne se faisait entendre. C'est un fantôme qui est à l'autre bout du fil : ce Frank-Archibald Campbell dont François Ménard a déjà été l'ami du temps de sa jeunesse, à cette époque où les deux militaient dans les rangs du PSD, l'ancêtre pancanadien du Nouveau Parti démocratique. Cet appel téléphonique inattendu redonne sa mémoire à François Ménard qui remonte le cours du temps et se rappelle qu'avant de devenir un minable banquier de banlieue, il a désiré posséder le château, c'est-à-dire Montréal. Mais lui francophone n'y avait pas accès, le château appartenant d'office aux anglophones, si bien pourvus en capital qu'ils pouvaient se prétendre internationalistes, aussi bien dire socialistes. En ce temps, être socialiste, cela voulait dire lutter entre autres contre le traité de l'Atlantique Nord, un pacte concocté par les capitalistes occidentaux pour mettre échec et mat la sainte

Russie et son communisme entreprenant. Rue Saint-Laurent, François Ménard a participé à cette manifestation contre le traité de l'Atlantique Nord. C'est là, après avoir reçu un coup de matraque, qu'il a fait la connaissance de Frank-Archibald Campbell, professeur de sociologie à l'université McGill.

Samm
Mais ce Frank-Archibald Campbell, professeur de sociologie à l'université McGill, est-ce que ce n'est pas le même personnage que ce Frank-Anacharsis Scott qu'on retrouve notamment dans *Le ciel de Québec*?

Frank Scott. (Photo : Chris Payne)

Abel
Il s'agit effectivement du même personnage.

Samm
Pourquoi alors Jacques Ferron lui a-t-il donné ces deux noms différents?

Abel
Parce que l'écriture, quand elle se découvre, ne peut pas tout dire : elle est comme un serpent qui ondule. Et il en faut bien des ondulations avant que la vérité puisse se crier, toute nue. En 1965, Jacques Ferron n'en était pas encore là. C'est pourquoi Frank-Anacharsis Scott s'appelle Frank-Archibald Campbell dans *La nuit*.

Bélial
Mais pour moi, peu importe la nommaison : Frank-

Archibald Campbell ou bien Frank-Anacharsis Scott, c'est du pareil au même en ce qui me concerne. Parce que, quand Jacques Ferron a laissé Gaspé-Nord et Satan-Mattempa, cela n'a été que pour se retrouver à Montréal où, délesté du diable traditionnel, il a dû faire face à un autre diable bien plus dangereux parce que actuel, celui-là : le diable anglais. Et ce diable anglais, qu'il s'appelle dans *La nuit* Frank-Archibald Campbell ou qu'il s'appelle dans *Le ciel de Québec* Frank-Anacharsis Scott, c'est du pareil au même en ce qui me concerne, comme je viens de le dire, Moi Bélial.

Abel

Mais comment les lecteurs de Jacques Ferron pourraient-ils le savoir ? Moi-même, cela m'a pris des années pour remonter cette filière qui va de Frank-Archibald Campbell à Frank-Anacharsis Scott. Quand nous étions à Louiseville, comté de Maskinongé, nous avons vu ce que pour Jacques Ferron représentaient les Magouas. Mais les tarlanes, nous les avons laissés de côté. Rien n'arrive que dans la mûreté du temps. C'est là, enfoncés jusqu'aux oreilles dans *La nuit*, que nous nous retrouvons maintenant. Comme nous savons tous que Frank-Archibald Campbell n'est que le nom primitif que Jacques Ferron a donné à Frank-Anacharsis Scott, voyons voir de quoi il s'agit. Originaires d'Écosse, les Scott se sont retrouvés dans le comté de Maskinongé, à cette époque où Louiseville s'appelait encore la Rivière-du-Loup-en-Haut. Les Scott étaient des pasteurs anglicans. L'anglicanisme, comme on sait, est la religion officielle de l'Angleterre. Mais pourquoi les Scott se sont-ils retrouvés là plutôt qu'ailleurs ?

Bélial

Pour une raison toute simple : même dans le comté de Maskinongé, c'étaient les Anglais qui, à cette époque, contrôlaient les choses, aussi bien l'industrie du bois, les trains, les lieux de villégiature que le reste. Il y avait donc là une petite colonie d'anglophones, tous anglicans, qui avaient besoin d'un pasteur. Ce pasteur, ce fut le père de Frank-Anacharsis, prénommé Dugald, grand lecteur de Robert Burns dont il imitait la poésie quand il écrivait lui-même. Mais Dugald Scott trouvait que Rivière-du-Loup-en-Haut était un nom trop long et trop français pour ses oreilles anglicanes. Aussi s'est-il arrangé pour que Rivière-du-Loup-en-Haut soit baptisée Louiseville, en l'honneur de la princesse Louise, fille de la grande reine Victoria. Cela a coïncidé avec la fin de l'Empire britannique et la fin des Anglais dans le comté de Maskinongé : comme il n'y avait plus ni bois ni rien d'autre à plumer, ils ont émigré ailleurs, abandonnant leurs mitaines et leurs cimetières aux tarlanes. Les tarlanes, ce sont de grandes créatures à tête de cheval qui, la nuit, surgissent dans les cimetières anglicans une fois que les catholiques en ont profané les tombes.

Samm
Ce sont donc ces mêmes Scott qui, partis de Louiseville, ont trouvé refuge à Québec, et plus anglicans que jamais?

Abel
Ce sont les mêmes. Jacques Ferron leur a fait une grande place dans *Le ciel de Québec*, en insistant particulièrement sur le fait que Dugald Scott, trop fier de son appartenance anglaise, ne sera jamais capable de s'enquébécoiser. Être anglais, c'est se tenir au centre du monde et refuser même l'idée de ne plus s'y retrouver, ne serait-ce que pour frayer avec les autres, tous des êtres inférieurs selon le point de vue anglais. D'où cette condescendance du Bishop Scott. Après tout, il ne mesure pas six pieds pour rien et ce n'est pas pour rien non plus si sa femme lui a fait six fils qui ont tous sa taille, y compris le fameux Frank-Anacharsis, le cadet qui se fera missionnaire chez les Esquimaux avant de se convertir au socialisme et de prêcher la bonne

nouvelle du haut de sa chaire de sociologie à l'université McGill. Un temps, François Ménard, qui est la doublure de Jacques Ferron, sera son ami. On n'en est encore qu'à l'aube des années soixante et même si l'autonomisme pépère de Maurice Duplessis semble avoir fait son temps, même par-devers le Canada, ce n'est pas encore demain la veille. Les Anglais fondent le PSD, qui bientôt va devenir le Nouveau Parti démocratique, et essaient d'y attirer les Québécois. Ceux-ci se laissent tenter, croyant que le Canada anglais répondra enfin à quelques-unes de leurs exigences. Mais la lune de miel ne dure pas, les anglophones ne pouvant admettre que le pays est formé de deux sociétés distinctes et qui ne sauraient être complémentaires l'une par rapport à l'autre, ne serait-ce que parce qu'elles ne parlent pas la même langue. L'échec du PSD, tout autant que celui du Nouveau Parti démocratique, vient de ce refus global. Et Frank-Anacharsis Scott, tout sympathique qu'il fût à la cause québécoise, n'en a pas moins fait son nid ailleurs, avec tous ces anglophones qui ont clôturé Ville Mont-Royal, y bâtissant, arrogants, une véritable petite Rhodésie en pays québécois. Et tous les François Ménard de cette terre se sont retrouvés Gros-Jean comme devant, au plus profond de la nuit. En 1963, les premières bombes felquistes enflamment le ciel de Québec : le grand règlement de comptes entre anglophones et francophones commence vraiment. Et bien que simple banquier dans une institution qui ne lui appartient pas parce que étrangère, François Ménard va suivre, même malgré lui, le mouvement de cette loi générale qui veut qu'un peuple, une fois que son cheminement est commencé, doit tôt ou tard atteindre à ses grosseurs. Trop vieux et sans doute trop velléitaire pour fabriquer des bombes, François Ménard va privilégier le poison au moyen d'un pot de confitures de coings frelatées dont il va faire cadeau à Frank-Anacharsis Scott. Puis François Ménard va quitter cette boîte de nuit où il a rencontré l'ennemi et rentrer chez lui, content du geste qu'il vient de poser. Jacques Ferron a écrit :

Bélial

« J'avais retrouvé mon âme perdue, après une longue maladie, mon âme rêveuse et un peu folle, ma sœur nocturne qui transforme en cloisons successives les apparences trop claires. Je vivrai désormais à l'abri du monde, au centre de moi-même et au centre de tout, derrière l'oculaire de l'instant qui a trouvé son point définitif, plus présent à moi-même et plus présent à tout que si je me fuyais sous la lumière du jour, dans les décombres de la nuit et les quartiers de la ville, par la monotonie des rues, quitte à me perdre dans quelque labyrinthe de banalité et d'ennui. »

La nuit. (Photo : Jan-Marc Lavergne)

Abel

Quand, en 1971, Jacques Ferron a publié une nouvelle version de *La nuit*, il en a changé le titre, et c'est devenu *Les confitures de coings. La nuit* était un titre trop ambitieux, a-t-il écrit. C'est que, la nuit, on ne se retrouve jamais que dans l'individu qui vous fonde, et qui est exclusif. Pour avoir cédé à la tentation d'habiter les ténèbres en compagnie de l'ennemi anglais, et cela même si ce n'est que pour parlementer avec avant de l'empoisonner, François Ménard a commis une erreur : la nuit ne s'assume que par-devers soi, dans l'intransigeance où elle vous laisse. Et croire que, par un simple petit pot de confitures de coings, on va empoisonner définitivement l'autre, quelle naïveté au fond ! Même en 1965, Jacques Ferron devait bien le savoir en écrivant *La nuit*, lui qui, quelques années auparavant, avait fait venir *Les grands soleils* dont un des personnages principaux est le roi Mithridate.

Samm
Moi qui suis montagnaise, je ne vois pas le rapport entre François Ménard, Frank-Anacharsis Scott et Mithridate.

Bélial
Et moi non plus, dois-je admettre.

Abel
Pourtant, les choses sont claires. Mais encore faut-il savoir qui était Mithridate.

Bélial
Cela, je le sais : Mithridate VI, prénommé Eupator, a été le dernier souverain du royaume du Pont.

Samm
Le royaume du Pont?

Bélial
Il s'agit d'un royaume qui a existé une centaine d'années avant l'ère chrétienne, dans l'Asie mineure, en bordure du Pont-Euxin qui, autrefois, était le nom qu'on donnait à la mer Noire. Toute sa vie, Mithridate a lutté contre les Romains, faisant guerre après guerre pour rester maître du royaume du Pont. Contre lui, les Romains ont tout essayé, y compris le poison. Mais ce n'est pas de ça qu'est mort Mithridate parce que, selon la légende, il s'était habitué

aux poisons qu'on lui servait. Encore aujourd'hui, quand on dit qu'on *mithridatise* quelqu'un, cela signifie qu'on ne fait rien d'autre que de l'accoutumer au poison.

Abel

Et c'est selon moi ce que Jacques Ferron n'a pas vu quand il a écrit *La nuit*, pas plus d'ailleurs qu'il ne l'a vu dans cette version nouvelle qu'il a appelée *Les confitures de coings*. Peut-être la traversée de la nuit l'avait-elle trop épuisé pour qu'il se rende compte qu'un mythe ne se vire pas à l'envers. Après tout, être québécois ce n'est pas être romain. Être québécois, c'est plutôt être le roi du royaume du Pont, donc être susceptible non d'empoisonner les autres mais de l'être soi-même. À cause de cette inversion du mythe, Frank-Anacharsis Scott, tout anglais et bourré de confitures de coings, ne mourra pas. Non seulement il ne mourra pas, mais il va faire des petits, dans cette Rhodésie nouvelle d'où viennent encore les membres aveugles de l'*Equality Party*. Mais cela, ce n'est pas tout encore. Car il y a une grande différence entre la fin de *La nuit* telle qu'elle a été écrite en 1965 et la fin des *Confitures de coings* telle qu'on peut la lire dans la version de 1971, Jacques Ferron l'ayant amputée de ses derniers mots, peut-être parce que la crise d'Octobre l'avait traumatisé et que, comme bien des Québécois, il s'en remettait à René Lévesque pour que le pays, bien qu'empoisonné de tous bords et de tous côtés, nous advienne enfin, bancal comme peut l'être n'importe quel pays quand on n'a pas le courage de son radicalisme. Dans la version de 1971, quand le jour fait fuir la nuit, François Ménard prend l'autobus comme il le fait tous les matins depuis des années pour se rendre à son travail. Mais il y a quelque chose qui, fondamentalement, a changé dans le pays car, au bout de la rue, le poteau indicateur porte correction : d'anglais qu'il était avant, le voilà enfin redevenu français grâce à l'intervention des felquistes. « À grande nuit, beau jour », a écrit Jacques

Ferron. Mais dans la version de 1971, il ne reste plus rien de cela : François Ménard voit l'autobus arriver, et il y monte. La phrase ultime est celle-ci : « Le chauffeur salua le notable et je m'en fus à la banque comme d'habitude. » Je crois que je ne pardonnerai jamais à Jacques Ferron d'avoir tronqué par après le sens de *La nuit*, de l'avoir banalisé au point que, politiquement, ce pourtant si beau conte ne veuille à peu près plus rien dire. Il me semble que la mauvaise utilisation du mythe de Mithridate que Jacques Ferron a faite dans *Les confitures de coings* représentait déjà une couleuvre si grosse à avaler qu'il aurait dû en rester là et ne pas défigurer la fin de *La nuit* comme il s'y est employé. J'en veux à ses éditeurs d'alors qui, parce qu'ils ne savaient pas lire, ont permis à Jacques Ferron de se méprendre sur l'œuvre géniale qu'il avait écrite. J'en veux à ses éditeurs d'alors de lui avoir permis de débaptiser *La nuit* et de lui avoir permis d'en filouter la fin. Car, comme je le pense souvent, tout se tient et se détient dans une société : si, en 1971, Jacques Ferron a trafiqué *La nuit*, au point même de renier ce qui, par la violence nécessaire du FLQ, s'est vécu dedans, ce n'est pas par hasard. Tout notable qu'il était, peut-être Jacques Ferron était-il à l'image de la majorité des Québécois de ce temps-là, si confus et si apeurés par le sang que dix ans plus tard ils ne pourront pas faire autrement que dire non à la beauté du jour pouvant arriver enfin. N'oublions pas non plus que l'un des grands souvenirs d'enfance de Jacques Ferron est la mort du docteur Agapit Livernoche de Louiseville. Ce médecin avait tellement peur du sang que, pour ne pas le voir, il s'était déguisé en apothicaire, bien content de ne jamais sortir de l'arrière-boutique où il se tenait, le corps raide et les oreilles molles. Mais arrive ce jour où il lui faut bien laisser ses potions magiques parce que, devant chez lui, une voiture vient de heurter un pauvre type qui, sans rien regarder, a voulu transgresser la rue. Dès qu'il voit le sang qui coule de la tête du pauvre type, le docteur Agapit Livernoche prend eau de toutes parts et s'écrase lourdement dans la rue pour y mourir. Personnellement, je trouve que ce souvenir d'enfance-là de Jacques Ferron est d'une grande importance car, à lui seul, il explique, ce me semble, ce qui de la nuit québécoise a été échârogné. Et pourtant, comme tout est bien dit dans le conte originel ! Personne avant Jacques Ferron n'avait parlé aussi bien de tout ce qui peut se vivre dans les ténèbres. Quelques lignes, encore quelques lignes toutes simples pour l'exprimer ! J'ai encore besoin de ces quelques lignes toutes simples pour qu'au moins le goût que j'ai toujours du matin ne se défasse pas à jamais !

Samm
« Je ne savais pas vivre alors, je n'avais pas de curiosité, j'étais vraiment en hibernation, tandis que maintenant, l'œil vif, l'oreille fine, je capte tout, je réponds à tout, je ne laisse plus rien passer, même la nuit. »

Bélial
« La nuit, moins vaine qu'on ne l'aurait cru, jouait un rôle hygiénique et social : elle préparait pour le lendemain une population récurée, prête au travail, les poumons gonflés de l'oxygène de la résignation, une population sans mémoire, sans avenir, contente de l'humble recommencement des journées. »

Samm
« La nuit est comme un sanctuaire, elle porte à l'intimité. »

Bélial
« L'engoulevent est une sorte de grande hirondelle nocturne, jamais lasse de tenir l'air, qui, toute la nuit d'été, d'un crépuscule à l'autre, survole le château des villes. »

Samm
« Mais la nuit que je tente d'évoquer n'est peut-être que le noir parapluie… le noir parapluie anglais. »

Abel
Assez ! Assez ! Parce que le plus important de ce que Jacques Ferron a écrit, c'est : « Je voulais bien jouer la nuit mais sans rien engager du jour, tâter du château mais ne pas risquer ma maison. » Cela seul est vrai pour moi : le reste, comme on dit, n'est que littérature, c'est-à-dire de la nuit, encore de la nuit, toujours cette interminable nuit québécoise !

8

Avant-dire

Le château finit au bord de l'eau, sur les quais d'où partent parfois les bateaux illuminés qui descendent le fleuve et vont, par-delà l'océan, dans les pays anciens où tout est naturel, qui servent peut-être de modèles à nos aspirations et que nous avons oubliés, engloutis au fond de la mer, impossibles à rescaper car les beaux bateaux qui partent, la nuit, et que je voyais de mon faubourg, par-delà le fleuve, ces bateaux-là ne sont pas à nous ni le château d'ailleurs.

Jacques Ferron,
La charrette

Rue Bellerive, en 1973. (Photo : Édouard Boubat)

Abel
Mais on ne sort pas de la nuit comme on veut, même pas quand on en éprouve le besoin profond. Bien que toute maculée d'encre, la nuit reste souveraine et pour ainsi dire jalouse d'elle-même tout autant que des êtres qui y habitent. Elle continue donc à exiger son dû. En mettant le point final à *La nuit*, Jacques Ferron ne pouvait pas savoir que celle-ci allait le hanter encore bien longtemps et qu'elle le forcerait à écrire *La charrette*, le premier livre qu'il a publié sous le label de roman. Avant d'y entrer, l'établissement de quelques repères biographiques est toutefois nécessaire. Quand il a quitté Gaspé-Nord, Jacques Ferron s'est installé rue de Fleurimont, en plein cœur de Montréal, non loin de la rue Saint-Denis. C'était en 1948, dans cet après-guerre où le commerce marchait si bien que les gens n'avaient pas le temps d'être malades, sauf peut-être les médecins eux-mêmes. On sait par *La nuit* que c'est ce qui est arrivé à Jacques Ferron : devenu tuberculeux, il s'est retrouvé à Sainte-Agathe, au *Royal Edward Laurentian Hospital*, se guérissant de sa maladie non pas grâce aux traitements qu'on lui donnait, mais en devenant communiste, comme sa première femme. Et sortant du sanatorium, Jacques Ferron abandonne son cabinet de médecin de la rue de Fleurimont et se retrouve à Longueuil, chemin de Chambly. Il ne déménagera plus du reste de sa vie, en tout cas pour ce qui concerne son cabinet de médecin. C'est là que régulièrement j'irai m'entretenir avec lui, généralement le dimanche, après la grand-messe ainsi qu'il me disait

quand il me convoquait en audience. Et de me retrouver ainsi devant Jacques Ferron, cela m'impressionnait tellement qu'avant d'entrer dans son cabinet de médecin, je me promenais pendant au moins deux heures dans Longueuil, essayant d'imaginer la ville telle qu'elle pouvait être dans le début des années cinquante. Ce que j'en savais, je l'avais lu dans *Nègres blancs d'Amérique* de Pierre Vallières dont les parents, à la fin des années quarante, y avaient déménagé parce qu'à Montréal, ils n'arrivaient plus à se trouver de logement convenable. La découverte que Pierre Vallières fait de la Rive-Sud est l'un des grands moments de son ouvrage, si définitif que Jacques Ferron lui-même, quand il écrira *Le salut de l'Irlande*, ne pourra que s'en inspirer profondément. À cette époque, et parce qu'on venait d'une famille pauvre d'ouvriers, on ne pouvait se rendre sur la Rive-Sud de Montréal que dans un vieil autobus gris dans lequel on montait à l'entrée du pont Jacques-Cartier. Un dimanche, Pierre Vallières et son père s'y embarquent parce que, au-delà de Longueuil, dans ce qui va bientôt devenir ville Jacques-Cartier, il y a une maison à vendre. Pierre Vallières a écrit :

De la Rive-Sud, le pont Jacques-Cartier. (Photo : Jan-Marc Lavergne)

Bélial

« L'autobus se remplit peu à peu de voyageurs et s'engagea sur le pont. J'ouvris mes yeux bien grands pour contempler le fleuve, les bateaux, l'île Sainte-Hélène. Puis l'autobus atteignit l'autre rive. Mon père et moi n'étions jamais allés de ce côté du fleuve. Nous étions complètement dépaysés. L'autobus continua tout droit sur la rue Sainte-Hélène, puis vira à gauche sur le chemin Coteau-Rouge. Ce chemin était une vraie route de campagne. Étroit, zigzagant, cahoteux, il traversait d'immenses champs où apparaissaient, ici et là, quelques cabanes de bois ou de tôle. Pendant une assez longue distance, nous n'aperçûmes que des champs déserts. Puis nous vîmes une ferme, avec une basse-cour et quelques vaches au bord du chemin. Enfin, l'autobus s'engagea dans une espèce de village et un gros nuage de poussière se mit à vibrer dans l'air. Comme la plupart des fenêtres de l'autobus étaient ouvertes, cette poussière qui avait un goût de terre sèche, de pierre émiettée, de sécheresse, nous pénétra par le nez, les oreilles, les yeux et la bouche. Le conducteur, se retournant vers mon père, cria : ‹ On arrive ! › L'autobus vira à gauche et s'engagea sur la rue Briggs. Le nuage de poussière cachait les maisons et faisait disparaître la rue derrière nous à mesure que nous avancions. — Saint-Thomas ! Nous nous levâmes. L'autobus s'arrêta, le conducteur nous souhaita bonne chance, comme un ami vous serre la main et vous encourage, alors qu'il trouve insensée l'aventure que vous vous apprêtez à vivre. Nous descendîmes de l'autobus, maladroitement ; nous étions nerveux, comme des voyageurs qui pénètrent dans un pays incertain. Était-ce possible que la liberté se trouvât dans ce petit village aux rues de terre, aux petites maisons délabrées et dispersées, se trouvât dans ce coin perdu, rempli de poussière et d'enfants sales ? »

Abel

Telle était la réalité dans ce Longueuil-Annexe ainsi qu'on l'appelait alors : une dizaine de maisons qui ne payaient pas de mine avec, en bordure, plein de fossés remplis d'eau noire et stagnante. Au-delà, la forêt. Et dans ce

Au temps des bidonvilles. (Photo : Michel Saint-Jean)

bidonville, pas de maire, pas d'hôtel de ville ni de taxes à payer. Les Vallières vont donc acheter cette cambuse de la rue Saint-Thomas et s'y installer. En quelques années, le paysage va changer du tout au tout, à cause de la spéculation et de l'exode vers les banlieues de tous ces ouvriers qui, ne trouvant plus à se loger à Montréal car là aussi la spéculation va bon train, n'ont plus d'autres choix que de devenir des immigrants de l'intérieur, aussi bien dire ces nègres blancs d'Amérique qui, pour au moins deux générations, ne pourront que vivre la misère sociale dans tout ce qui, d'elle, ne pourra être conforté. Aussi le petit Pierre Vallières tombera-t-il malade et devra-t-il se faire soigner par Jacques Ferron qui lui, pour habiter aussi Longueuil, sait déjà que la maladie sociale ne se soigne pas, que tout ce qu'on peut faire par-devers elle, c'est de l'écouter afin qu'elle ne devienne pas complètement cette chair à découper que la bourgeoisie des gens d'affaires voit en elle. Et écouter, c'est ce que Jacques Ferron a fait, pendant vingt ans, comme médecin d'abord. Dans l'exercice, il n'y a pas appris grand-chose, sinon que la maladie vient de bien plus loin que du corps parce que c'est la société qui la détermine. Qu'on vive dans les faubourgs de Montréal ou dans ceux de Longueuil-Annexe n'y change rien. C'est la première leçon que Jacques Ferron tire de son métier. Mais ce métier, comment le pratique-t-il ? En étant disponible tout simplement, aussi bien de jour que de nuit parce qu'il s'est pris d'amitié pour toutes ces petites gens que la vie a filoutées et dont, parfois malgré lui, il admire l'archarnement. Aussi est-il porté à en faire plus que n'importe qui d'autre, tôt levé pour se rendre à son bureau du chemin de Chambly où, tout en attendant la

Scène d'un faubourg montréalais.
(Photo : Michel Régnier)

clientèle, il écrit. Il ne rentre chez lui que pour le souper. Après quoi, il s'enferme dans sa bibliothèque et y passe la soirée à lire ou bien à écrire encore. Et puis, la nuit, quand le téléphone sonne, il répond lui-même. Ainsi se retrouve-t-il souvent sur le chemin Coteau-Rouge, dans la rue Briggs, sur le chemin Neuf ou de Gentilly, soit pour y faire des accouchements, soit pour aider un agonisant à trépasser dignement. Mais ce rythme de travail et de vie est celui d'un surhomme, ce qui explique que, peu de temps après la parution de *La nuit*, le cœur de Jacques Ferron a cédé et que, après cet obligatoire séjour à l'hôpital, il s'est retrouvé en convalescence à la *Villa Medica* non loin du carré Saint-Louis. Au carré Saint-Louis, on est en plein centre de Montréal, on est au beau mitan de ce château qui, avec les ténèbres, s'illumine dans les cris des engoulevents. Dès *La nuit*, le château a fasciné Jacques Ferron. Et parce que son cœur a failli le lâcher, n'était-il pas normal qu'il y revienne et qu'avec *La charrette* il entreprenne cette autre traversée du miroir ? Mais, contrairement à *La nuit*, c'est Jacques Ferron lui-même, en tant que médecin, qui est l'acteur principal de ce roman dans lequel on retrouve encore Marguerite, sa femme ; et Barbara, la prostituée noire ; et Frank-Archibald Campbell qui, de professeur de sociologie à l'université McGill qu'il était, devient le huissier bonimenteur de la nuit. À ces personnages qu'on connaît déjà s'ajoutent ceux avec qui Jacques Ferron s'est lié pour des raisons professionnelles ou d'amitié. Il y a :

Samm

Il y a d'abord Émile Labbay, ce vieil habitant du chemin Neuf que le docteur Dufeutreuille, le prédécesseur de Jacques Ferron à Longueuil, a guéri de sa maladie en l'envoyant tout simplement au bordel après la mort de sa femme. Originaire de France, Émile Labbay voudra y retourner vers la fin de ses jours. C'est que la maladie a repris le dessus sur lui et qu'il a maintenant des araignées à la place des yeux. Émile Labbay se rendra célèbre dans tout le chemin Neuf parce que, tout nu sur un large madrier incliné, il se couchait la tête en bas devant sa maison, question de rendre immortelles les cellules de son cerveau.

Bélial

Il y a Morsiani, un Italien qui, après avoir fait la guerre en Éthiopie, en Espagne, en Albanie et en Lorraine, a émigré au Québec, s'est bâti maison dans le chemin Neuf, avec une grande cave pour y faire son vin, et quelques poules qu'il y enferme soi-disant parce que le raisin fermente mieux quand il y a des animaux pour tenir compagnie aux tonneaux. Morsiani, tout comme Émile Labbay, a le chaudron fêlé : il est obsédé par ces hyènes que, la nuit, il entendait ricaner en Éthiopie. Il s'imagine qu'elles l'ont suivi dans le chemin Neuf pour mettre à mort ses poules avant de s'attaquer à lui-même. Le docteur Jacques Ferron a beau lui dire que le chemin Neuf ne mène qu'à Saint-Amable, un village de rien du tout jadis spécialisé dans la fabrication du balai de fardoche et des petites échelles construites en bois blanc, Morsiani ne démord pas de son point de vue et seule la morphine qu'on lui injecte chasse les hyènes et leurs ricanements.

Samm

Il y a encore Thomas Dubois, un vieux garçon possesseur d'un verger recouvert de vignes sauvages, d'une maison, d'une remise et d'une étable, et de six arpents de terre qu'il n'a pas vendus aux spéculateurs pour avoir de quoi nourrir sa vache Véronne, la seule passion de sa vie. Thomas Dubois vit avec sa sœur qui est bien évidemment folle. Dès qu'il sort de la maison, le frère verrouille la porte de l'extérieur. Et la recluse, comme a écrit Jacques Ferron, s'affaire dans le salon auprès de silencieux visiteurs. Quand il fait soleil, elle se tient dans les rayons de la lumière, les mains jointes, et les écoute avec extase lui parler du ciel. Le bruit de la clef dans la serrure la ramène à la réalité. Elle prie ses visiteurs de l'excuser, passe dans la cuisine et prépare le souper ; la vaisselle faite, elle va dans sa chambre. Son frère s'installe dans l'enfoncement de la fenêtre qui donne sur la cour et l'étable ; recroquevillé, la carabine sur ses genoux, il croit veiller sur sa Véronne et somnole pendant que l'épouvantable tueur de bétail rampe en dessous des feux follets qui dansent dans les peupliers.

Bélial

Il y a aussi Gratien Marsan qui a d'abord été séminariste avant de se convertir à Marx et à Lénine. En sa qualité de véritable indigène, il n'a pas mis de temps à devenir secrétaire du Parti communiste. Quand la Gendarmerie royale s'en est mêlée, infiltrant le Parti communiste pour mieux le démanteler, Gratien Marsan s'est réfugié dans le chemin Neuf, s'est fait construire un bungalow tape-à-l'œil où sa femme Marcelle, par ennuyance, deviendra la maîtresse du docteur narrateur, ce qui n'a rien changé dans l'amitié le liant à Gratien Marsan. Comme c'est dit dans *La charrette* :

Samm

« Gratien Marsan fut pour moi un ami d'autant plus cher que la foi tient beaucoup à la vitalité et qu'en la perdant, il était devenu impuissant. Comme sa femme n'avait rien d'une idéaliste, il fallut bien que je la prisse pour maîtresse. Je n'ai jamais considéré cette liaison comme une infidélité envers mon ami non plus qu'envers Marguerite. Marcelle couchait peut-être avec enthousiasme, mais c'était par tempérament ; j'y répondais par le mien et pas autrement ; au-dessus des draps, il y avait le devoir. Sans moi, Marcelle ne serait pas restée en peine, elle aurait arrêté les gars de Saint-Amable, tous qualifiés mais glorieux, qui n'auraient pas été aussi discrets. Un devoir n'en diminue pas un autre, au contraire il le développe : tout se tient dans la vertu. La preuve que j'ai été son amant à bon escient, sans faute ni reproche, c'est que Marcelle m'a souvent trompé. »

Bélial

Mais le personnage le plus important de *La charrette* est celui de Rouillé. Au bout du chemin Neuf, il est le propriétaire d'une dompe, un véritable cimetière plein de monceaux d'immondices, d'anciennes machines agricoles, de piles de planches et de madriers pourris, de carcasses d'autos qui s'étendent sur toute une terre, à perte de vue. Tous les matins, Rouillé attelle son vieux cheval à une charrette bringuebalante et c'est grimpé là-dessus que, traversant tout Longueuil, il s'en va vers le pont Jacques-Cartier, en quête de ferraille et de détritus à acheter. L'équipage est si impressionnant par son côté carnavalesque qu'il semble sortir tout droit du centre de la Terre.

Le dragon de la folie.

Abel

Voilà donc les personnages du chemin Neuf, et tels que les a connus Jacques Ferron. Mais comment vont-ils s'intégrer à la nuit qui se prépare et comment la majorité d'entre eux vont-ils se retrouver dans la rue Saint-Denis dès que les ténèbres vont prendre possession de la ville ? Sans événement pour déclencher la grande fête baroque à laquelle on va assister, ce serait impossible car, comme l'a écrit lui-même Jacques Ferron :

Bélial

« Au lieu de se laisser enfermer dans son cabinet après souper, comme tous les jours, captif d'un malade puis d'un autre et d'un autre, chacun lui apportant sa petite misère, qui un épuisement, qui une démangeaison, qui la douleur, l'énervement, une vague angoisse, qui même le noble et pudique malheur, peut-être s'était-il échappé par bris de son contrat professionnel pour aller se promener dans la rue Saint-Denis comme ça lui arrivait l'avant-midi, deux ou trois fois par mois, mais l'avant-midi seulement, jamais l'après-midi ni le soir. Alors il marchait pour le plaisir de marcher, de voir le ciel, d'apprécier son air, son vent ou son soleil, de dévisager les passants, de leur tirer l'horoscope, comme ça à l'œil, pour faire des suppositions absolument inutiles, dont il n'aurait pas à rendre compte ; il allait comme un grand chien de chasse qui, sa chaîne rompue, se serait trouvé dans une rue giboyeuse. Quand il s'était délassé, avant de tirer la langue et de haleter, il entrait dans une librairie et se cherchait quelque livre qui lui donnât l'impression de la trouvaille, qui l'immobilisât comme braque, le choc au cœur d'où allait se propager le long et doux plaisir. »

Abel

Et peut-être parce qu'il a dérogé à ses habitudes sacrées, le docteur narrateur se retrouve-t-il rue Saint-Denis, et alors que la nuit va tomber. À deux pas de l'église Saint-Jacques, il trébuche sur le trottoir et s'écroule comme un paquet, de tout son poids. C'est la crise cardiaque et tout ce qui peut en survenir quand on y sombre. C'est de lui que Jacques Ferron parle quand il écrit :

Bélial
« Il reposait mal depuis déjà quelques années, appréhendant la descente dont on ne remonte pas. Il en avait perdu le sommeil naturel. Le moindre de ses cauchemars n'était pas de ressentir contre sa poitrine le choc d'une pelletée de terre : il se dressait, hagard, le souffle coupé, cherchant des fossoyeurs aux quatre coins du lit. »

Abel
C'est aussi de lui dont parle Jacques Ferron quand il écrit encore :

Samm
« Les engoulevents avaient des cris si aigus qu'il finit par penser qu'il avait été oublié sur le rempart du château. C'était la nuit sans doute, mais une telle nuit, si grande, si haute, si peu réelle, sans ténèbres, obtenue par des artifices d'illumination, qu'elle ne répondait pas à sa question. Exposé sur une muraille, au-dessus du vide, ce n'était pas un lieu pour être. Il restait avec son épais malaise dans la tête, se répétant une question futile qu'il se posait moins pour savoir où il était que pour oublier là où il n'était plus, où il aurait dû être, pour oublier la maison de sa banlieue obscure, sa chambre sans cris d'engoulevents, Marguerite abandonnée, qu'il avait aimée, s'efforçant de ne pas la blesser, et qu'il avait toujours blessée, Marguerite qui l'avait gardé dans des draps propres, pleine de sollicitude pour lui, alors que maintenant il gisait sur une litière nauséabonde comme un misérable et comme un infidèle. Il se répétait la question : ‹ Où suis-je ? Où suis-je donc ? › justement pour cacher son infidélité. »

Abel
Et lorsqu'on est ainsi entre la vie et la mort, au creux de la nuit, avec un cœur éclaté, que peut bien devenir la réalité,

sinon ce qu'on retrouve du somnambule qu'on a été dans son enfance ? Sans doute est-ce la médication à laquelle on a obligé Jacques Ferron qui a fait déborder tout le réel qu'il y avait en lui, le poussant à la fabulation pour que ça puisse remonter de la mort. Alors sont apparus les fantômes du chemin Neuf avec, à leur tête, ce vieux cheval tirant la charrette bringuebalante. Rue Saint-Denis, c'est là-dedans plutôt que dans une ambulance que va se retrouver le docteur narrateur, en compagnie de bouts de ferraille et de trognons de choux, tiré bien malgré lui vers une voyagerie délirante, et par cela même si tragique qu'elle se situe bien au-delà de n'importe quel conte. Malade et craignant de mourir, Jacques Ferron nous livre, dans *La charrette*, son testament parce que l'urgence le tenaille : il craint de ne pas se remettre de sa crise cardiaque et, à cause de cela, il se sent coupable, par-devers sa femme d'abord dont il considère avoir toujours été le victimaire : c'est un peu par pitié que le narrateur docteur a épousé Marguerite, à cause de la nombreuse famille d'où elle venait et qui l'assurait d'au moins une chose, qu'elle serait bonne ménagère. En dehors de la cuisine, Marguerite ne représente pas grand-chose, à part la compassion qu'elle-même éprouve pour ce mari bizarre qui lui parle de Paul Valéry et de tant d'autres choses auxquelles elle ne comprend rien parce que là n'est pas son royaume, pas plus que ne l'est d'ailleurs la chambre à coucher où, passive, elle se laisse *violer* dans toute la douceur de sa peau. Sait-elle que le docteur narrateur a eu pour amante la femme de Gratien Marsan ? Si c'est le cas, elle ne lui en parlera jamais, comme elle ne lui parlera jamais de Barbara, la négresse dont Jacques Ferron a dû faire la connaissance dans ce bordel de la rue Saint-Vallier de Québec à l'époque où il était étudiant à la faculté de médecine de l'Université Laval. D'un livre à l'autre, de *La nuit* au *Ciel de Québec*, cette Barbara, bien que prenant toutes sortes de visages, n'en garde pas moins le même corps, et s'il est noir ce n'est pas pour rien : voilà la couleur qui convient à la nautonière de la nuit, celle qui vous fait le don de votre corps dans les ténèbres pour vous faire oublier la banalité blanche de n'importe quel jour. En quelque sorte, Barbara est l'envers de Marguerite : elle est l'instant de la sensualité par rapport à ce qui se perpétue dans le couple quand celui-ci se fait vieux. Mais, dans le coma où il se trouve depuis sa crise cardiaque, le médecin narrateur, couchant avec Marguerite et couchant avec la négresse Barbara, ne voit plus la femme que, à elles deux, elles constituent enfin. Car ce n'est ni avec l'une ni avec l'autre qu'il fait l'amour vraiment, mais avec sa mère cadette, celle qu'il aimait dans son enfance, qu'il aime toujours et à qui il en veut de l'avoir abandonné si tôt, et sans que l'idée même de l'inceste n'y ait eu le temps de s'apprivoiser. Bien évidemment, je puis me tromper tant les fausses pistes sont nombreuses dans *La charrette*, et moi que suis-je donc ? Rien de plus qu'un lecteur perdu au centre d'un code chiffré et dont j'essaie de me tirer. Mais peut-être vaut-il mieux en revenir à cette charrette bringuebalante dans laquelle, au milieu de bouts de ferraille et de trognons de choux, est le corps de ce pauvre docteur narrateur. Où est-ce que la conduit le timonier Rouillé ?

Bélial

Il n'y a que ce cabaret *Les portes de l'enfer*, sis à côté de la morgue, qui peut en être la destination. C'est dans ce cabaret que Moi Bélial, je fais la loi. Aux *Portes de l'enfer*, je n'ai besoin ni de dés pipés ni de ma patte de bouc : je ne suis qu'un honorable homme d'affaires en compagnie de rastaquouères qui, l'espace d'une nuit, vont se jouer à eux-mêmes le grand jeu de la passion, mais sur le mode parodique car ainsi est l'épaisseur de la ténèbre québécoise au milieu des années soixante : d'un côté, les paumés du chemin Neuf et, de l'autre, une bande d'intellectuels discourant sur le pays, son âme et son impossibilité à cause du Dieu américain, ce Papa Boss diabolique qui, comme dans *La nuit*, arrose les Vietnamiens au napalm avec la bénédiction du cardinal Spellman qui marche à quatre pattes et a un groin de cochon. Et pendant que tout ce joyeux monde-là discourt, moi je leur achète leur âme, saoulant Ange-Aimé qui fait dans la robine, mettant entre les jambes de l'idéaliste Gratien Marsan la prostituée Linda, faisant courir jusqu'à la rue Stanley Frank-Archibald Campbell et le docteur narrateur pour que la négresse Barbara leur vole ce qu'il leur reste d'esprit. Dans *La charrette*, ce n'est pas moi qui suis roulé parce que, pour la première fois dans l'histoire québécoise, je n'ai plus à me colletailler avec un folklore vétuste comme dans *La chaise du maréchal-ferrant* : désormais ouverts à ce qui se passe dans le monde, les Québécois me redécouvrent dans tous mes maléfices. Je suis le *G.I.* qui a combattu en Corée, je suis ce marine qui a mis à feu et à sang le Viêt-nam, je suis ce Juif qui chasse les Palestiniens de leurs terres. J'ai même infiltré l'Église catholique et ça, depuis la deuxième Grande Guerre, en convainquant Pie XII d'appuyer Mussolini et de sympathiser avec le nazisme, mes plus belles réalisations en tant que diable moderne. Maintenant qu'on sait cela, inutile que je dise que *La charrette* m'a réconcilié avec Jacques Ferron : réhabilité, je ne pouvais plus qu'entrer à son service et conduire son grand corbillard. Je le lui devais bien, ne serait-ce que par reconnaissance.

Abel

Voici comment cela se passe dans *La charrette*. Parce que Montréal est devenue ce château qui accueille toute la nuit universelle, on s'y livre donc au grand sabbat, à une saccacoua d'enfer, comme disaient jadis les conteurs de chez nous. Dérisoirement, Montréal devient la Jérusalem céleste et l'on va y chanter une messe noire, avec Frank-Archibald monté sur un âne, le cardinal Spellman à groin de cochon la célébrant tout en fumant un cigare tandis que non loin de lui achève de se consumer un Viêt-cong,

Montréal, le château. (Photo : Jan-Marc Lavergne)

la victime propitiatoire que Barbara, promue G.I. Joe, a fait monter sur le bûcher. Cet exorcisme, qui serait tout à fait absurde n'était de la critique historique qui le sous-tend, va durer toute la nuit, le château qu'est Montréal en proie au delirium tremens. Mais dès que les ténèbres menacent de se dissiper, il faut bien que la charrette bringuebalante retraverse le pont Jacques-Cartier, la ville de Longueuil et se retrouve au bout du chemin Neuf. Les lumières artificielles du château s'éteignant, Montréal redevient l'envers du conte et de sa magie. Le problème, c'est que le vieux cheval de Rouillé est mort dans la nuit. À cause du jour qui va venir vite, impossible d'en trouver un autre pour le remplacer entre les menoires de la charrette bringuebalante. C'est donc Bélial qui va s'en charger, retrouvant le grand étalon noir dans lequel le conte québécois a toujours mis ses complaisances. Et Rouillé, dont Bélial est le maître, de faire claquer son fouet pour que la charrette s'ébranle. Le temps passe : il faut arriver à la dompe du chemin Neuf avant la commencée du jour car, au milieu du cimetière, appuyée au ciel noir, est dressée contre la barre du jour une méchante petite échelle de bois blanc devenu noir. Si on l'atteint avant les premiers rayons du soleil, la charrette de la nuit va pouvoir disparaître sous terre et se retrouver en enfer pour toute la journée. Comme on va voir, ce n'est pas ce qui arrive :

Samm
« Rouillé cria : ‹ Hue, Bélial ! Hue, vite à l'écurie !... › Il eut beau ne pas perdre un seul instant, il ne regagna point ceux qui avaient été perdus : parti en retard, l'équipage resta en retard. La barre du jour s'élargissait et ce fut bientôt l'aube. La charrette restait loin de son but. Lorsqu'elle passa sur le grand pont par lequel on sort de Montréal, la petite échelle, tout juste assez haute pour atteindre le ciel noir, au-dessus de la barre du jour, se trouva à perdre son point d'appui, à cause de l'aube ; elle se mit à canter lentement et tomba par terre sans aucun bruit, légère qu'elle était, sans même soulever une poussière. »

Abel
Et l'échelle tombée par terre, plus de salut pour la charrette :

Samm
« Une des grandes roues à rayons d'ombre se détacha de la charrette pendant que celle-ci versait pêle-mêle avec son chargement et s'immobilisait : elle continua seule sur son erre et rejoignit le soleil dans lequel elle ne cessa pas de tourner, l'animant même de son mouvement de sorte qu'il se mit à briller, étourdissant de lumière au travers des raies d'ombre qui viraient encore, qui viraient si vite qu'elles avaient disparu. À peine put-on apercevoir, les reins cassés, l'arrière-train tombé, dressé sur les pattes de devant, le grand cheval noir, presque vertical, qui hennissait de rage et d'impuissance. »

Abel
La suite, bien évidemment, ne peut pas plaire à Bélial. Dois-je quand même la raconter ?

Bélial

Je puis le faire moi-même parce que je n'en veux pas à Jacques Ferron de l'entourloupette grâce à laquelle il boucle son conte, à mes dépens comme toujours. Mais comme il m'a permis de régner toute la nuit sur le château, et que là est mon royaume, je puis bien admettre que le dernier mot appartient à celui qui, le jour, tisse la corde du vent. Cela admis, n'était-il pas normal que, chauffé par le soleil, je n'arrive pas à me défaire entièrement du grand étalon noir que, à la sortie des *Portes de l'enfer*, je me suis forcé à devenir pour sauver la fin du livre de Jacques Ferron? Il a donc bien fallu que ma tête de cheval, je la garde et qu'ainsi affublé d'elle, roi de tous les tarlanes, je m'enfonce dans la terre, au creux des enfers. Mais toutes les nuits, je vais en remonter quand même dans mon nouveau déguisement toujours assez impressionnant pour jeter la terreur sur Montréal redevenue château. Somme toute, c'est une fin que je préfère à celle de *La chaise du maréchal-ferrant*: j'aime mieux me retrouver avec une tête de cheval et continuer à faire peur au monde que de végéter en tant que jardinier avec une prothèse artificielle en lieu et place de ma patte de bouc.

Abel

Je partage aussi cet avis. Que Jacques Ferron l'ait compris en écrivant *La charrette*, ce n'est pas l'un de ses moindres mérites, et qui met fin à la nuit, aussi bien celle du château que celle des Trois-Pistoles où, dans cette vaste maison que j'habite, nous n'avons fait que lire depuis hier soir. Ne serait-il pas temps que nous dormions un peu maintenant avant de rentrer à Montréal?

Samm

Ni Bélial ni moi nous n'avons sommeil, pas plus que toi je pense. Pourquoi n'irions-nous pas voir le jour se lever sur ton pays? Tu m'as tellement parlé de Cap-au-Marteau que j'aimerais m'y retrouver avec toi et Bélial. Tu nous as dit que ça te faisait penser à Fallstat dans *Le septième sceau* de Bergman, par tout le théâtre de lumière, d'eau et d'air qui vous habite dès qu'on s'y retrouve. Est-ce que cette idée-là te plaît?

Abel

Elle me plaît et d'autant plus que c'est là maintenant où nous en sommes rendus dans notre pèlerinage, dans tout ce qui en Jacques Ferron était théâtral. Et la grève de Cap-au-Marteau est le lieu sacré du théâtre, cette inscription du décor dans les mots mêmes. Comme écrivait Réjean Ducharme dans *L'océantume*, puisque nous y sommes, soyons-y totalement!

Le cabinet de médecin de Jacques Ferron.

9

Avant-dire

Quoi de plus facile que d'entreprendre une pièce ! Rien de plus malaisé que de la rendre à terme.

Jacques Ferron,
Du fond de mon arrière-cuisine

Cap-au-Marteau. (Photo: Suzanne Villeneuve-Rioux)

Bélial

Une fois arrivés à la grève de Cap-au-Marteau, nous avons laissé, dans le banc de sable où elle s'était enlisée, la vieille Cadillac blanche dont les grands ailerons sont lumineux, et nous sommes descendus vers la mer, Abel et Samm courant devant moi, pareils à ces veaux qu'au printemps on met au pacage vert et qui en sont si excités qu'ils en oublient le reste du monde. Je les regarde s'esbaudir sur la grève, leurs mains et leurs pieds pareils à des bouches qui n'auraient que le goût de s'embrasser. Puis Abel laisse tomber dans le sable son portuna au cuir tout vermoulu et pousse vers l'eau cette vieille barque qui n'est qu'à moitié radoubée si j'en juge par l'étoupe qui lui sort partout du corps. La première, Samm saute dans la vieille barque, bientôt rejointe par Abel. Moi, je me suis arrêté devant le portuna au cuir tout vermoulu et que le sable ne mettrait pas long à recouvrir tant le vent souffle fort. Je me penche et saisis de la main gauche le portuna au cuir tout vermoulu. Quand mes yeux de braise regardent vers la mer à nouveau, la vieille barque valse déjà, lointaine, dans l'eau moutonneuse. Je suis content pour Abel et pour Samm. Après cette nuit passée dans la vaste maison des Trois-Pistoles, ils avaient besoin d'eau, d'air et de vent. Moi Bélial, je puis m'en passer, le lieu de mon théâtre se situant dans les profondeurs de la Terre, là où le feu est souverain. Je me contente donc de répondre à ces jeux de mains que me font, dressés au milieu de la vieille barque, Abel et Samm. Après, je vais traîner ma patte de bouc dans le sable, en quête de cette petite anse grâce à laquelle je vais m'abriller du vent. Entre deux rochers, il y a cette anfractuosité et c'est si bien découpé dans la pierre que ça ressemble étrangement à une chaise. Peut-être est-ce celle que je possédais jadis au temps de toutes mes splendeurs, quand le monde encore n'était que magie. Je m'y assois donc même si le bout de ma patte de bouc traîne dans l'eau. De plus en plus lointaine, la vieille barque se laisse aspirer par ce qui flaconne dans la mer, sous le signe joyeux des mouettes qui, pareilles à des totems mobiles, font ces coulées de lumière dans le ciel. Même si j'ai des yeux de braise, je ne puis que les baisser. C'est que le portuna au cuir tout vermoulu me brûle les genoux. Je sais bien que je ne devrais pas l'ouvrir. Mais la mer est si vaste que déjà Abel et Samm ne sont plus qu'un tout petit point dans l'espace. Avant que ça reprenne formance d'homme et de femme et que ça revienne s'échouer sur la grève de Cap-au-Marteau, je peux bien regarder ce qu'il y a dans le portuna au cuir tout vermoulu. Ainsi vais-je le virer à l'envers, pas étonné du tout de voir apparaître ces grandes feuilles de notaire toutes barbouillées par Abel. Les grandes feuilles de notaire étalées sur mes genoux, je mets de l'ordre dedans puis, ne gardant de mes yeux de braise que ce qu'il faut pour pouvoir lire sans rien dénaturer, je tombe sur ces lignes :

Abel

Je n'ai jamais beaucoup aimé le théâtre et même quand j'ai écrit pour la scène, je ne m'y suis jamais senti tout à fait à l'aise, peut-être parce que j'ai toujours pensé que les mots, qui viennent de la solitude, sont une totalité en soi et qu'ils n'ont pas besoin d'être représentés devant un public qui, qu'on l'admette ou pas, ne symbolise que la multitude, c'est-à-dire le troupeau dans tout ce qu'il peut avoir d'aléatoire parce qu'il ne fait que suivre ce que, d'en haut, on lui impose. Et ce qu'on lui impose, ce n'est jamais que l'imperfection étant donné que le théâtre, une fois que c'est écrit, échappe à ce dont il est venu, l'écriture même ; il peut devenir n'importe quoi selon les gens qui le fabriquent : ces metteurs en scène, ces costumiers, ces décorateurs, ces éclairagistes et ces comédiens qui, plus souvent qu'autrement, privilégient l'image qu'ils ont d'eux-mêmes et pour laquelle ils veulent être payés par des applaudissements comme s'ils étaient des politiciens plutôt que par ces mots dont ils ont à rendre compte et dont ils aimeraient mieux pouvoir s'échapper au lieu de les dire, ce qui est la seule façon de vivre. Pourquoi Shakespeare est-il un auteur aussi grand ? Parce que les mots, pour lui, primaient tout le reste et que, quand les mots priment tout le reste, c'est comme si on se retrouvait devant un grand pan de roc qu'on martèlerait d'un ciseau pour que ce qu'on y inscrit y reste à jamais. Devant ces mots-là, définitifs, chacun peut trouver sa liberté et l'interpréter à sa façon parce que, même martelés dans le roc, les mots vivent quand ils rendent compte de ce qui, même de l'instant, va plus loin que l'instant. Ce n'est donc pas pour rien si Shakespeare est le plus grand auteur dramatique de tous les temps : c'est qu'il croyait que le verbe, et ce qui s'exprime par-devers lui, est tout. Et le verbe, qu'est-ce donc ? Le verbe, c'est la pensée, c'est tout ce qui s'imagine, c'est l'ensemble des idées qui font que le corps humain, peu importe où il se situe dans le temps et l'espace, peut avoir un sens, mais seulement à travers ce qui se dit en lui. Quand je lis Shakespeare, c'est ce qui me frappe : presque jamais de notes de scène, pas plus pour les costumes que pour les décors, pas plus pour ce que les personnages doivent être *physiquement* que pour ce qu'ils peuvent représenter *moralement*. Chez Shakespeare, c'est le verbe qui est la grande affaire parce que c'est lui qui détermine tout par ce côté tragique qui en marque le fondement. Curieusement, Jacques Ferron n'a vraiment lu Shakespeare que tard dans sa vie. Il s'en confesse dans l'une de ses historiettes. C'était en 1963, ce jour-là où il s'est rendu à Ottawa afin d'y recevoir le prix littéraire du Gouverneur général pour ses *Contes du pays incertain.* Un vieil Anglais l'interrogeant sur *Hamlet*, Jacques Ferron ne sait trop quoi répondre : c'est que, depuis son entrée en écriture, il s'est tourné instinctivement vers Molière plutôt que vers Shakespeare. C'est déjà entendu dans *L'ogre*, sa première pièce de théâtre, qui date de 1949. C'est là d'ailleurs un aspect de l'œuvre de Jacques Ferron qu'on a souvent tendance à occulter : quand il se met à écrire, c'est d'abord le théâtre qui fascine Jacques Ferron, et bien davantage que les contes. En dix ans, Jacques Ferron va livrer au public et à la scène une dizaine de pièces. Son premier conte, *Cotnoir*, lui, ne paraîtra qu'en 1962, tout comme les *Contes du pays incertain.* Ne serait-ce qu'en termes de quantité, le théâtre représente donc la grande affaire dans la première vie d'écrivain de Jacques Ferron. Et cette première vie-là se fait sous l'égide de Molière. Pourquoi lui plutôt que Shakespeare ? Une historiette intitulée *À chacun son Dieu* nous l'apprend. Jacques Ferron y a écrit :

Bélial

« Les Anglais ont deux grands auteurs, Dieu le Père et Shakespeare, dont ils ne cessent de lire et de méditer les œuvres, se pénétrant de psaumes, de sentences et de contes qui s'ajoutent à la langue commune et les pourvoient d'un fonds culturel qui les rend solidaires dans le rêve et la réalité et leur permet de garder de la cohésion même s'ils sont répandus de par le monde entier ; de plus ce fonds laisse à leur esprit, plutôt matériel, le sens de la poésie. Shakespeare l'emporte sur Dieu le Père dans leur hiérarchie, dont les tragédies sont sur le dessus du panier tandis que l'*Ancien Testament* emplit le dessous. Les Anglais ont d'autant plus besoin de leurs deux grands auteurs qu'ils sont loin d'être aussi grégaires que nous et qu'il leur arrive de n'aimer guère l'Angleterre, quand ils sont écossais par exemple, et même de ne pas parler leur langue comme dans la plaine de Kensington, en Australie surtout, influencés par les kangourous. S'ils continuent de se complaire en Dieu le Père et en Shakespeare, c'est qu'ils retrouvent en eux une vertu singulièrement britannique qui tient à la fois du stoïcisme et de la désinvolture, la vertu que voici : ont-ils à œuvrer pour la collectivité, ils le font courageusement puis, ce devoir accompli, ils n'estiment pas que cette œuvre leur appartient et ne s'y installent pas en propriétaires ; ils prennent leur retraite comme d'honorables particuliers, qui dans le ciel, qui à Stratford, et trouvent leur récompense dans l'oubli. Cela explique que Shakespeare et Dieu le Père, anglais dans toute la force du mot, ont si bien réussi leur vertu qu'on ne sait à peu près rien sur eux, que ce sont des génies sans biographie et qu'on n'a rien d'autre que leurs œuvres, c'est-à-dire le principal. »

Abel

Avec les Français, il n'en va pas de même car, contrairement à Dieu le Père et à Shakespeare, Molière, que Jacques Ferron compare à Dieu le Fils, reste au-devant de son œuvre dont il représente en quelque sorte le personnage principal. Alors qu'on ne sait à peu près rien de certain quant à la biographie de Shakespeare, celle de Molière nous est bien connue. Pour Jacques Ferron, cela tient à la familiarité qui est la qualité première de la littérature française tandis que « le respect du particulier pour lui-même, un quant-à-soi farouche qui confine au culte » est l'apanage de la littérature anglaise. Et qui dit quant-à-soi farouche dit tragédie, cet enjeu des passions démesurées qui ne peuvent se dénouer que dans la mort. Quant à la familiarité, elle s'exprime plus convenablement au moyen de la comédie qui, elle, « se passe de la mortalité et s'achève comme elle a commencé, avec tout son monde, ce qui n'est pas facile et représente un triomphe sur la vie ». Mais c'est dans une autre historiette, *L'Alceste de Racine*, que Jacques Ferron va au bout de sa pensée en ce qui concerne Molière. Après avoir assisté au *Gésu* à une représentation du *Misanthrope* qui n'est plus une comédie mais un excellent théâtre de boulevard « où la facture l'emporte sur le reste », Jacques Ferron comprend le génie de Molière :

Bélial
« Son génie est de tourner en dérision ce qui lui est cher, ce qui lui semble précieux. »

Abel
Dès ses premières pièces, Jacques Ferron n'oubliera pas cette leçon car de *L'ogre* au *Licou*, du *Dodu* à *Tante Élise*, de *L'Américaine* au *Don Juan chrétien*, c'est l'esprit de Molière qui sous-tend sa démarche, et cela jusque dans les noms qu'il donne à ses personnages. Autre caractéristique de ce théâtre : on ne sait rien des lieux véritables où l'action se passe, le décor seul nous étant connu. Dans *L'ogre*, il y a bien un château que ceinture une épaisse forêt, mais dans quel pays se retrouve-t-on ? Pour Jacques Ferron, je crois bien que cela n'avait pas beaucoup d'importance, l'imaginaire primant pour lui tout le reste, à l'exception peut-être de la morale qu'à la fin, il convient de tirer quand tous les jeux sont joués. Pour *L'ogre*, ça pourrait être : *l'amour mange qui croyait le manger.* L'intrigue de la pièce peut se résumer en quelques lignes tant c'est simple : quelque part dans un château, un ogre invisible séquestre une jeune fille à qui il compte faire perdre son pucelage pour mieux la dévorer d'amour ensuite. Mais au bout du conte, car c'en est un, voilà que lui-même se retrouve prisonnier, impuissant devant cette jeune fille qui, devenue ogresse à son tour, ne rêve plus que de l'avaler tout rond. En quelque sorte, on retrouve là le grand thème du serpent qui se mord la queue. *Le licou* vient de la même problématique, sauf que dans cette pièce, on a affaire à l'éternel triangle dramatique que forment Camille, Dorante et Grégoire. Dorante est amoureux de Camille, une danseuse qui a l'entrecuisse généreux, ce qui, chez ses amants, a le fâcheux résultat de

les inciter à se pendre. Dorante, troublé parce qu'il n'arrive pas à savoir vraiment si Camille l'aime ou non, en conclut qu'il ne lui reste plus qu'à se pendre lui aussi. Il va être sauvé *in extremis* par le domestique Grégoire, et Camille, enfin convaincue, va l'épouser. Encore là, la morale de la pièce est limpide : d'une façon ou d'une autre, le destin de Dorante est d'avoir, sinon une corde autour du cou, du moins ce licou qui, comme on sait, est cette pièce de harnais qu'on met sur la tête des bêtes de somme pour les attacher et les mener là où on veut.

Une scène de *L'ogre*, avec Élisabeth Chouvalidzé, Marcel Sabourin et Guy L'Écuyer. (*Théâtre-Club*, photo : Marcel Sabourin)

Comme dans *L'ogre*, c'est encore la femme qui triomphe. Il en va de même dans *Le Dodu* où une jeune fille prénommée Agnès ne rêve qu'au jour où elle va se marier enfin. Comme Agnès est un peu pressée, elle se souvient de cette légende qui avait cours dans sa famille et qui voulait que si de nouveaux mariés couchent dans le lit d'une fille, celle-ci ne pourra que se marier elle-même dans l'année qui vient. Le prétendant d'Agnès se nomme Mouftan, une manière de grand éjarré sorti tout droit du pays d'Alexandre Dumas. Rien que son langage nous éclaire sur lui :

Bélial
« Tonnerre de tonnerre, pas besoin de tonnerre, ça demande du silence : elle dort ! Elle dort, ma petite Agnès, dans son lit blanc et virginal. Tonnerre de tonnerre, virginal : ce mot-là me fait quelque chose ! Petite Agnès, petite pucelle, petite sœur, je t'imagine un peu au creux de ton innocence, le drap enroulé autour de ta taille : à chaque respiration, tes petits tétons, îles de la nuit, émergent, ô merveille ! Tonnerre de tonnerre, je suis un sabreur, je suis un mousquetaire, mais ces tétons-là ils me font quelque chose ! »

Abel
Comme on voit, on est avec Mouftan dans la farce par-dessus la tête. Jacques Ferron a écrit de lui qu'il tient de la marionnette. Et qui dit marionnette dit malentendu. Parce que Agnès convainc sa sœur Célia de coucher dans sa chambre avec son mari Dodu, Mouftan s'imagine qu'avant même d'être marié, il se retrouve déjà cocu. Mais tout mousquetaire qu'il se prétend, il n'a d'épée que ce qui, entre les jambes, lui tient lieu de sexe. Aussi se venge-t-il non sur Dodu mais sur cet oiseau que la famille vénère parce qu'il parle. Après l'avoir mis à mort, Mouftan s'enfuira dans les bois où Agnès ira le rejoindre, question de mettre fin à tous les quiproquos. Mais moi, ce n'est pas ce qui m'intéresse dans *Le Dodu* : c'est le fait que Jacques Ferron, dans une note liminaire, ait parlé d'André Pouliot pour qui il a écrit la pièce, lui donnant à la fois le personnage de Mouftan et celui de l'oiseau. Jacques Ferron ne m'a jamais parlé d'André Pouliot, ce qui m'intrigue. Et intrigué comme je le suis, comment pourrais-je me rendre plus loin dans la lecture du théâtre de Jacques Ferron ?

Bélial

Voilà les dernières lignes qu'Abel a écrites sur les grandes feuilles de notaire. Moi Bélial, je sais bien qu'Abel ne dit pas toute la vérité en ce qui concerne André Pouliot, peut-être parce que toute mémoire est mensongère et qu'elle préfère plaider l'ignorance plutôt que de se démasquer dans son incompétence. Dès 1968, Abel a eu en main un exemplaire de *Modo Pouliotico*, ce recueil de poèmes d'André Pouliot colligé et préfacé par Jacques Ferron qui, en 1957, l'a fait éditer à la File indienne, dont le grand manitou était alors Gilles Hénault. C'est Jacques Ferron lui-même qui a donné à Abel, depuis peu directeur littéraire aux éditions du Jour, le recueil d'André Pouliot. Si je le sais, c'est que cette journée-là, j'accompagnais Jacques Ferron en tant que chauffeur. Mais Abel n'a jamais lu *Modo Pouliotico*, même pas la préface. S'il l'avait fait, il se serait vite rendu compte qu'elle était de la main de Jacques Ferron. Pourquoi Abel est-il resté aveugle ? Par méconnaissance de Jacques Ferron d'abord et parce que lui-même, trop désireux de se hisser au sommet de l'arbre de la réussite, ne pouvait s'intéresser qu'à ce qui le confortait dans son ambition. Abel n'a toutefois pas été le seul à ne pas lire *Modo Pouliotico* : d'aussi fins connaisseurs de Jacques Ferron que Jean Marcel et Diane Potvin n'en ont jamais parlé non plus. Pourquoi donc encore ? Né en 1920 à Québec d'un père notaire, André Pouliot a étudié les beaux-arts. Ne pouvant vivre de son métier de sculpteur, il se fait traducteur et écrit de la poésie, encouragé par Jacques Ferron dont il est devenu l'ami. Lorsqu'il meurt mystérieusement en 1953, André Pouliot a trente-trois ans et laisse derrière lui une œuvre toujours inédite, personne n'ayant voulu la publier. En faisant éditer *Modo Pouliotico*, Jacques Ferron rend donc un dernier hommage à son ami et à sa poésie subversive. Un court extrait va suffire à en donner les tenants :

« Un phalanstère,
Un fallus en terre,
Plantez un gland, s'il se déchêne
De sa gaine,
Sourdra une chaîne (place-en-terre) !
Trêve de lochies et de logomachies.
Assez de vergetures et place
Aux verges dures ! »

Tout le recueil est de cette eau ; les poèmes d'André Pouliot sont irrévérencieux, scatologiques, pleins de jeux de mots qui annoncent déjà Réjean Ducharme, André Loiselet et Denis Vanier par l'éclatement de tout ce qu'il peut y avoir de sexuel dans le langage. C'est cet aspect qui a fasciné Jacques Ferron dans *Modo Pouliotico*, au point qu'en écrivant *Le Dodu*, il s'est amusé à mettre dans la bouche de Mouftan les mots mêmes d'André Pouliot. Voilà ce que tantôt je vais dire à Abel quand, avec Samm, il va revenir du large et faire échouer la vieille barque sur les battures de la grève. Je n'aurai pas long à attendre : des Razades à Cap-au-Marteau, on est loin d'avoir tout un monde à traverser. Entre deux écueils, je vois apparaître la vieille barque et ça danse dans les vagues pareil à un feu follet. Abel jette la petite ancre dans le sable, puis lui et Samm s'en viennent vers moi. Le soleil leur a rougi le visage, ils sentent bon le vent et le sel. Nous allons nous asseoir à l'indienne sur cette grosse roche plate et laisser Jacques Ferron nous revenir lentement dans tout le corps. Abel a ouvert le portuna au cuir tout vermoulu, il regarde les grandes feuilles de notaire dans lesquelles j'ai fait de l'ordre et comprend que je n'ai pu m'empêcher de les lire. Il me chicane pour la forme, après quoi je lui raconte ce que, grâce à Roger Chamberland, je sais sur André Pouliot et l'influence que ses poèmes ont eue sur *Le Dodu*. Alors, Abel se souvient de tout et s'en trouverait honteux par-devers lui-même si Samm n'intervenait pas, exhibant cet exemplaire de *Tante Élise* qu'elle tenait bien abrillé contre son ventre. Samm dit:

Samm
De toutes les pièces qu'a écrites Jacques Ferron, je crois bien que c'est *Tante Élise* que je préfère. Quand nous avons accosté dans les Razades tantôt, Abel et moi nous nous sommes allongés devant la grande croix qui surplombe l'île et nous avons relu ensemble *Tante Élise*. La pièce se passe dans un hôtel que le propriétaire veut vendre parce que lui et sa femme rêvent d'aller finir leurs jours à la campagne. Mais le propriétaire ne pourrait pas abandonner son hôtel à n'importe qui. Comme il dit:

Abel
« Je ne vendrai pas à des extrémistes. Nous avons fait carrière dans le juste milieu, favorisant l'amour et la vertu, conviant à la félicité des deux pigeons les jeunes époux et les amants timides qui sont venus en toute confiance ; nous ne pouvons pas les abandonner à des brutes de bonne ou de mauvaise volonté ; mon successeur continuera de les servir à la même enseigne que moi. »

Samm
Là-dessus, le téléphone sonne. C'est tante Élise qui demande à louer une chambre pour sa nièce et son jeune mari. Mais tante Élise ne veut pas qu'il y ait de lit dans la chambre, elle exige que les nouveaux mariés couchent par terre, à la dure. Fier de la réputation de son établissement reconnu pour la qualité de ses matelas, l'hôtelier proteste, mais en vain : tante Élise va déshériter sa nièce si celle-ci couche dans un lit. Et pour être certaine qu'on ne la trompera pas, tante Élise va appeler régulièrement à l'hôtel afin qu'on la tienne au courant des ébats de sa nièce et de son jeune mari. Et la vieille fille qu'elle est en aura à la fin un orgasme tel qu'elle en mourra. Faut dire que la nièce n'y va pas avec le dos de la

cuiller, se faisant délibérément impudique, voire exhibitionniste, pour venger la tante qui, « depuis un demi-siècle, a toujours été habillée du cou jusqu'aux pieds et d'un poignet à l'autre sans solution de continuité ». Ne serait-ce que parce que la nièce se fait ainsi aussi lubrique, que ce soit sur cette paillasse que l'hôtelier a aménagée dans sa chambre, sur le plancher ou sur ce matelas où la copulation va atteindre à son paroxysme, tante Élise va mourir heureuse, toute sa chair redevenue chaude même si ce n'est que par procuration et même si sa nièce l'a leurrée. Au fond, c'est ce que voulait la vieille fille : que sa nièce vive ce qu'elle-même n'a jamais osé s'accorder dans la vie, c'est-à-dire le plaisir tout simple de la fornication.

Devant le champ des salicaires, en 1961.

Abel

Après *Tante Élise*, que pouvait bien écrire Jacques Ferron? Il y a *L'Américaine*, bien sûr, qui met en scène deux robineux, Chaouac et Timire, et qui est tout entièrement écrite à partir d'un malentendu : Chaouac demande à Timire d'aller lui chercher « une américaine ». Timire part donc, se retrouve aux États-Unis, en quête de cette fameuse Américaine qu'attend Chaouac. La voyagerie de Timire dure quatre ans, après quoi il se ramène devant Chaouac, avec Biouti Rose, la femme qu'il a détroussée aux États-Unis. Quand il voit Biouti Rose, Chaouac part à rire : ce n'est pas une femme qu'il voulait parce que, robineux, les femmes ne sont plus rien pour lui, mais une simple cigarette, bien évidemment américaine. L'absurdité du malentendu explique à elle seule que *L'Américaine* ne pouvait être jouée. Ce qui n'est pas le cas, toutefois, du *Cheval de don Juan* que Jacques Ferron a rebaptisé *Le don Juan chrétien* quand il en a fait une deuxième version. *Le don Juan chrétien* est un pastiche québécois de la célèbre pièce de Molière. Dans un petit village de l'arrière-pays, un curé a fait venir cette troupe de théâtre

qui, à la salle paroissiale, doit représenter *Don Juan*. Mais l'acteur qui doit le symboliser disparaît dans le décor, ce qui oblige le curé à partir à sa recherche. Sur son chemin, il va rencontrer le Sénateur, un vieux fou qui se prend pour Caligula à cause du cheval qu'il monte et qu'il rêve de faire entrer dans sa maison, soi-disant pour le présenter « officiellement » à sa femme. Pendant ce temps, le don Juan acteur, débandé aussi bien du théâtre que de sa réputation d'étalon, essaie de s'en tirer en ne faisant plus que parler avec les femmes que son mythe attire encore. Ça ne lui sera pas d'un grand profit car, tôt ou tard, il lui faudra bien se retrouver sur cette scène de la salle paroissiale pour y jouer ce rôle en lequel il ne croit plus mais que tout le monde lui réclame malgré le fait qu'il soit devenu impuissant. Le mythe a la vie dure. Comme va le dire le Sénateur à la toute fin de la pièce :

Bélial
« Dans un monde factice où le masque prévient le visage, où le rôle résume l'homme, comme des mouches dans le miel on s'agglutine aux apparences ; le masque se colle au visage, le rôle marque l'homme : on vit comme au théâtre, oubliant le reste du monde, sur une scène exiguë ; on traîne vers la mort, après son petit personnage, comme une ombre démesurée, un inconnu gigantesque au visage effaré. »

Abel
En se livrant à ce pastiche du chef-d'œuvre de Molière, Jacques Ferron reste tout à fait dans l'esprit du génie de son maître, qui est de tourner en dérision ce qui lui est cher, ce qui lui semble précieux. Cette dérision l'oblige aussi à cette critique acerbe du théâtre à laquelle il s'emploie à l'intérieur même du théâtre. Dans presque toutes les pièces que nous venons de lire, les personnages ne discutent pas que d'eux-mêmes ni que de leurs conflits : ils parlementent sur ce que sont le comédien et l'auteur, sur ce que représentent le décor, le costume et même le spectateur que Jacques Ferron, dans une historiette intitulée *Notre théâtre*, compare à Tartuffe :

Samm
« Où est la vérité du théâtre ? Les comédiens sont tous des cabotins et les auteurs ne valent pas mieux, en général plus prétentieux. La vérité du théâtre est dans la salle et non pas sur la scène. C'est le public, lorsqu'il s'abandonne et que la pièce réussit, qui fait les frais du spectacle ; il paie en tout, en argent, en rires, en larmes, en applaudissements. Alors que les comédiens se griment, que les auteurs se gourment, il se détend, il se dévêt, il s'expose, il avoue : il avoue qu'il est fourbe, que Félix Poutré c'est lui ; il avoue, tout prince qu'il soit, qu'il est cet homme noir, vulgaire, abject, qu'il est cette punaise, qu'il est Tartuffe. Et il l'avoue avec d'autant plus d'aise que,

trompé par l'artifice du théâtre et le jeu des miroirs, pauvre innocent, il ne s'en rend pas compte. »

Abel
Dans cette perspective, *Le don Juan chrétien* boucle une boucle dans la dramaturgie ferronnienne, d'abord parce que cette pièce est structuralement la mieux construite de toutes celles qu'il a écrites jusqu'alors, et ensuite parce qu'elle inscrit dans l'intrigue même sa propre critique. Pourtant, Jacques Ferron n'a jamais commenté ses premières pièces qu'avec beaucoup de modestie. Il s'en est expliqué avec ironie dans *Le permis de dramaturge*:

Samm
« En 1949, mon œuvre théâtrale était commencée depuis quelques années, mais je l'avais entreprise sans permis de dramaturge, fort de mon génie et de ma plume, un peu comme ces novices qui se figurent qu'il suffit d'un fusil pour aller à la chasse aux canards. Mon infraction était d'autant plus grave que je n'avais pas grand-chose à dire. Dans ce cas on écrit sur l'amour ; je n'y manquai pas : huit pièces, mais aucun succès et j'étais à la merci des gardes-chasse. Claude Gauvreau, ayant lu *L'ogre*, n'en retint qu'une réplique : ‹ Attention ! attention ! elle a trois rangées de dents ! › Quant au reste, il me conseillait tout simplement de le balancer. J'étais encore chanceux que sa condamnation ne fût pas absolue mais le peu qu'elle me laissait ne remplaçait vraiment pas le permis qui me manquait. Me sentant en faute, je cherchais à ménager tout le monde et à ne déplaire à personne. Les petits chenapans font de même et on les méprise ; pourtant ils sont les meilleurs soutiens de l'ordre établi ; ils grignotent la propriété pour participer à sa sainte communion. Je sauvais la morale traditionnelle ; on n'en sut aucun gré à mon libertinage. *Le Dodu* est une pièce de patronage, mais j'y avais mis le mot *téton* trois fois ; mon excellent ami, le père Bernier, déclara qu'elle ne pouvait se jouer

sans scandale ; elle le fut néanmoins et tomba plate ; les tétons semblèrent postiches ; la mentalité avait sans doute changé. Mon chef-d'œuvre dans le genre fut *Le cheval de don Juan*, aujourd'hui illisible. »

Abel

Ce fameux permis de dramaturge dont parle Jacques Ferron, il va l'obtenir du protecteur de la comédie, une fonction officielle et rétribuée qui a existé au Québec jusque dans les années cinquante alors que toute pièce jouée devait obtenir l'imprimatur d'un fonctionnaire. Jacques Ferron, non sans ironie encore, prétend avoir été le dernier à profiter de ce fameux protecteur de la comédie qui lui a accordé son permis de dramaturge pour autant qu'il s'en tienne à trois sujets : l'amour, la patrie et Dieu. Dans ce cycle qui va de *L'ogre* au *Don Juan chrétien*, Jacques Ferron avait épuisé le thème de l'amour. Une fois son permis de dramaturge bien en main, il va donc le délaisser et, se croyant trop jeune encore pour aborder celui de Dieu, il va s'attaquer au thème de la patrie, en tirant deux pièces fondamentales pour la dramaturgie québécoise : *La tête du roi* et *Les grands soleils*. C'est dans cette île que nous allons aborder maintenant. Mais comme il s'agit là de pièces qui ont été écrites sous le signe du feu, il serait absurde que nous en parlions ici sur la grève de Cap-au-Marteau alors que, assis sur cette grosse roche plate, nous n'avons devant nous qu'une prodigieuse montagne d'eau. Avant d'entrer dans *La tête du roi*, il conviendrait que nous ramassions tout ce bois de grève, que nous en fassions un énorme tas et que nous mettions le feu dedans. Une fois que les flammes monteront haut dans le ciel des Trois-Pistoles, nous pourrons nous asseoir autour de ce feu et y rester jusqu'à ce qu'on ait épuisé tout ce que Jacques Ferron, dans *La tête du roi* et *Les grands soleils*, a écrit de cette patrie qu'il mettait au-dessus de tout, y compris Dieu.

Bélial

Abel et Samm se sont levés, à la recherche de toutes ces échoueries qui, une fois rassemblées, vont devenir les racines enflammées du ciel. Malgré ma patte de bouc qui me fait un peu mal à cause que je l'ai laissée tremper trop longtemps dans l'eau salée, je me redresse et m'enfonce dans les dunes de sable, en quête moi aussi de bois de grève. Le soleil est comme un poing de feu au-dessus de nous et l'espace, au-dessus des fascines qui emprisonneront l'anguille, est rempli de mouettes blanches, piailleuses et téméraires. Nous en sommes au milieu du jour, et ce milieu du jour-là est tout ce qu'il y a d'amical quand la complicité est ce grand débours de tout ce qu'il y a de chaud dans le corps.

Pêche à l'anguille, Cap-au-Marteau. (Photo : Jean Herquel)

10

Avant-dire

S'en prendre à la conscience collective qui préside à celle de chacun, essayer de la modifier, c'est en soi une grande entreprise : elle donne satisfaction, qu'on réussisse ou pas.

Jacques Ferron,
Le Devoir

Jacques Ferron et les comédiens des *Grands soleils* sous la statue de Jean-Olivier Chénier. (*Théâtre du Nouveau Monde*, photo : André LeCoz)

Bélial
C'est déjà le soir et les nuages font la culbute dans le ciel, poussés par la brise qui agrémente la mer océane. Allumé par Abel, le feu de grève roussit le paysage. Assis devant lui, nous avons l'impression d'être au cœur même de l'an premier du monde, à cette époque où l'air, l'eau et le feu se conjuguaient afin que puisse venir la parole amicale du conteur. En réalité, il ne manque qu'un peu de musique. Bien sûr, le refoule des vagues en est déjà une en soi, sauf que ça ne se parle qu'à soi-même et que là où nous en sommes, nous éprouvons le besoin d'ajouter à la sonorité du paysage celle qui nous habite. Quand Abel sort de l'une de ses poches le petit harmonica qu'il porte à sa bouche, Samm applaudit et Moi Bélial, je fais pareil à elle. Venues du petit harmonica, les notes volent dans les airs, aussi hautes que les flammèches qui proviennent du brasier. Ce que joue Abel, ça s'appelle *La chicaneuse*, un reel qui est en même temps toute violence et toute tendresse. Ça s'arrête quand Abel remet le petit harmonica dans l'une de ses poches. Un bon moment, nous allons comme rester enlisés dans le silence. Puis Abel dit:

Abel
Il est maintenant temps que nous en revenions au théâtre de Jacques Ferron, à *La tête du roi* et aux *Grands soleils*. La première version des *Grands soleils*, écrite en 1958, est antérieure à *La tête du roi*, qui date de 1963. Mais *Les grands soleils* n'ayant été joués qu'en 1968

après un profond remaniement, il convient de ne les lire qu'après *La tête du roi*, dont ils prolongent la problématique et la résolvent. Mais, auparavant, il est essentiel de prendre connaissance de « Notre théâtre », un texte majeur que Jacques Ferron a fait paraître dans *La Revue socialiste* en 1961. Dans cet article, Jacques Ferron trace le portrait du théâtre québécois depuis le dix-neuvième siècle. Pour lui, la pièce la plus représentative du siècle dernier est le *Félix Poutré* de Louis Fréchette.

Samm

« *Félix Poutré* est l'histoire de ce Canadien bien embarrassé d'avoir été un des Patriotes de 1837, car la scène se passe en 1838, et il est en prison. Pour s'en tirer, fin comme tout, il feint d'être fou, dupe l'Anglais, son gardien, et réussit à s'enfuir aux applaudissements de tout le Canada français. Au commencement de notre siècle, Laurier, devenu premier ministre du Canada, en a arrêté discrètement la représentation. L'aveu de fourberie devenait gênant. »

Abel

Après *Félix Poutré*, trois autres grandes pièces ont marqué le théâtre québécois selon Jacques Ferron : *Aurore,*

Félix Poutré.

Aurore, l'enfant martyre.

l'enfant martyre, Tit-Coq et *Un simple soldat.* S'interrogeant sur le succès phénoménal qu'ont connu ces trois pièces, Jacques Ferron écrit, d'abord sur *Aurore, l'enfant martyre*:

Samm

« *Aurore, l'enfant martyre* triompha à une époque où la mortalité infantile était effroyable, où la Bolduc réchappait quatre enfants sur treize, et c'était une bonne mère. Il y avait, en permanence, à la porte des théâtres, une foule de spectres muets, d'âmes inachevées qui n'avaient pu y trouver place et refluaient dans la rue. Les bonnes femmes des quartiers populaires devaient traverser cette foule hostile pour aller occuper leurs sièges. Elles n'étaient pas des marâtres. Pourtant, le rideau levé, dans l'ombre de la salle, c'étaient elles qui faisaient manger à la pauvre Aurore le pain de l'amertume, la beurrée de savon. Quelle est la signification de ce mélodrame ? On préférerait qu'il n'en ait pas. *Aurore, l'enfant martyre*, quelle horreur, quelle insanité ! Là-dessus, nos beaux esprits furent

Gilles Pelletier dans *Un simple soldat.* (Photo : André LeCoz)

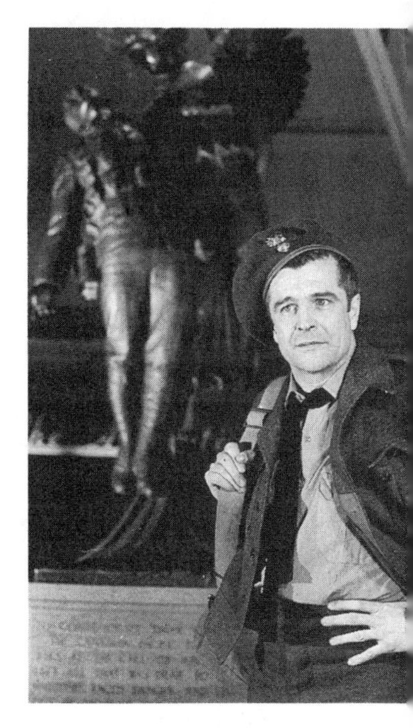

Juliette Huot et Gratien Gélinas dans *Tit-Coq.*

toujours unanimes. Pourtant c'est une œuvre précieuse. Un aveu, bien sûr : la mission du théâtre en ce pays, à cause de la fausseté régnante, est de faire remonter au grand jour, par une sorte de psychanalyse, l'âme refoulée du peuple. Un aveu de culpabilité collective. La marâtre, c'était tout simplement la bonne terre du Québec jusque-là maternelle, encore débordante de vitalité mais trahie au cœur même de sa génération, qui ne pouvait plus prendre soin de ses enfants et les voyait s'exiler, se perdre par centaines de milliers. »

Abel

Quant à *Tit-Coq*, ce serait l'ambiguïté de la pièce quant à la bâtardise des personnages qui expliquerait l'extraordinaire écoute dont elle fut l'objet :

Bélial

« À *Aurore, l'enfant martyre*, œuvre anonyme, a succédé le *Tit-Coq* de Gratien Gélinas, un Tit-Coq en *battle dress* et bâtard comme tous les chiens de Saint-Tite dans l'armée canadienne. Le succès de cette pièce a eu la plus grande influence sur nos écrivains. Pierre Baillargeon que je voyais alors me déclara : ‹ J'irai voir cette pièce, et si elle est bonne, j'écrirai pour le théâtre. › Il était comme moi, comme Toupin, élève des Jésuites, certain de sa supériorité et quelque peu piqué qu'un petit homme, sans diplôme, formé à la dure école, lui soufflât une gloire à lui seul réservée. *Tit-Coq* est une pièce ambiguë. La bâtardise a-t-elle jamais préoccupé les Canadiens français ? Je ne crois pas. Naguère nos bâtards mouraient presque tous dans les orphelinats, aujourd'hui ils sont presque tous adoptés et les orphelinats sont surtout peuplés d'enfants légitimes abandonnés. J'ai toujours pensé que la bâtardise de Tit-Coq était un artifice de théâtre pour ménager le public, l'empêcher de se reconnaître dans le personnage et lui permettre de bien s'apitoyer sur soi-même. Tit-Coq est simplement le type du Canadien français qui, arraché à sa famille, ne peut la recréer dans un milieu hostile et se sent exilé dans son propre pays. Le costume le stigmatise, ce *battle dress* que nous avons tous porté. D'une certaine façon, l'artifice n'était pas grossier et son mensonge apportait une vérité plus grande, faisant passer la bâtardise à un niveau plus élevé que la famille, au niveau de la nation où nous sommes tous bâtards. »

Abel
Pour Jacques Ferron, le retentissement d'*Un simple soldat* de Marcel Dubé trouve ses raisons dans le fait que cette pièce se situe dans la continuité historique et thématique des deux autres : on y retrouve le thème de la marâtre et celui du bâtard en exil, mais poussés si loin qu'ils confinent à la dépossession, voire à la détresse toute nue. Dans cette veine, impossible d'aller plus loin, *Un simple soldat* étant « une pièce terminus après laquelle il faut descendre du train », comme a encore dit Jacques Ferron. Mais descendre du train pour aller vers quoi ? Selon lui, une seule alternative : ou bien enfiler le sentier des métis amérindiens et disparaître dans la nuit, ou bien prendre le pas du maître, écarter du bout du pied un régime qu'on n'a pas désiré et, avant d'accorder sa culture à la civilisation d'un continent, l'accorder à elle-même dans un État qui soit uniquement français. Ainsi dit encore Jacques Ferron :

Samm
« Il y aurait place alors pour un théâtre de facture plus noble, car il présiderait à la rencontre qui ne peut pas manquer de se produire dans une lutte de libération nationale, à la rencontre jusqu'ici différée de notre peuple et de sa bourgeoisie. »

Abel
Ce texte important de Jacques Ferron pourrait servir de préface à *La tête du roi* et aux *Grands soleils* car ces deux pièces, si elles laissent le thème de la marâtre de côté,

ramènent ceux du traître, de l'exil et du bâtard. Et pour la première fois dans la dramaturgie québécoise, la perspective se trouve tout à fait modifiée, et précisément dans le sens qu'appelait Jacques Ferron dans « Notre théâtre » : ou bien enfiler la sortie des métis amérindiens, ou bien écarter du bout du pied un régime qu'on n'a pas désiré. Comme on voit, l'enjeu devient donc celui de la libération nationale. C'est là tout le nœud de *La tête du roi.* L'intrigue se passe en une seule journée, celle de la Fête-Dieu qui, jusqu'au milieu des année soixante, se célébrait par une grande procession religieuse à travers toutes les villes et tous les villages du Québec. Les habitants pavoisaient alors à qui mieux mieux, peu leur importaient les couleurs des drapeaux qu'ils faisaient battre au vent, la Fête-Dieu n'étant après tout qu'un simulacre. Mais 1963 marque un tournant dans l'histoire québécoise, par les manifestations terroristes qui commencent à secouer Montréal. C'est d'abord ce thème-là que Jacques Ferron exploite dans *La tête du roi* : la veille de la Fête-Dieu, Simon, le fil d'un procureur de la couronne qu'on va bientôt nommer juge, décapite dans un parc Édouard VII qui y trône du haut de sa statue. Simon est le mouton noir de la famille, le fils rebelle qui voudrait faire venir l'indépendance du Québec. Son frère Pierre, lui, est de l'autre bord des choses, comme son ami anglais Scot Ewen : selon eux, le nationalisme n'a plus d'avenir, il n'est qu'un reliquat du dix-neuvième siècle. Pierre et Scot Ewen sont pour l'entente universelle, ils prônent cet internationalisme libéral dont *Cité libre*, au début des années soixante, s'est faite la grande défenderesse. Le père de Simon et de Pierre, tout procureur de la couronne qu'il soit, ne prend pas parti pour ou contre l'un ou l'autre de ses fils. Au contraire, il les encourage à défendre ce qu'ils sont, chacun dans sa chacune, comme lui-même a toujours fait, Québécois nationaliste quand il y trouvait son profit et Canadien fédéraliste aussitôt qu'il y avait moyen de tirer les marrons du feu. C'est donc la

La traditionnelle Fête-Dieu.

Sa Majesté le roi Édouard VII.

bourgeoisie qu'il représente et cette fourberie rusée dont Félix Poutré a été le maître absolu, tout comme le juge Fiset, celui à qui va probablement succéder le procureur de la couronne. Dans l'histoire québécoise, le juge Fiset (qui n'est nul autre que le père de Pierre Sévigny) a été tout à la fois mécréant et notable, jouant avec adresse de l'un et de l'autre, sauf au début de sa carrière alors que ses électeurs de Saint-Méthot, à cause de la conscription, ont failli le lyncher, lui ne trouvant le salut qu'en fuyant caché dans le foin d'une charrette.

Bélial

Mais il y a Taque aussi, qui est un bien curieux personnage dans *La tête du roi.* Chapeauté du tuyau de castor de Louis Riel, il revient des pays de l'Ouest à cause de la révolution amérindienne qu'Ottawa a étouffée dans le sang. Conseiller politique du procureur de la couronne, il s'imagine avoir assez d'influence auprès de lui pour redonner ne serait-ce qu'un semblant de vie aux nations amérindiennes. C'est bien évidemment une absurdité, les nations amérindiennes ayant disparu avec la pendaison de Louis Riel à Regina en 1885. Et quand le procureur de la couronne, poussé par l'ivresse, va chercher à faire avaliser par son discours toute la duplicité grâce à laquelle il mène sa vie de famille et sa carrière, Taque ne pourra que reprendre la route et s'enfoncer dans la nuit, comme les nations amérindiennes.

Abel

Il n'existait pour Jacques Ferron aucun autre moyen pour dénouer la problématique des métis amérindiens. Quand nous en serons au *Ciel de Québec*, nous verrons que Jacques Ferron reviendra sur le sujet, et dans les mêmes termes, et pour conclure de la même façon. De sorte que, malgré toute l'importance de Taque dans *La tête du roi*, ce n'est pas lui le meneur de jeu. On ne mène pas le jeu quand on est débandé aussi bien de son pays que du sens qu'il avait. Dans *La tête du roi*, le meneur de jeu, qui ne se manifeste vraiment qu'au quatrième acte, est Scot Ewen, cet autre avatar anglais de Frank-Anacharsis Scott, en cela tout pareil à ce Scot Symmons à qui Jacques Ferron a dédié sa pièce. Au début des années soixante, Scot Symmons était considéré comme l'un des meilleurs romanciers torontois. Venu d'une grande famille bourgeoise, il rêvait de mettre fin à ces deux solitudes qui furent si chères à Hugh McLennan. Aussi venait-il régulièrement au Québec, si amical qu'il en était louche. Je l'ai connu à la fin des années soixante, alors que j'étais directeur littéraire aux éditions du Jour. Scot Symmons voulait que lui et moi, nous écrivions ensemble ce grand roman pancanadien grâce auquel le pays atteindrait enfin à la véritable littérature comme il disait. Mais il était riche, et moi pauvre. Mais lui était bilingue, et moi unilingue. Mais lui était homosexuel, et moi pas. On n'a jamais pu s'entendre. Il n'y avait vraiment que Jacques Ferron pour pouvoir parlementer avec lui, exactement comme Pierre parle avec Scot Ewen dans *La tête du roi*, ne serait-ce que pour comprendre ce qui habite l'autre dans sa supériorité. Voilà d'ailleurs pourquoi il ne peut pas y avoir de rapports véritables entre anglophones et Québécois, les rapports véritables ne se basant que sur la notion d'égalité. Comme le dit à la fin le procureur de la couronne :

Bélial
« Il ne faut pas confondre les époques et mettre l'entente cordiale au milieu de la guerre de Cent Ans. Là aussi il faut commencer par le commencement. Sans l'égalité, on force toujours l'amitié. »

Samm
Et cette amitié impossible entre Québécois et anglophones, c'est tout ce qui reste entre Elizabeth et ses deux frères. Pourtant, elle, c'est d'amour qu'elle rêve, pas seulement d'amitié.

Abel
Comme son nom l'indique, Elizabeth est d'origine anglaise. Le procureur de la couronne et sa famille l'ont adoptée quand elle n'était qu'une enfant et l'ont fait instruire chez les Ursulines des Trois-Rivières. Elizabeth constitue donc un être hybride et, bien qu'amoureuse de Pierre, elle ne pourra jamais l'épouser, pas plus d'ailleurs qu'elle ne pourrait épouser Simon. Les immigrants de la première génération sont apatrides, de sorte qu'il n'y a que l'amitié qui peut leur advenir. Sans doute les choses pourront-elles changer quand les deux frères ennemis ne feront plus qu'un, réconciliés dans leurs contradictions, à cause du pays enfin créé. Mais, en attendant, Elizabeth ne peut avoir que sa part d'affection, et pas davantage. Tout cela est dit à la scène quatrième de l'acte troisième, quand Pierre et Elizabeth vident leur sac ; lassée parce que simple et douce, Elizabeth aspire au bonheur et ne comprend pas que le bonheur, pour les hommes, n'est pas seulement une maison dans laquelle on se complaît, mais tous les rêves qui viennent dedans.

Samm
Je veux bien croire ce que tu dis, mais moi, en tant que femme, je me sens filoutée dans *La tête du roi*. Je n'y ai plus que la part congrue, celle du faire-valoir dont le théâtre québécois est plein. Et dans *Les grands soleils*, ce sera encore pire, je le sais déjà.

Bélial
Abel ne répond pas. Tout comme moi, il sait bien que Samm a raison, que de *La nuit* à *La charrette*, que de *L'ogre* à *La tête du roi* et aux *Grands soleils*, Jacques Ferron a pour ainsi dire évacué le thème de la femme amoureuse, maîtresse d'elle-même et faisant à sa façon la loi comme c'était le cas depuis les origines mêmes du pays dont elle a assuré les assises. En écrivant ainsi, Jacques Ferron va tout à fait à l'encontre de ce grand

mouvement féministe qui déjà, tout au début des années soixante, tranchait creux avec des racines jusqu'alors traditionnelles. Si Jacques Ferron a écrit avec chaleur sur la syndicaliste Madeleine Parent, il s'est souvent gaussé des suffragettes, notamment de Thérèse Casgrain dont il a écrit, un peu par dérision, qu'elle était devenue militante parce que, enfant, on ne lui permettait pas de glisser comme ses frères sur la longue rampe d'escalier de la maison familiale. Quand je fais part de mes commentaires à Abel qui fouille dans le portuna au cuir tout vermoulu qu'il a ouvert sur ses genoux, il dit :

Abel
J'imagine que la raison n'est pas de mon bord mais du vôtre, en tout cas en ce qui concerne *La tête du roi* et *Les grands soleils*. Mais Jacques Ferron va se racheter superbement dans *Le ciel de Québec* avec la capitainesse et Eurydice, deux des plus beaux personnages féminins de toute notre littérature. Nous n'en sommes toutefois pas encore là. Aussi, pour le moment, serait-il mieux que nous laissions la question ouverte, ne serait-ce que pour passer au travers des *Grands soleils*. La pièce fut créée le 25 avril 1968 au *Théâtre du Nouveau Monde*, dans une mise en scène d'Albert Millaire. L'accueil qu'on lui a fait fut plutôt controversé, aussi bien pour la critique que pour le spectateur : les nationalistes y virent la première grande pièce fondant par sa thématique le pays québécois, tandis que les autres, toutes nations confondues, n'y trouvèrent qu'un charabia indigne d'être défendu sur la scène. À quoi cela tient-il ? Pour le comprendre, établissons d'abord le décor. Jacques Ferron a voulu qu'il participe de deux époques, la nôtre et celle des Patriotes. On se retrouve donc devant la gare Viger, avec le monument de Jean-Olivier Chénier, son cabinet de médecin, un parc, un jardin et un banc vert. Dans le jardin, des tournesols géants. Le banc appartient à Mithridate, ce roi du Pont que nous connaissons tous

Sauvageau (Albert Millaire) et Mithridate (Guy L'Écuyer) dans *Les grands soleils*. (*Théâtre du Nouveau Monde*, photo : André LeCoz)

maintenant, ce roi du Pont et robineux si bien habitué au poison que la robine n'a plus aucun effet sur lui. C'est de son banc que Mithridate va commander le commencement du cérémonial en insistant d'abord sur l'aspect séditieux qui le détermine avant d'ajouter que si la représentation d'une pièce a du sens, c'est par la conspiration qu'il y a derrière. Cette conspiration rend complices tout aussi bien l'auteur que les spectateurs, tout aussi bien le metteur en scène que les comédiens, tout aussi bien l'histoire que les personnages. Ces personnages, Mithridate les présente ainsi de son banc :

Bélial

« Elizabeth Smith d'Angleterre et des Ursulines, la seule personne du sexe que vous verrez ce soir sur la scène. C'est une petite Anglaise qu'on a enquébecquoisée. Elizabeth Smith, salut !... L'autre robe, c'est un curé, le curé de Saint-Eustache, partisan de l'éternité, mal à l'aise dans l'histoire, bien avisé et maladroit, un compatriote quand même. Curé, salut!... Félix Poutré, l'habitant, le père Noé de notre pays, après le déluge de l'Atlantique, un plus grand personnage que la pièce ne le montre. On l'avait trop vanté dans le passé. Aujourd'hui, il n'en mène pas large, c'est qu'il doit rembourser. Félix Poutré, salut!... Maintenant, c'est François, son fils, François, le Canadien errant de l'Amérique, de la bataille de Saint-Eustache, du front de Normandie, de la guerre de Corée, le zouave, le mercenaire, le Vandouze, le timide, l'inquiet, le proscrit, dont l'exil cessera bientôt, le jour même qu'il aura un pays. François Poutré, salut!... Et Sauvageau, l'immémorial, celui qu'on a dépouillé de tout, qu'on a traqué comme un gibier, qu'on a exterminé, le Sauvage qui en retour nous a apporté nos enfants, sauvant ainsi son âme

Bernard Lapierre (le curé), Marthe Mercure (Elizabeth Smith) et Jean Perraud (François Poutré) dans *Les grands soleils*. (*Théâtre du Nouveau Monde*, photo : André LeCoz)

en nous la transmettant. Sauvageau, mon antagoniste, mon frère, salut!... Jean-Olivier Chénier, lui, n'a pas fait grand-chose: il a simplement donné sa vie pour son pays, le pays qui retenait son souffle dans le limbe du Saint-Laurent et qui, après sa mort, s'est mis à crier, à crier de plus en plus fort. Aujourd'hui, il parle, le monde commence à l'entendre. Chénier, salut! »

Abel

Cette présentation des personnages de la pièce par Mithridate, roi du Pont et de la robine, nous dit déjà tout ce dont il sera question dans *Les grands soleils*, qui marquent l'aboutissement de la démarche entreprise par Jacques Ferron dans *La tête du roi* tant les deux pièces se répondent l'une à l'autre. Ce qu'on y trouve de nouveau toutefois concerne la structure dramatique et pose problème car Jacques Ferron, toujours du côté de Molière plutôt que de celui de Shakespeare, n'a pas très bien compris à mon avis que ce qui fonde le théâtre épique, c'est l'inscription de l'épopée même dans le déroulement de l'action. Dans *Les grands soleils*, l'épopée ne se joue pas mais se dit: les événements historiques de la rébellion de 1837 nous sont donc narrés par un conteur, au début de chacun des actes et de certaines scènes importantes; et, la narration terminée, il ne reste plus aux personnages qu'à se situer par rapport à l'histoire et par rapport à eux-mêmes. Aucun personnage, sauf François Poutré, n'évolue vraiment, tous représentant une idée dont, ni par leurs corps ni par leurs dires, ils ne peuvent sortir, tout pris qu'ils sont par le destin et la fatalité qui, dès le départ, les conditionnent. Parce qu'il est un notable et qu'il ne connaît rien à la guerre, Jean-Olivier Chénier ne peut que trouver la mort dans cette église de Saint-Eustache où il va s'enfermer avec les siens pour y attendre les Anglais plutôt que de suivre l'avis de ses conseillers qui lui recommandaient d'adopter les règles, plus appropriées, du maquis. Notable comme Jean-Olivier Chénier, Louis

Riel n'a pas réagi autrement en Saskatchewan malgré tout ce que Gabriel Dumont, le seul véritable héros de la saga de l'Ouest, a pu lui dire. Pour Louis Riel et pour Jean-Olivier Chénier, le résultat fut le même : si les poètes font de bien mauvais politiciens, comme l'a dit Victor Hugo pour l'avoir expérimenté lui-même, les notables ne sont guère mieux quand ils se retrouvent les armes à la main. Louis Riel fut donc pendu et Jean-Olivier Chénier, atteint mortellement d'une balle, s'est écroulé dans l'église de Saint-Eustache, les Anglais lui sortant le cœur du corps pour le mettre au bout d'une pique et l'exhiber ainsi de Saint-Eustache à Montréal.

Bélial
Mais le curé, quelle a été sa participation dans tout cela?

Abel
Ai-je vraiment besoin de répondre ? Il me semble que c'est écrit en noir sur blanc dans *Les grands soleils*: le curé n'était ni pour ni contre les Anglais, comme il n'était ni pour ni contre les Patriotes. Le curé ne pensait qu'à son église, qu'à sa pérennité et au pouvoir que tout cela lui donnait. Dans le cours et le décours de notre histoire, les curés n'ont jamais agi autrement, ménageant la chèvre anglaise et le chou québécois, faisant leur lit avec l'une quand ils y trouvaient leur compte et le faisant avec l'autre s'il y avait moyen d'en retirer pour eux-mêmes tous les marrons du feu. Ce fut le cas avec la conquête, ce fut le cas avec la rébellion de 1837, et ce fut encore ce qui est survenu lors de la crise d'Octobre de 1970. Au Québec, l'église ne s'est jamais perçue que comme ce que du pouvoir on peut tirer pour soi-même. Elle a donc été félonne, fourbe et forcenée. Si elle paraît avoir changé maintenant, c'est qu'elle a désespérément besoin du pauvre monde pour profiter des derniers privilèges qui lui restent, auxquels elle tient et qu'elle n'est plus capable de se payer. Tout compte fait, je lui préfère Félix Poutré,

autrement plus québécois parce que lui, au moins, croyait que même si on trompe les siens, il y a toujours moyen de se réhabiliter, ne serait-ce que par sa progéniture.

Bélial
Pourtant, dans *Les grands soleils*, le fils même de Félix Poutré, le dénommé François, ne trouve son fond de penouil qu'en devenant mercenaire, aussi bien en Corée du Sud qu'au Viêt-nam.

Abel
C'est que la guerre n'est ni une invention ni une pratique québécoise. Quand ça vous prend tout votre petit change pour survivre au travers de ce déluge que représente l'hiver de force comme l'a si bien écrit Réjean Ducharme, vous ne pouvez pas avoir le corps guerrier, sauf à l'étranger. Mais de l'étranger, on revient toujours, comme François Poutré et pour retrouver l'Anglaise enquébécoisée, cette Elizabeth Smith qu'il finira bien par épouser, ne serait-ce que pour devenir notable à son tour.

Bélial
Au fond, tout n'est que recommencement?

Abel
D'une certaine façon, oui. Mais, comme le dit Mithridate, on ne recommence jamais rien tant que l'origine même de ce qu'on est ne nous est pas connue. Un peuple ne se fonde que dans la connaissance souveraine qu'il a de lui-même. Dans *Les grands soleils*, c'est cette grande leçon de choses-là que nous a donnée Jacques Ferron, peu importent les manquements dramatiques qu'on peut, assez aisément, déceler dans sa pièce. Qu'une certaine critique et qu'une majorité de spectateurs n'aient pas vu ce qu'il y avait de révolutionnaire dans *Les grands soleils*, c'est-à-dire ce qui nous faisait passer de la phase anale de l'écriture à la phase nationale, dit bien le génie précurseur

de Jacques Ferron. Mais, en 1968, peut-être était-il normal que le succès au théâtre s'en aille du bord des *Belles-sœurs* de Michel Tremblay plutôt que de celui des *Grands soleils.* Avec sa manufacture de timbres Gold Star, Michel Tremblay, dans le monde de femmes qu'il décrit mais qui n'en sont pas vraiment, renoue, mais par son envers même et tout en le fermant définitivement, avec ce théâtre qui va d'*Aurore, l'enfant martyre* à *Un simple soldat*, et qui n'est rien de plus que ce timbre Gold Star dont on se glorifie quand, issu d'une mère marâtre et d'un père mercenaire absent, on n'a plus que le choix d'être dérisoire parce que devenu tragiquement asocial. Mais sans doute que *Les belles-sœurs* de Michel Tremblay répondent par l'absurde aux *Grands soleils* en ce que, dans *Les belles-sœurs*, on n'y retrouve que des femmes plutôt ridicules, placoteuses et cancanières, à mi-chemin entre la guidoune et la lesbienne, et que, dans *Les grands soleils*, les hommes qui y font la loi, ou bien la défont, sont totalement emportés, malgré ce pays qu'ils veulent faire venir, par la solitude qui est leur lot commun étant donné que, comme le docteur Chénier, ils n'ont pas de femmes véritables avec qui être. Et peut-être le grand dramaturge québécois de demain sera-t-il celui qui, de saint Genet et de Molière, nous ramènera tout simplement à Shakespeare pour l'établissement d'un pays authentique.

Samm

Abel a refermé son portuna au cuir tout vermoulu. Puis il a ajouté ces échoueries au brasier qui enflamme la grève de Cap-au-Marteau. Après quoi, il a sorti de ses poches le petit harmonica, l'a porté à sa bouche. Et depuis, c'est *La chicaneuse* qu'on entend, et c'est tout plein d'énergie, et ça sent bon comme seul l'été peut sentir bon aux Trois-Pistoles : rien de plus que cette infinité d'arabesques embrasant la profondeur de tout ce qui, toujours, sera le ciel de Québec.

11

Avant-dire

Le Québec s'est défendu comme il a pu, usant de moyens subtils dont le meilleur fut de donner au monde et au reste du Canada de fausses images de lui-même. Ce moyen avait des inconvénients, en particulier celui de nous mystifier nous-mêmes.

Jacques Ferron,
La théocratie de façade

La cabinet de médecin. (Photo : Daniel Fontigny)

Samm

Il y a combien de jours déjà que nous avons laissé la grève de Cap-au-Marteau et la vaste maison qu'Abel habite aux Trois-Pistoles depuis que la télévision s'en est allée de lui ? Tout ce que je sais, c'est que nous avons roulé longtemps dans la vieille Cadillac blanche dont les grands ailerons sont lumineux, moi comme ensommeillée contre l'épaule d'Abel. J'aurais voulu rester avec lui dans la vaste maison, ne serait-ce que pour profiter de tout ce plein que l'été faisait là. Mais Abel n'a pas voulu. Il a dit :

Abel

Je doute toujours de moi dès que le plein de l'été se fait au-dessus des Trois-Pistoles, parce que l'écrivain et le lecteur qu'il m'arrive d'être se ratatinent en moi comme une peau de chagrin. Alors je n'éprouve plus que ce besoin tout simple de n'être plus qu'un corps, aussi sauvage que le pays. Moi qui travaille presque tout le temps en deviens incapable : ce n'est plus ma table de pommier sur laquelle j'écris qui m'attire dès mon réveil, mais les longues herbes qu'il y a au-delà, les fleurs fleurifleurantes qu'il y a tout partout, la splendeur des épinettes noires, les oiseaux qui chantent dedans et ce chiendent des champs que le vent fait moutonner, pareil aux vagues de la mer. Quand c'est ainsi, j'ai beau vouloir résister, ce qui s'illumine grâce au soleil est plus fort que moi : je me dépouille de ma vieille peau et, enfin nu, je me laisse avaler par tout ce temps qu'il y a dans l'espace et par les odeurs qui le couleurent. Alors, je me retrouve dans cette talle de framboisiers et laisse simplement mes mains s'ensanglanter, heureux enfin, avec ces moutons qui bêlent dans le champ voisin et ce taureau, formidable avec son gros anneau dans le nez, qui grimpe la vache en chaleur. Lorsque Jacques Ferron a répondu au *Questionnaire Marcel Proust*, à la question : « Quel serait votre rêve le plus profond ? », il a dû en décevoir plusieurs quand il a dit qu'il oublierait volontiers toutes les lignes qu'il a écrites pour le simple plaisir de devenir cultivateur. Moi, je comprends ce rêve parce que c'est celui-là qui m'habite quand je me retrouve aux Trois-Pistoles dans le plein de l'été. Et il s'agit d'un rêve qui me sollicite tellement que je ne sens plus l'urgence des mots à faire venir, trop heureux de ce qui se réconcilie enfin dans mon corps. Et céder à cette sollicitation, cela voudrait dire que le pèlerinage que nous faisons dans les pays de Jacques Ferron ne pourrait être que compromis. Si cela devait arriver, je ne me le pardonnerais jamais. Tu comprends ?

Samm

J'ai insisté auprès d'Abel juste ce qu'il fallait pour qu'il accepte que Bélial, lui et moi, nous nous retrouvions ensemble tout au bout du chemin à Cauchon, là où toutes ces fleurs de framboises font autant de piqûres rougissantes dans le paysage. À trois, nous avons rempli ce grand vaisseau de framboises puis, tels les officiants d'un culte sauvage, nous avons tourné vers le ciel notre récolte tout en dansant autour de ce nid de guêpes. Abel était tout nu, pareil à moi, car c'est ainsi, dans notre enfance, que nous allions au fruitage, lui québécois et moi amérindienne : nul besoin de vêtements quand c'est le plein de l'été au-dessus de soi. Mais Bélial a gardé son grand chapeau, sa longue cape et sa patte de bouc : tout chauffeur qu'il soit de la vieille Cadillac blanche dont les grands ailerons sont lumineux, il ne pourra jamais tout à fait oublier le diable dont il procède. Aussi nous sommes-nous retrouvés assis, le vaisseau de framboises entre Abel et moi. Nous y avons plongé les mains pour nous barbouiller le corps de tout le sang de la terre. C'est la première fois que je touchais Abel et c'est la première fois qu'Abel me touchait vraiment : toutes ces petites morsures venant de la peau très tendre sur de la peau très tendre. Nous aurions pu en rester là jusqu'à la fin des siècles tant c'était bon à donner et à recevoir. Mais Abel a mis fin au cérémonial et a dit, en faisant revoler loin avec son pied le vaisseau de framboises :

Abel
Comment nous agissons, ce n'est pas correct envers Jacques Ferron. Ce n'est pas bien de se recouvrir de tout ce sang qu'il y a dans la nature quand lui, jamais, ne se l'est permis. Depuis que nous avons commencé ensemble ce pèlerinage, vous le savez aussi bien que moi : Jacques Ferron n'a jamais été du bord du plaisir. Il a toujours été du côté de l'exigence, et l'exigence c'est ce qui finit par mourir en soi à défaut que ça s'entende vraiment. Toi Bélial, tu devrais au moins avoir appris ça.

Bélial
Ce que je sais, c'est toute cette route que nous avons faite depuis que nous sommes partis du carré Saint-Louis. Et ce que je sais aussi, c'est que tôt ou tard, il faudra bien que nous en revenions là étant donné qu'après Louiseville, la Gaspésie et le Bas-du-Fleuve, c'est au carré Saint-Louis que les choses continuent, aussi bien pour Jacques Ferron que pour le reste. En tout cas, Moi Bélial, voilà ce que je prétends.

Abel
Et comme toujours, tu as raison. Car c'est rue Saint-Denis que j'ai revu Jacques Ferron. C'était en 1968, à cette époque où Jacques Hébert y avait pignon sur rue, comme éditeur et comme libraire. J'avais pris l'habitude d'aller aux cocktails qu'il donnait toutes les fois qu'il éditait un

Aux éditions du Jour. (Photo : James Gauthier)

ouvrage. Je m'y rendais avec Jean-Claude Brosseau que j'avais connu quand je travaillais à la Banque Canadienne Nationale, rue Roy. Joueur de saxophone, Jean-Claude Brosseau exerçait son métier dans ces boîtes de nuit de Montréal que fréquentaient exclusivement des homosexuels. Il était lui-même de la confrérie et ne s'en cachait pas car, comme bien de ses condisciples, il avait un talent certain pour l'exhibitionnisme et la provocation. Ça lui vaudra d'ailleurs de se faire transpercer de quarante-neuf coups de couteau par un garçon qu'un soir, il a invité dans son appartement, et qui ne comprit rien aux avances dont il était l'objet. Je ne saurais dire pourquoi je suis devenu l'ami de Jean-Claude Brosseau, mais peut-être n'était-ce que parce que j'admirais sa folie, moi qui en avais si peu à l'époque. Quoi qu'il en soit, je me retrouvais donc souvent au carré Saint-Louis avec Jean-Claude Brosseau. En ce temps, le carré Saint-Louis était un lieu que privilégiaient les homosexuels en mal de rencontres. Du carré Saint-Louis, ils remontaient la rue Saint-Denis avant de s'enfoncer dans le ventre de la ville. Les mercredis soir, ils n'avaient toutefois qu'à traverser la rue et qu'à entrer aux éditions du Jour où ils étaient toujours bien reçus par Jacques Hébert qui, toutes les semaines, sous le prétexte d'un cocktail de presse, accueillait tout le monde de ses grands bras ouverts. C'est l'un de ces mercredis soir-là que Jean-Claude Brosseau m'y entraîna. Ni lui ni moi n'avions été invités mais, avec Jacques Hébert, la carte d'entrée n'était pas de rigueur, le nombre constituant déjà une fête en soi pour lui. Entre les rangées de livres, on croisait donc une faune plutôt hétéroclite dont les homosexuels, groupés par petits tapons, dirigeaient le chorus. Pour un profane comme moi, c'était assez plaisant à voir et à entendre. Mais ce mercredi soir-là dont je parle a été véritablement exceptionnel parce que c'était pour Jacques Ferrron et ses *Historiettes* que pavoisait Jacques Hébert, content comme tout, y compris de la dédicace, un brin ironique, par laquelle s'ouvre le livre :

Bélial

« À Jacques Hébert qui publie n'importe quoi mais le fait avec amusement, ayant celui par exemple de ne pas me classer parmi les historiens, ces jocrisses qui, sous le prétexte de frégoter le document, ont été des faussaires et ont tout fait pour mettre le passé au temps mort — et pourtant l'histoire vit comme un roman. »

Abel

Pour comprendre la portée des *Historiettes*, même dans l'œuvre de Jacques Ferron, il faut savoir que, jusqu'à la parution de cet ouvrage, sa renommée n'en menait pas très large même s'il écrivait déjà depuis une vingtaine d'années. Mais Jacques Ferron avait d'abord eu le tort de publier ses livres à compte d'auteur et à petits tirages, ce qui n'était pas fameux, surtout sur le plan de la diffusion. Et puis, Jacques Ferron avait touché à tous les genres, passant allégrement des contes au théâtre, du théâtre au récit, et du récit au roman. Avec les *Historiettes*, il investissait un autre champ du discours, et pas le moindre celui-là parce que considéré jusqu'alors comme la chasse gardée de quelques scribes hautement patentés et diplômés qui, sous le prétexte d'écrire l'histoire, ne faisaient que la déformer. Comme Jacques Ferron l'a dit lui-même :

Bélial
« On ne peut se fier à rien ni à personne dans ce bordel de pays. Si je m'occupe d'histoire, c'est que la sottise des historiens me fâche. »

Abel
Ces historiens, Jacques Ferron les connaissait bien. Il en a parlé dans *Le cabinet des antiques*, ce texte dans lequel il raconte comment, au début des années cinquante, il est devenu membre de la Société historique de Montréal, grâce à son érudition et à la curiosité sans laquelle l'érudition même ne veut pas dire grand-chose. La curiosité, c'est ce qui vous permet de poser les bonnes questions et de trouver les bonnes réponses. Déjà, durant ses années d'études au collège Brébeuf, Jacques Ferron mettait en doute ce que, dans les manuels, racontaient les historiens : lisaient-ils mal les documents de première

main qu'ils consultaient et ne faisaient-ils que déformer la vérité historique afin de nous donner des héros qui n'en étaient pas vraiment rien que par complaisance par-devers le pouvoir établi, c'est-à-dire cette conjugaison du politique et du religieux, et tel que ça se mangeait dans les mains de l'un et de l'autre au début des années cinquante ? Ses *Historiettes*, Jacques Ferron les a écrites pour dénoncer les frégoteurs de documents, à commencer par Guy Frégault et l'abbé Lionel Groulx qui, d'un brigand comme Dollard des Ormeaux, ont voulu faire le symbole historique des Québécois.

Samm

Je connais cette histoire parce que, même si je viens de la réserve montagnaise de la Pointe-Bleue, c'est aussi ce qu'on m'enseignait à l'école, que Dollard des Ormeaux avait été le sauveur du Canada français contre les méchants Sauvages. Pourtant, la vérité est tout autre. Mais, pour la comprendre, il faut d'abord savoir comment a commencé le Québec. Dans ses *Historiettes*, c'est ce que Jacques Ferron établit. On y apprend que, bien avant 1534, les Européens longeaient les côtes gaspésiennes, à cause de la morue qu'ils y pêchaient. Les Français en ont été les maîtres très longtemps parce que, dans l'Europe occidentale, ils détenaient un véritable monopole sur le sel, ce qui leur a permis de substituer au hareng qui, en plus de ses arêtes, se conservait mal, la morue. Sans ce sel dont ils étaient les grands propriétaires, les Français n'auraient sans doute jamais accosté au Québec, ce en quoi ils auraient imité les Vikings et les Basques qui écumaient le fleuve bien avant eux.

Bélial

Mais, une fois que les Français ont accosté, ils n'ont pas agi différemment de n'importe quel autre peuple dominateur, c'est-à-dire qu'ils ne se sont intéressés aux Sauvages que pour autant que ceux-ci leur ouvraient les portes du pays, autrement dit pour le commerce. Le sel et la morue, c'était bien beau, mais ça l'était moins que ce nouveau commerce de la fourrure qui s'annonçait. Ça valait bien les Indes mythiques après lesquelles tout le monde courait depuis Marco Polo.

Abel
Et les Hurons étant le premier peuple amérindien que les Français ont trouvé sur leur chemin, ils leur ont fait le cadeau empoisonné de devenir leurs alliés, au détriment des Iroquois, beaucoup plus nombreux et beaucoup plus prospères qui, de Montréal, contrôlaient tout le pays. De cette méconnaissance du territoire et de ses habitants est venue cette ambiguïté qui, pendant longtemps, a empêché la Nouvelle-France d'atteindre à ses grosseurs.

Samm
Ça ne tenait toutefois pas qu'au commerce de la fourrure et au fait que les Français se soient alliés aux Hurons plutôt qu'aux Iroquois. Ça tenait davantage à ce qui se vivait en France, à toutes ces paumées et à tous ces paumés qui, à l'époque de la découverte des Amériques, pullulaient dans le nord du pays. Ce fut le cas notamment de Jérôme Le Royer de la Dauversière qui, simple échevin à La Flèche, devint propriétaire de toute l'île de Montréal, d'une congrégation religieuse et d'un hôpital. Et comment obtint-il tout ce butin-là ? Rien qu'en faisant le Tartuffe et en utilisant de pauvres filles comme Jeanne Mance pour arriver à ses fins. Expert en politicaillerie, monsieur de la Dauversière savait aussi très bien jouer de l'épinette religieuse, sa devise étant : *La fortune par Dieu et les œuvres de charité.* Pour Jacques Ferron, il ne fait aucun doute que monsieur de la Dauversière a été un fieffé imposteur, assez puissant pour tromper les Jésuites pourtant eux-mêmes plutôt bien greyés en la matière. Tout dévoué à l'Église qu'il se prétendait être, monsieur de la Dauversière n'en est pas moins mort riche et de la

L'arquebuse, qui permit à Champlain de repousser les Iroquois, fut un *gage de sécurité* pour la colonie naissante de Nouvelle-France et ses alliés hurons. Mais c'était une arme lourde, encombrante, au tir extrêmement lent.

GAGE DE SÉCURITÉ

Pour décourager ou repousser l'agression, l'Armée canadienne possède un équipement moderne et perfectionné qui est un *gage de sécurité* pour nos familles.

Les jeunes gens énergiques qui désirent servir leur pays peuvent se tailler une belle carrière dans l'armée. En plus de vous donner une excellente formation militaire, l'armée vous enseignera une spécialité technique, vous fournira gratuitement la nourriture, le vêtement, le logement, les soins médicaux et dentaires, sans compter une foule d'avantages. Et vous toucherez un bon salaire qui augmentera avec les promotions.

Pour un emploi stable dans des conditions agréables, pour l'occasion de travailler avec l'équipement le plus moderne qui soit, pour une vie dynamique et fière au service de votre pays — enrôlez-vous dans *votre armée*.

La moderne mitrailleuse Bren, dont se sert l'Armée canadienne tire dix balles à la seconde. Il suffit d'une minute pour y introduire et tirer 135 balles.

ENRÔLEZ-VOUS DÈS AUJOURD'HUI DANS

VOTRE ARMÉE

Dépôt des effectifs No 4, 772 ouest, rue Sherbrooke, Montréal, Tél.: HA. 6302
Dépôt des effectifs No 3, 3 Côte de la Citadelle, Québec, Tél.: 4-5940
Dépôt des effectifs No 13, Wallis House, Angle Charlotte & Rideau, Ottawa, Tél.: 9-4507

Le mépris, même en 1954.

gravelle, une maladie qui n'est pas particulièrement le fait des gens continents. Dans l'historiette qu'il lui consacre, Jacques Ferron prétend que monsieur de la Dauversière a servi de modèle à Molière quand ce dernier a écrit son *Tartuffe*. Et dire que c'est cet animal-là que les bonnes sœurs de l'Hôtel-Dieu de Montréal voudraient voir canoniser à Rome ! ironise Jacques Ferron. Évidemment, la tentative de faire canoniser monsieur de la Dauversière n'ira pas très loin, tout comme celle dont Jeanne Mance, sa protégée, fit les frais à peu près à la même époque. Dans ses *Historiettes*, Jacques Ferron n'est pas tendre non plus pour Jeanne Mance, elle qui se trouvait si paresseuse qu'elle n'entretenait même pas son jardin, le laissant aux ronces et au chiendent.

Abel

En fait, Jacques Ferron se livre dans ses *Historiettes* à un véritable équarrissage de la pensée dite historique des frégoteurs de documents, et particulièrement pour tout ce qui concerne les débuts de l'établissement du Québec comme société. Après avoir bastonné Jeanne Mance et monsieur de la Dauversière, il règle joyeusement le compte de Chomedey de Maisonneuve, le fondateur de Montréal qui était si poltron qu'il ne sortit qu'une fois en vingt ans du fort dans lequel il se terrait pour courir sus aux Iroquois. Monsieur de Maisonneuve avait plus de talent pour l'intrigue et la bigoterie dont il s'était fait un monopole. Aussi, en 1643, quand monsieur de la Barre arrive à Montréal à la tête d'une soixantaine d'hommes, Chomedey de Maisonneuve en prend-il ombrage : le renfort est précieux mais pas la venue d'un rival dans la place, surtout que monsieur de la Barre se prétend fort dévot, porte à sa ceinture un grand chapelet avec un grand crucifix qu'il a quasi incessamment devant les yeux. Jacques Ferron a écrit :

Samm
« Les voici donc, de la Barre et Maisonneuve qui se surveillent, qui minaudent et se détestent comme deux matous du bon Dieu. Finalement, c'est Maisonneuve qui l'emporte. Il a remarqué que la Barre a du goût pour les sous-bois ; il le fait suivre et surprendre avec une sauvagesse ; la sauvagesse est grosse : la Barre l'aura engrossée ! Il n'en faut pas davantage pour mettre celui-ci aux fers et le renvoyer en France comme le dernier des criminels. »

L'abbé Lionel Groulx.

Abel
On n'en finirait plus de citer, ne serait-ce que grâce aux *Historiettes*, tous les actes dérisoires qui ont marqué les commencements de la Nouvelle-France, tant du point de vue politique que du point de vue religieux. Jacques Ferron s'amuse à les relever l'un après l'autre, rétablissant les faits dans leur véritable perspective, ce qui, on le comprend aisément, ne pouvait qu'attirer sur lui les foudres aussi bien des historiens hautement patentés et diplômés que celles du monde ecclésiastique. La polémique qui mit aux prises Jacques Ferron et l'abbé Groulx en fut sans doute l'apogée. Auteur de la fameuse expression : « Notre État français et catholique, nous

l'aurons ! », l'abbé Groulx pratiquait un nationalisme de droite, celui que ses lectures de Maurras et de Barrès lui avaient inspiré. Prêtre, il mettait bien obligatoirement l'Église au-dessus de tout. Déjà fâché que Jacques Ferron s'en prenne aux nonnettes de la Nouvelle-France et à leurs prétendus maîtres spirituels, l'abbé Groulx ne se retient plus de colère quand l'auteur des *Historiettes* s'attaque à Dollard des Ormeaux. La mystification commence au milieu des années vingt alors que le Québec sort de l'hiver de force où il s'est tenu jusqu'alors. Le nationalisme succédant au patriotisme, les Québécois partent à la recherche de héros qui vont enfin symboliser leur résistance et les galvaniser dans leurs nouvelles revendications. L'abbé Groulx saute sur l'occasion et propose Dollard des Ormeaux comme héros national. Trente ans après, Jacques Ferron s'en mêle et, dans une série d'historiettes intitulée *Sieur Dollard, trois fois mort*, démontre définitivement que le héros proposé n'est qu'un aventurier sans vergogne spécialisé dans le vol des fourrures sur l'Outaouais. En plus, ces fourrures-là, le sieur Dollard les enlève aux Amérindiens, et plus particulièrement aux Iroquois, ces Iroquois dont les Français n'ont pas voulu, eux qui étaient pourtant les maîtres du commerce sur le Saint-Laurent et ses affluents. Des Iroquois dont il a toujours eu un grand respect, Jacques Ferron a écrit ceci, qui est plus qu'un hommage, mais le portrait le plus juste qu'on en puisse faire :

Bélial

« Les Iroquois, ainsi nommés parce qu'ils concluaient leurs harangues par le mot *Hiro, j'ai dit*, se donnaient eux-mêmes le nom de *Hottinonchiendi*, qui signifie cabane achevée, ou si l'on veut, cité parfaite. Ils n'avaient pas de clous ni de ferrements, d'animaux domestiques sauf le chien ; leur vestimentaire laissait à désirer, mais ils attachaient à la parole toute son importance. Nus ou revêtus de peaux de bêtes, ils étaient des Athéniens comparés aux Mistigoches, les Français comme ils les appelaient. ‹ La démocratie brillait chez eux dans tout son éclat ›, écrit l'abbé Ferland, cet historien remarquable, cet homme méconnu. Le peuple était libre, chaque bourgade indépendante, tout chef de famille maître de ses actions et dans la cabane chaque enfant réclamait une liberté presque illimitée. Cette masse de liberté était bien propre à embarrasser la marche des affaires ; aussi les chefs avaient besoin d'une grande habileté pour les diriger, n'ayant d'autres moyens à leur disposition que la persuasion, la libéralité et la confiance qu'ils pouvaient inspirer. Il n'était pas aisé de garder la cabane achevée ; sa perfection restait précaire. Mais le système offrait l'avantage de former de grands orateurs, des politiciens avertis, des hommes supérieurement intelligents. À l'arrivée des Blancs, les Iroquois n'étaient pas belliqueux ; leur hégémonie sur le fleuve tenait à la supériorité du paysan sur le chasseur, du sédentaire sur le nomade ; elle se fondait sur le commerce et la politique. Que pouvaient-ils contre la force ? contre ces Mistigoches qui n'avaient que des intérêts, qui se refusaient à tout contact humain, bousculant politesse et cérémonial, qui ne leur reconnaissaient aucun droit et

Un chef iroquois.

s'accordaient toute permission? Comment une civilisation fragile, toute verbale, eût-elle pu résister à cette intrusion barbare? Il y avait d'ailleurs sur le fleuve un va-et-vient de peuples attirés par la traite qui entraînait des violations de territoires; c'était là un brandon de discorde. Que firent les Iroquois? Ils se mirent à l'abri, se retirant à l'intérieur des terres, au sud du Saint-Laurent avec lequel ils restèrent en communication par la Richelieu. Ils n'abandonnèrent pas leurs droits sur l'île de Montréal; aucun peuple n'osa s'y établir après leur départ, quel que fût l'avantage du site. Leur hégémonie sur le fleuve passa aux Mistigoches, qui firent ainsi le lit de nos vaillants ancêtres, de nos saints missionnaires. Quant aux autres nations du fleuve, devenues libres, que gagnèrent-elles? Elles se moulèrent sur l'idée que le Blanc se faisait du Sauvage et devinrent franchement barbares. Les Mistigoches ne cultivaient pas de maïs pour elles. La famine les décima. En 1608, elles ne formaient plus que quelques bandes ‹ de pauvres misérables ›, dit Champlain. Sous l'aiguillon de la mort, elles s'étaient retournées contre leurs anciens protecteurs, portant la guerre dans le pays. Les Iroquois, en peuple intelligent qui sait s'adapter aux circonstances, ne tardèrent pas à s'aguerrir ; ils

Le concert d'Oka, toile de l'abbé Guindon.

passèrent à l'attaque. Les Français, qui s'étaient sottement alliés à leurs ennemis, en furent gênés pour tout un siècle. Qu'ils étaient méchants, ces Iroquois ! On leur en voulait sans doute de ne pas s'être laissés annihiler tout simplement. »

Abel

C'est dans ce contexte qu'il faut comprendre la guérilla que les Français et leurs alliés hurons livraient aux Iroquois, au moyen d'expéditions qu'ils organisaient ou bien de Québec ou bien de Montréal. Celle de Dollard des Ormeaux commence en 1660 à Québec, avec quarante Hurons qui s'embarquent pour l'Outaouais où l'on compte bien chiper aux Iroquois les fourrures qu'ils rapportent des pays d'en haut. Aux Trois-Rivières, six Algonquins se joignent à l'expédition et, à Ville-Marie, dix-sept Français. La petite armée se retrouve ensuite au Long-Sault où, dans ce fort qui sert de refuge, elle est assaillie par un parti d'Iroquois. Les dix-sept Français y périssent, victimes d'un baril de poudre que Dollard des Ormeaux, selon la version de l'abbé Groulx, veut lancer hors du fort mais qu'une branche stoppa malencontreusement, le faisant exploser à l'intérieur. Pour avoir lu les mémoires de Radisson, Jacques Ferron conteste cette version : ce sont les assaillants qui, toujours, lancent le baril de poudre dans le fort et non pas les assiégés. Le feraient-ils d'ailleurs qu'ils n'en tireraient aucun avantage, comme le démontre lui-même Radisson. Mais les frégoteurs de documents ne s'embarrassent pas de tels détails quand ils veulent créer un mythe à tout prix. Les *Relations des Jésuites* mentionnent-elles que les Iroquois ne perdirent que vingt hommes dans la bataille du Long-Sault, voilà qui est bien trop peu pour les frégoteurs : de vingt, on passe aisément à cent, puis à deux cents. Il faut bien exagérer pour faire un héros d'un brigand qui n'a pas eu de veine. Si Jacques Ferron a écrit autant de lignes sur le sujet, qui même aujourd'hui est loin d'être dépassé comme le démontre ce qui se passe entre les nations amérindiennes du Québec et nous-mêmes, c'est que, dans les années cinquante et soixante, le pouvoir politique et religieux entretenait plus que jamais, et comme maintenant, le grand mensonge, aussi bien sur les Iroquois que sur ce que nous sommes. N'oublions jamais que, dans les années cinquante et soixante, ce même pouvoir politique et religieux, toujours appuyé par les frégoteurs de documents, voulait sacrer héros Dollard des Ormeaux pour mieux occulter l'importance de Jean-Olivier Chénier, chef de la rébellion de 1837 qui, par son action et sa mort, ouvrit le Québec à un nationalisme qui n'était enfin plus de droite. Ne serait-ce que parce que, dans ses *Historiettes*, Jacques Ferron rappelle tout cela à notre mémoire collective qui en a toujours grand besoin, son travail n'aura pas été vain. Ce n'est pas le travail d'un radoteux comme ses détracteurs se sont complu à le dire, mais celui d'un renoteux, celui qui a écrit : « Ce qu'on désapprend des autres, on le réapprend aussitôt par soi-même et l'on n'a plus de mal à le retenir : on le possède. » Aussi, dans les *Historiettes* de Jacques Ferron, on voyage du ponant au levant, de la mer océane au septentrion, de Cyrano de Bergerac à Copernic, de Monseigneur Bruchési aux lectures de Paul Claudel, des Mistigoches aux Sagamos. C'est que Jacques Ferron est pareil au pays et qu'un pays n'avance jamais droit parce qu'il n'obéit qu'à des accidents de terrain, toute sa substance refluant dans l'avenir car c'est le mouvement qui compte, c'est-à-dire ce qui se continue dans le progrès, envers et contre tous. Quel sens plus grand pourrait-on donner à l'écriture, ce « procès de la civilisation » comme a encore écrit Jacques Ferron?

Samm

Abel a tiré sur ses genoux le portuna au cuir tout vermoulu puis, après l'avoir ouvert, il a mis dedans les *Historiettes* de Jacques Ferron. Il aurait pu nous en parler encore longuement, mais c'est aussi le plein de l'été au-dessus de Montréal qui s'en vient vers nous. Et le plein de l'été, c'est tout ce qu'il y a de privé en soi, à cause que le soleil vous ramène à vous-même et à tout ce sang chaud qui coule dans vos veines et qui est une totalité en soi, comme l'écriture, et comme la lecture aussi. Pour avoir lu le *Pour saluer Victor Hugo* d'Abel, je comprends le geste qu'il vient de faire en glissant les *Historiettes* de Jacques Ferron dans le portuna au cuir tout vermoulu. On ne peut pas tout dire de la beauté que les autres ont mis tant de temps à faire venir. Même que cette beauté-là, on voudrait la garder pour soi afin qu'elle ne devienne pas n'importe quoi, aussi bien par-devers soi que par-devers les autres. À quinze ans, c'est ainsi que pensait Abel alors qu'il lisait *Les misérables*, dont il ne voulait parler à personne parce qu'il craignait qu'en le faisant cette beauté qu'il y découvrait se gommerait à jamais. Mon regret comme Amérindienne est de ne pas avoir de livres sacrés grâce auxquels j'aurais pu me définir comme c'est possible pour Abel de le faire, que ce soit avec *Les misérables* de Victor Hugo, *Docteur Sax* de Jack Kerouac, *Moby Dick* de Herman Melville et ces *Historiettes* de Jacques Ferron que nous venons de lire sur cette longue route qui mène des Trois-Pistoles à Montréal. Mais le pays n'en a pas moins changé entre-temps. Je veux dire : il ne me semble pas que je vais voir désormais le carré Saint-Louis et la rue Saint-Denis comme je les ai vus avant qu'Abel et moi, nous n'entreprenions notre pèlerinage. Quelque chose a changé dans le fond de l'air. Rue de Bullion, Bélial fait stopper la vieille Cadillac blanche dont les grands ailerons sont lumineux. Il ouvre la portière et sort, tout de suite imité par Abel et par moi. Bélial va devant nous, claudiquant sur sa patte de bouc. Sur son chapeau à larges bords se tient le corbeau noir de mes origines. De le voir là devrait m'apeurer, ne serait-ce que pour le goût du sang qui me revient à la bouche. Mais je ne crains plus rien, je crois bien maintenant. Je veux juste m'enfoncer encore plus creux dans cette voyagerie que Bélial, Abel et moi avons commencée. Le gouffre n'a plus odeur de nuit mais celle de ces framboises dont Abel et moi nous sommes barbouillé le corps au fin bout du chemin à Cauchon. Nous allons nous asseoir sur ce banc du carré Saint-Louis qui fait face à la fontaine, moi entre Abel et Bélial. Abel dit :

Abel

Nous allons laisser le temps aux Trois-Pistoles et aux *Historiettes* de se défaire en nous, puis avec Jacques Ferron nous allons *marcher* la rue Saint-Denis, dans le sens que mon grand-père cultivateur donnait à cette expression, pareil d'ailleurs à Jacques Ferron avec qui je l'ai fait, en ce temps où je n'étais pas né encore. Au prochain épisode, c'est là où nous en serons, dans de la grande affection par-dessus la tête.

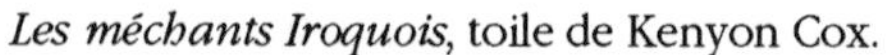

Les méchants Iroquois, toile de Kenyon Cox.

12

Avant-dire

L'honneur des buveurs de pepsi, donc du Québec impérial, est de se situer à un niveau supérieur au kik, de sublimer le coup de pied en un pet photogénique, tandis que l'honneur des buveurs de coke est d'être supérieurs aux buveurs de pepsi et d'avoir assez de décence pour se contenter de vesser, quitte à empester le monde entier.

Jacques Ferron,
Coke-pep-kik

Jacques Ferron vu par le caricaturiste Isaac Bickerstaff.

Bélial
Nous avons laissé le carré Saint-Louis et traversé la rue Saint-Denis, Moi Bélial tenant le bras d'Abel et lui celui de Samm. À l'origine, c'est à l'angle de la rue Saint-Denis et de la rue Sherbrooke que Jacques Hébert avait établi sa maison d'édition, dans un édifice qui avait appartenu à son père, un médecin dont les mauvaises langues prétendaient qu'il avait fait fortune grâce aux avortements clandestins que les bourgeoises de l'ouest de la ville lui demandaient de pratiquer, ce qui ne l'a pas empêché de devenir consul d'un petit pays de l'Amérique du Sud.

Samm
C'est Abel qui nous raconte l'anecdote alors que nous traversons la rue Sherbrooke avant de nous arrêter devant les *Terrasses Saint-Denis*. Tout comme Claude Gauvreau, Abel y a habité à la fin des années soixante. À cette époque, son mariage n'allait pas très fort et il avait quitté sa femme, n'apportant avec lui que quelques-uns de ses livres et la vieille Underwood sur laquelle il retapait ses manuscrits.

Bélial
Abel n'est toutefois pas resté très longtemps aux *Terrasses Saint-Denis*, à cause de l'argent qui lui manquait pour payer le loyer de son appartement. Il s'est donc retrouvé tout en bas de la rue Saint-Denis, dans ce *Tourist Rooms* où il a loué une petite chambre aussi minable que celles qu'il habitait quand il séjournait à Paris. Abel travaillait

alors à mi-temps aux éditions du Jour qui, tout comme lui, avaient descendu la rue Saint-Denis pour s'établir presque en face de la Bibliothèque Nationale. À cette époque, il n'y avait pas beaucoup de cafés et de bars dans la rue Saint-Denis : on n'y retrouvait que le vieux *Théâtre Saint-Denis*, la galerie d'art *Morency*, la librairie *Déom*, le marchand de bicyclettes *Quilicot*, l'épicerie vétuste du bonhomme Demers, quelques restaurants dont la pizzeria *Chez Napoli* et toutes ces maisons de chambres qu'on louait à la petite journée ou à la petite semaine aux touristes mal nantis et aux Montréalais aussi démunis qu'Abel l'était alors. Abel dit :

Abel

Jacques Hébert n'a jamais su que j'habitais juste à côté des éditions du Jour, dans une minable chambre de *Tourist Rooms*. S'il l'avait appris, je pense qu'il en aurait été mortifié. Moi, ça ne me faisait rien étant donné que, depuis mon enfance, je n'avais connu que la pauvreté et la promiscuité qui vient avec. Quand on a passé la majeure partie de son enfance et de son adolescence à dormir à trois dans le même lit et à six dans la même chambre, c'est déjà pour soi une amélioration que de se

L'auteur et Jacques Ferron au lancement d'une campagne du Parti Rhinocéros.

retrouver enfin tout seul dans n'importe quelle chambre minable de la rue Saint-Denis. Et puis, ce n'était pas si terrible que cela : quand on ne fait qu'écrire, c'est sur le papier que naît la beauté et non pas dans l'espace où l'on se tient pour ainsi dire à son corps défendant. À part cela, je dois dire que j'ai beaucoup appris en vivant ainsi dans ce *Tourist Rooms*. J'y ai connu des personnages qui, par leur excentricité, valaient bien ceux du *Bleu du ciel* de Georges Bataille. Par exemple, il y avait ce vieil homme qui, tout nu, prenait sa douche tout en se masturbant et en jouant de la musique à bouche. Il y avait aussi Blanche, la première maîtresse que j'ai eue et qui, d'aussi loin que de Joliette, venait me retrouver au *Tourist Rooms* pour simplement faire l'amour avec moi. Après, on se promenait dans la rue Saint-Denis, heureux quand nous rencontrions Gaston Miron toujours en train de soliloquer, ses mâchoires allant de tous bords et de tous côtés tandis qu'il se frappait rageusement le ventre avec la ceinture de son pantalon. Et toutes ces vieilles librairies aussi, où nous entrions, Blanche et moi, y bouquinant pendant des heures, nous assoyant par terre dès qu'un livre, pour nous paraître plus fascinant que les autres, nous sollicitait par l'absolu qu'il représentait. C'est d'ailleurs dans l'une de ces vieilles librairies-là qu'un jour je me suis retrouvé face à face avec Jacques Ferron. Il avait laissé son bureau de médecin du chemin de Chambly comme il le faisait régulièrement pour venir prendre le frais dans la rue Saint-Denis, ainsi qu'il le disait lui-même. Mais, cette fois-là, Jacques Ferron ne portait pas un macaron de Pierre Elliott Trudeau épinglé au revers de son veston. C'était un superbe rhinocéros, celui dessiné par Albrecht Dürer, qu'il arborait. Jacques Ferron a mis la main dans l'une de ses poches, en a sorti un macaron tout pareil à celui qui lui décorait le poitrail et me l'a accroché sur l'énorme cravate que je portais. Après, il m'a remis cette carte qui faisait de moi l'un des nombreux vice-présidents du Parti Rhinocéros et, tout en me donnant dérisoirement l'accolade, il a dit :

Le rhinocéros orateur
et Wéziwézo (Raoul) Duguay.

Bélial
« Vous voilà vice-président à vie du Parti Rhinocéros et moi je serai dorénavant pour vous l'Éminence de la Grande Corne. Que Bélial vous vienne en aide, mon fils ! »

Abel
À cette époque-là, je ne peux pas dire que la politique me sollicitait vraiment. Quand on vit en caricature de démocratie, que pourrait-elle bien représenter, sinon ce qu'elle pourrit en soi et chez les autres ? Un temps, j'ai bien aimé entendre les discours que faisait Pierre Bourgault dans la grande salle du *Gésu* quand est né le Rassemblement pour l'indépendance nationale. Je m'y rendais avec mon frère et ses amis comédiens, nous y passions la soirée à applaudir puis nous nous retrouvions dans un petit café, à placoter à propos de notre aliénation collective. J'étais membre du Parti, cela va de soi, mais ça s'arrêtait là pour moi qui ne voyais de pays possible que par l'écriture. En ce sens-là, le cheminement de Jacques Ferron a été aux antipodes du mien. S'il s'est terminé par cette superbe folie qu'a été le Parti Rhinocéros, ce n'est évidemment pas sans raisons. Mais, pour que je le comprenne, il a fallu que Jacques Ferron me l'explique. C'est ce à quoi il s'est employé quand nous sommes sortis de cette vieille librairie pour nous promener dans la rue Saint-Denis avant de nous retrouver, je ne sais plus trop comment, dans la minable chambre de mon *Tourist Rooms.*

Samm
J'aurais voulu être là pour voir et entendre comment c'était.

Abel
Rien de plus simple. Car des minables chambres comme celles qu'il y avait alors dans la rue Saint-Denis, il en existe encore. Nous n'avons qu'à en louer une, ne serait-ce que pour quelques heures.

Samm
Je n'ai pas le temps de dire à Abel que je ne faisais que parler pour parler : le voilà déjà qui traverse la rue et va frapper à cette porte sur laquelle est collée une affichette « Chambre à louer ». Il sonne. Une vieille femme qui porte des lunettes noires lui ouvre. Un temps, elle et Abel parlementent. Puis la vieille femme disparaît. Abel nous fait signe d'aller le rejoindre. Bélial et moi, nous traversons la rue Saint-Denis à notre tour et montons l'escalier. La minable chambre est sous les combles. Le papier peint qui en tapisse les murs et le plafond décolle de partout. Le lit est une vétuste couchette de fer dont le sommier craque dès que je m'assois dessus. Il y a une petite table sous la lucarne, avec une bouteille de jus d'orange dessus et des fleurs de plastique dedans. Ça sent la mort, ça sent cette odeur singulière qu'exhibent les choses quand elles restent enfermées trop longtemps. Bélial et Abel se sont assis de chaque côté de la petite table, sur des chaises droites et bancales. Abel dit :

Abel
C'est dans une chambre semblable à celle-ci que je me suis retrouvé avec Jacques Ferron, moi le questionnant sur ce qui l'avait amené, en 1963, à fonder le Parti Rhinocéros, lui qui, dès son séjour en Gaspésie, avait découvert le communisme.

Bélial
Mais, avant d'être communiste, Jacques Ferron fut d'abord libéral, à cause de son père, organisateur pour les Rouges dans le comté de Maskinongé. Quand il était étudiant à la faculté de médecine de l'Université Laval à Québec, Jacques Ferron faisait des discours pour les candidats libéraux de la région, discours pour lesquels on le payait vingt dollars.

Abel
Il ne s'agissait là que de petits textes de circonstance qui permettaient à Jacques Ferron de se faire un peu d'argent de poche : il ne se sentait nullement concerné par ce qu'il disait. Quant à son adhésion au Parti communiste, on sait depuis *La nuit* que c'est en chantant *l'Internationale* que Jacques Ferron s'est guéri de sa tuberculose. Une fois sorti du sanatorium de Sainte-Agathe, il n'a pas mis de temps à déchanter, le communisme tel qu'il était pratiqué en Canada n'ayant aucun sens pour les Québécois, pas plus d'ailleurs que ce qui lui a succédé quand Louis Saint-Laurent, Maurice Duplessis et Hal Banks se mirent ensemble pour détruire le Parti, qui contrôlait alors trois grands syndicats : celui des électriciens, celui des marins et celui des tisserands de Madeleine Parent. Le Parti communiste aboli, un autre fut créé : le Parti social-démocratique, l'ancêtre du Nouveau Parti démocratique de maintenant. Jacques Ferron en devint membre et, en 1955, se porta candidat aux élections fédérales, avec son ami Michel Chartrand comme organisateur. Bien sûr, Jacques Ferron ne fut pas élu, pas plus d'ailleurs qu'aucun autre candidat québécois. Jacques Ferron mit cinq ans à comprendre la leçon puisque ce n'est qu'en 1960 qu'il fera ses adieux au PSD, dans un texte qu'il fit publier dans *La Revue socialiste*. En voici un premier extrait :

Bélial
« Lorsque Lord Durham, le seul Anglais de génie qui nous ait fait l'honneur de sa présence et dont le fameux rapport est un chef-d'œuvre de la littérature politique, arrive au Canada, il saisit immédiatement le problème : ‹ Je m'attendais à trouver un conflit entre un gouvernement et un peuple, je trouve deux nations en guerre au sein d'un même État ; je trouve une lutte, non de principes, mais de races. Je m'en aperçus : il serait vain de vouloir améliorer les lois et les institutions avant d'avoir réussi à exterminer la haine mortelle qui maintenant divise les habitants du

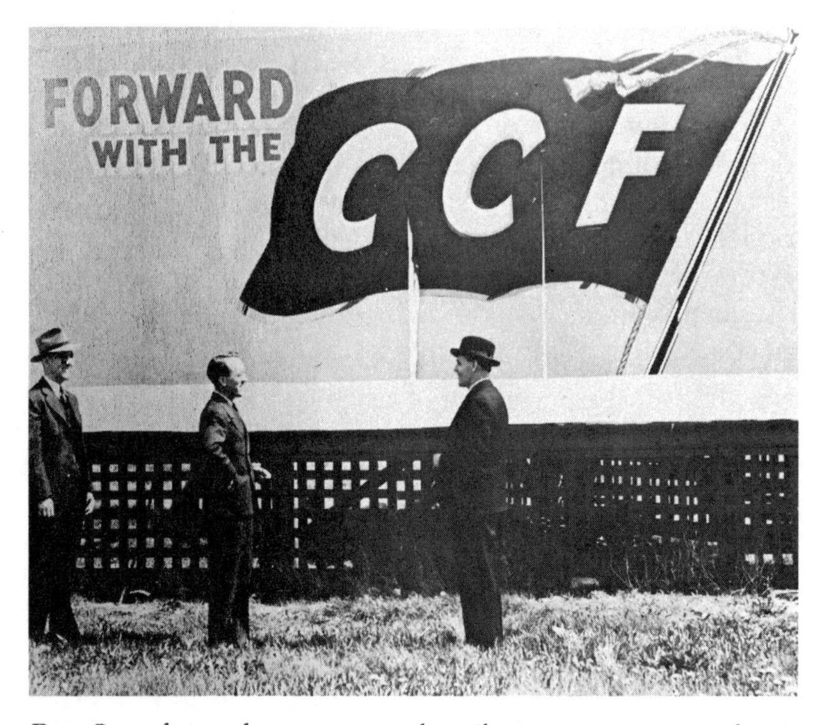

Bas-Canada en deux groupes hostiles: Français et Anglais. › Cet aimable grand seigneur ne nous a pas été favorable: il était à l'emploi de l'impérialisme anglais et ne pensait qu'à le bien servir. Il a été notre ennemi et ne s'en est pas caché. Mais il aura été lucide, cynique, intelligent. Ces qualités me le font aimer. Après lui nous tombons dans le sirop. Tous les politiques anglais qui lui succéderont jusqu'à Frank Scott inclusivement seront de fieffés hypocrites. À cause de son humanisme, j'avais espéré plus de la CCF, je me suis trompé. Le socialisme de nos compatriotes anglais n'est qu'un masque pour continuer la seule politique qu'ils aient jamais eue au Canada : imposer leur domination, *catchup* on the *steak coast to coast.* Là-dessus ils ne transigent jamais. Ils sont implacables. Oh ! ils ont quand même une belle âme. La belle âme est de leur programme : *catchup and* belle âme on the *steak coast to coast.* Seulement c'est la belle âme du pharisien. »

Abel

Et cette belle âme du pharisien, Jacques Ferron la retrouve dès que, au congrès du PSD, il présente cette résolution sur l'autodétermination possible et souhaitable du Québec. Comme on s'en doute, les Anglais sont contre, à commencer par Frank Scott. Jacques Ferron argumente, situant le problème sur trois plans. Le premier est bien évidemment historique. Les Canadiens français forment une nation, écrit Jacques Ferron. Le Québec est un État susceptible d'accroître ses pouvoirs : cela est évident, indiscutable. Pourquoi ? Pour la raison historique suivante :

Bélial

« Depuis la répression de 1838 et le rapport Durham, qui montraient clairement la volonté de l'occupant d'angliciser sa conquête, il fallait se contenter de peu ; ce fut ainsi que la confédération en nous taillant dans le Canada une part qui fut quelque peu à nous fut créée : le Québec était, en 1867, une constitution acceptable. D'autant plus qu'à cette époque, dans un Canada rudimentaire où le Farouest finissait à Saint-Boniface, où Winnipeg n'avait pas encore supplanté cette capitale française, il nous était permis d'envisager la possession d'autres provinces. Cela explique que jusqu'à ces dernières années, notre nationalisme n'ait pas été québecquois mais canadien. Avec Laurier et son ombre, Bourassa, nous avons lutté en dehors de nos frontières. Et nous avons été battus. Cette défaite a commencé à se dessiner dès 1885, lorsque Riel a été pendu, elle était manifeste en 1917 lorsque le gouvernement fédéral, loin de servir à nos fins, comme nous l'avions espéré, s'est retourné contre nous et nous a imposé une conscription dont nous ne voulions pas. Nous avons été obligés de retraiter, laissant derrière nous des minorités qui n'ont aucun avenir, dont le sort sera celui des Français de la Louisiane et de la Nouvelle-Angleterre. Et nous voilà donc dans nos frontières, revenus de toute illusion. Dans des frontières assez grandes pour que le territoire qu'elles contiennent soit appelé pays, un pays dont les provinces seraient entre autres l'Abitibi, le Saguenay, la Gaspésie, etc. Puisque nous n'avons pas réalisé dans le Canada les ambitions que la constitution de 1867 nous permettait d'avoir, cette constitution qui nous donne dans le Québec une demi-autorité devra être amendée pour que nous y exercions, comme toute nation normale, les pleins pouvoirs. »

Abel
Il y a une deuxième raison qui milite en faveur de l'autodétermination du Québec, et c'est la langue. Comme a encore écrit Jacques Ferron :

Bélial
« Deux grandes langues de même origine et du même âge, qui sont chacune le véhicule d'une même civilisation dite occidentale, la française et l'anglaise, ne peuvent faire ménage ensemble et coucher dans le même pays. L'une est de trop. Le bilinguisme, tel qu'on le pratique dans un État simple comme la province de Québec (je ne mets pas en cause le bilinguisme du Canada, confédération d'États), aboutit nécessairement à l'unilinguisme. »

Abel
Quant à la troisième raison avancée par Jacques Ferron dans son article, elle concerne le statut politique du Québec, unique au monde :

Bélial
« Dans tous les autres États qui groupent plusieurs nations, chaque nation y occupe un territoire à elle et n'y parle que sa langue, le bi- ou le trilinguisme n'existant qu'à l'échelon confédératif. Ce que tout le monde sait. Pourtant, Frank Scott m'objecta : ‹ Et la Suisse ? › ‹ En Suisse, monsieur, lui répondis-je, les cantons français ne parlent

que le français et ils touchent à la France, un appui que nous n'avons pas. › Le très digne et très estimé Frank Scott ne répliqua pas ; il ne parut pas surpris non plus de ma réponse. Il m'avait demandé : ‹ Et la Suisse ? › dans l'espoir de berner un ignorant. Une objection aussi fallacieuse m'étonne beaucoup de la part d'un homme qu'on dit honnête. Pour finir, j'apportais aussi pour raison notre anglicisation rapide dans la province de Montréal, l'urgence pour un parti socialiste de faire sienne une revendication nationale aussi sérieuse, ne fût-ce que pour empêcher la droite de s'en emparer et de la gâter. »

Abel
Pas plus en 1960 que maintenant, les anglophones ne pouvaient accepter les arguments de Jacques Ferron qui, comme on l'a vu avec la saga loufoque de l'accord du lac Meech, restent toujours valables. Jacques Ferron a donc quitté le PSD et, comme beaucoup de Québécois, est rentré sur ses terres, convaincu qu'il n'appartenait plus qu'à nous d'être ce que nous voulions être, sans compromis, ce qu'au début des années soixante a d'abord représenté le Rassemblement pour l'indépendance nationale, puis le Mouvement souveraineté-association qui a donné naissance au Parti québécois. Si le Parti Rhinocéros l'a précédé, c'est qu'en 1963, alors que tout n'était encore qu'ébullition, il fallait bien rendre risibles tous ces ministres et députés québécois qui siégeaient à Ottawa sans même savoir ce qu'ils y faisaient vraiment, trop contents des privilèges qu'ils en retiraient personnellement pour se rendre compte du reste. Mais pourquoi Jacques Ferron et ses complices ont-ils choisi le rhinocéros comme symbole du parti qu'ils ont fondé?

Bélial
Ils ont été inspirés par ce qui, quelques années auparavant, était arrivé au Brésil. Ne voulant d'aucun des candidats qui se présentaient, les électeurs du district de

Sao Paulo ont reporté leurs bulletins de vote sur cet hippopotame qui faisait la gloire du zoo de la ville. Et c'est l'hippopotame qui a obtenu le plus de voix. Mais pour Jacques Ferron et ses complices, le rhinocéros convenait mieux au Québec et aux ministres et députés qui le représentaient à Ottawa. Comme a écrit l'encyclopédiste Quillet :

Samm

« Les rhinocéros sont de grands animaux à formes lourdes, massives et trapues, caractérisés par la présence sur le nez d'une ou deux cornes solides, ainsi que par la forme des pieds et le système dentaire. Les pattes sont courtes et trapues, la queue est courte et rudimentaire. Enfin la peau, rugueuse, est tellement dure, épaisse et sèche, qu'elle forme une sorte de cuirasse. Les rhinocéros sont des animaux d'une grande force et d'un naturel stupide, mais non féroce. Ils sont herbivores et vivent dans les lieux humides, cherchant la fange où ils aiment se vautrer. Bien que le poids de leur corps soit énorme, ces animaux fournissent une course rapide qui consiste en un trio redoublé et allongé. »

L'hippopotame de Sao Paulo.

Abel

Avec un animal tel que le rhinocéros, il était normal que ce soit le dérisoire qui prenne toute la place, comme on peut le lire dans la *Proclamation des idéaux du Parti Rhinocéros* :

Bélial

« Nous saluons du plus profond de nos cœurs et cornes les chômeurs, ces braves gens qui ne travaillent pas ni été ni hiver pour obtenir leur dû : c'est notre devoir d'encourager la prolifération d'une telle existence dans toute la société ; c'est notre devoir également de donner à ces citoyens un salaire plus élevé encore qu'à ceux qui sont assez stupides pour travailler. Et nous du Parti Rhinocéros, nous nous engageons à faire disparaître toute disparité régionale, en commençant par ces pics audacieux qui percent les nuages, à l'ouest du pays : il faut raser les montagnes Rocheuses jusqu'à ce qu'il n'en reste aucune trace ; ainsi on aura éliminé la seconde odieuse bizarrerie du Canada, après la province de Québec. C'est la seule façon de donner du plein emploi à l'abondante machinerie du pays. Avec la collaboration de Monseigneur Chinchilla, auxiliaire de la métropole de ce grand pays, directeur de conscience du cabinet de Monsieur Szabo qui est un expert criminel, de Marshall McLuhan qui s'est désigné comme étant le fou de la cour du roi, et de ce grand explorateur du monde spirituel, le docteur Gustave Morf, faisons de ce pays un pays papiste. Faisons en sorte qu'Italiens, Espagnols et Portugais deviennent nombreux et innombrables, puisque telle est la volonté de la sainte Église. Faisons en sorte que les *WASPS* baisent la pantoufle du pape une fois que le siège social du Vatican sera sis sur les îles du Saint-Laurent. On attribuera à ce fleuve son vrai nom : le Grand Canal d'Égout du Canada. Prions pour ce grand Canada, polyethnique, rhinocéroïde et papiste ! »

Le rhinocéros d'Albrecht Dürer.

Abel

Comme bien on pense, le personnage véritablement visé par Jacques Ferron et le Parti Rhinocéros était Pierre Elliott Trudeau, fondateur avec Jacques Hébert et quelques autres de la revue *Cité libre*, puis ministre de la Justice dans le cabinet Pearson avant de devenir premier ministre du Canada en 1968. Sur Pierre Elliott Trudeau, Jacques Ferron a écrit plusieurs articles dont les meilleurs ont été publiés dans ses *Escarmouches politiques*. Dans l'un d'eux, « Les bâtisseurs de ruines », écrit avant que Pierre Elliott Trudeau n'épouse Margaret Sinclair, il explique que tout le comportement du prince tient au complexe d'Œdipe dont il est la victime :

Pierre Elliott Trudeau. (Photo : Gordon Beck)

Samm

« Quand on est le fils à sa maman, on va de papa en papa et l'on peut devenir ainsi, pourvu que la maman ait de la ténacité, un bon petit garçon quadragénaire. On se garde bien de devenir papa soi-même, car les bons petits garçons ne font pas ça. On reste célibataire. C'est d'ailleurs une façon de devenir premier ministre. Plus les années passent, moins on veut sortir de son complexe ; on garde son Œdipe au pucelage et l'on fronde les papas successifs. Ainsi s'affirme-t-on sans trop leur faire mal, car on ne tient pas du tout à les occire ; il faudrait alors, selon l'impératif de nos messieurs de la stricte observance, coucher avec la maman et ça ne serait pas mignon-mignon. »

Abel

Dans un autre texte intitulé *Zorro*, Jacques Ferron continue de s'interroger sur ce Pierre Elliott Trudeau qui, enfin devenu premier ministre, aime bien se déguiser en *play-boy* et courir la galipote, adoptant même la défroque de Zorro quand, en 1971, il fit le botté d'envoi lors de la présentation à Montréal d'un match de football pour la Coupe Grey. Jacques Ferron interroge :

Bélial

« Mais qu'y a-t-il derrière Imago Zéro, derrière le *play-boy* de quarante-huit ans, derrière Zorro, derrière Sir John MacDonald-sans-ouiski ? Il y a un écolier appliqué qui prenait note de tout ce que ses professeurs disaient, même les plus stupides, un bûcheur qui parvenait ainsi à être premier de classe, quitte à prétendre ensuite qu'il réussissait avec aisance ; il y a un fils de famille qui n'a jamais été obligé de gagner son sel et qui, au-dessus des difficultés de la vie, avait décidé, dès le collège, de devenir premier ministre du Canada ; il y a le décalage entre le pragmatisme de son père, coulissier de la Bourse, spéculateur, et l'idéalisme des Jésuites ; il y a le fait que ce bûcheur, cet ambitieux, ce pseudo-intellectuel, devenu héritier d'une belle fortune, a choisi la mauvaise part du capitalisme, celle du capitalisme rentier, parasitaire, qui ne crée rien, à l'encontre de la bonne part, celle du chef d'entreprise qui développe le pays et donne de l'emploi. »

Abel

En 1973, Jacques Ferron revient encore à la charge en prenant pour prétexte cette rue Armstrong de la Rive-Sud où les frères Rose avaient, en 1970, séquestré Pierre

Laporte au nom du Front de libération du Québec. Pierre Laporte y ayant trouvé la mort dans des circonstances mystérieuses, la ville de Saint-Hubert crut bon de changer le nom de la rue Armstrong en celui de Blanchard, soi-disant pour décourager les curieux désirant voir la désormais fameuse maison. Remontant dans le passé, Jacques Ferron nous rappelle que les Armstrong sont originaires des *townships* de Berthier et de Maskinongé, tout comme les Elliott dont la plus illustre représentante devint la mère de Pierre Trudeau. Si les Armstrong se francisèrent, les Elliott restèrent foncièrement anglais et plutôt méprisants envers les Canadiens français. Pierre Trudeau adopta très rapidement le point de vue de sa mère, peut-être parce qu'il détestait son père, prénommé Charles et qui avait commencé sa fortune en passant de la bagosse aux États-Unis lors de la prohibition. Pour Jacques Ferron, qui boucle la boucle, tout cela ne peut encore se comprendre que dans la perspective du complexe d'Œdipe:

Bélial

« Le papa à affronter, il faut le bien choisir, non pas pour lui ressembler, mais pour s'édifier en réaction contre lui. Si on veut devenir blanc, on le choisit noir, et on ne le choisit pas parce qu'on l'aime ; on le choisit parce qu'on le hait ; c'est un papa-repoussoir. Il a un deuxième office : en le frondant, on rendra la maman heureuse, du moins on la vengera, car elle a toujours un compte à régler, la maman qui a élevé un bon petit garçon quadragénaire, et c'est pour ça qu'elle

LE BICORNE

ORGANE DU PARTI RHINOCÉROS

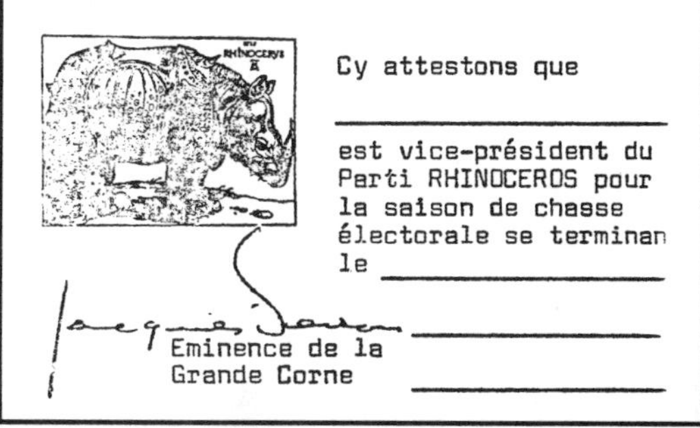

Cy attestons que

____

est vice-président du Parti RHINOCEROS pour la saison de chasse électorale se terminan le __________

Eminence de la Grande Corne

se l'est réservé, le débauchant de son sexe pour le mobiliser dans le sien. Contre qui ? Contre l'homme en général et plus particulièrement contre celui qui l'a violentée. Non pas le père de son bon petit garçon quadragénaire. Dans une famille bourgeoise, cela serait impensable : on ne s'attaque pas au patronyme. Mais contre un substitut bien choisi. »

Abel

Dans la jeunesse de Pierre Elliott Trudeau, ce substitut fut Maurice Duplessis. Puis lorsque Pierre Elliott Trudeau devint premier ministre du Canada, c'est tout le Québec qui lui servit de père-repoussoir, donnant naissance à une politique fédéraliste aussi absurde que pouvait l'être la philosophie du Parti Rhinocéros. Ce n'est pas pour rien si le Parti Rhinocéros connut son apogée en 1974 et que la clown Chatouille vint à quelques cornes près d'être élue dans un comté du centre-ville de Montréal. Mais il y avait déjà un bon moment que Jacques Ferron se désintéressait du parti qu'il avait fondé, notamment parce que les

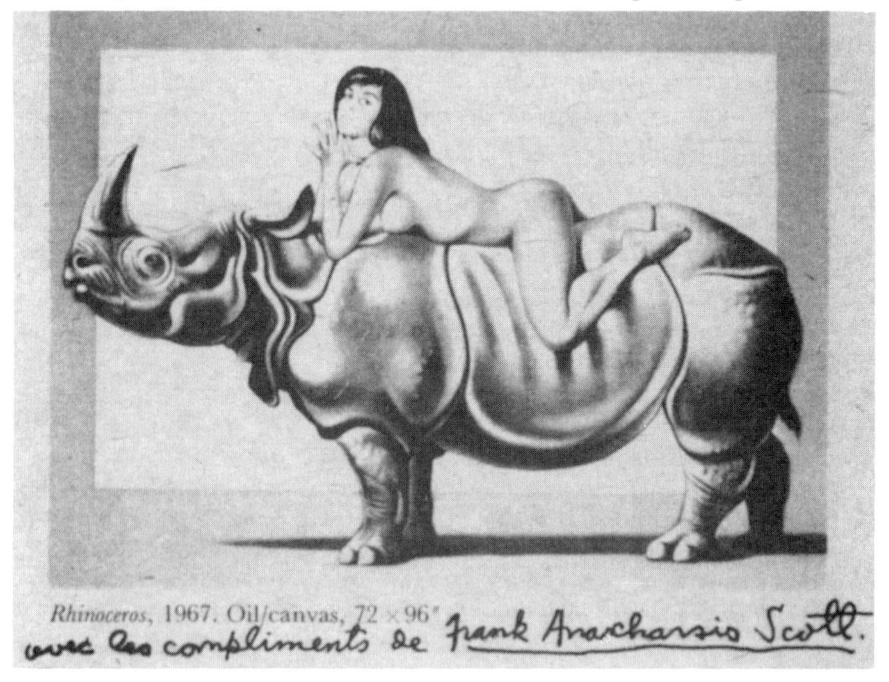

anglophones s'en étaient emparés, présentant des candidats partout au Canada anglais tout en en dénaturant le sens profond, en tous les cas du point de vue québécois : indépendantiste, il est normal que le gouvernement fédéral ne veuille plus rien dire pour soi. Mais lorsqu'on est nationaliste canadien, un Parti Rhinocéros n'est même plus dérisoire : il est un contresens. Bien sûr, quand en 1969 je me suis retrouvé dans cette chambre de *Tourist Rooms* de la rue Saint-Denis avec l'Éminence de la Grande Corne, nous n'en étions pas encore là, moi tout juste content de comprendre quelques-uns des jalons du cheminement politique de Jacques Ferron.

Samm
Mais lorsque, Jacques Ferron et toi, vous avez quitté cette chambre de *Tourist Rooms* de la rue Saint-Denis, qu'est-ce que vous avez fait?

Abel
Nous avons marché jusqu'au restaurant *Select*, au coin de Sainte-Catherine et de Saint-Denis, nous avons bu quelques cafés et, le Parti Rhinocéros loin de nous déjà, nous avons parlé d'écriture. Depuis cinq ans et tout en écrivant des contes, des historiettes et des textes polémiques, Jacques Ferron travaillait à un roman qu'il considérait déjà comme l'œuvre majeure de sa vie, celle dans laquelle il comptait tout mettre, aussi bien ce que l'écriture lui avait appris sur lui-même que ce que la vie et ses lectures lui avaient enseigné sur le Québec moderne et cette époque qui en marque le fondement, c'est-à-dire les années 1937 et 1938.

Samm
Autrement dit, c'est tout le ciel de Québec que nous allons maintenant avoir devant les yeux?

Abel
Et même davantage. Nous allons d'abord quitter cette minable chambre de *Tourist Rooms*, nous allons descendre la rue Saint-Denis jusqu'au *Select*, où nous boirons un café, puis nous allons remonter dans la vieille Cadillac blanche dont les grands ailerons sont lumineux et, par le chemin du Roy, nous allons, toi, Bélial et moi, traverser le pont de Québec et nous rendre tout droit au *Château Frontenac*.

Bélial
Au *Château Frontenac*?

Abel
Au *Château Frontenac*. Lire ailleurs *Le ciel de Québec* n'aurait aucun sens.

Samm
Explique.

Abel
Ça s'expliquera tout seul une fois que nous y serons, c'est-à-dire dès que, désenvalés de la route, nous nous y retrouverons, avec plus rien que de l'écriture sacrée pour nous noyer dedans.

13

Avant-dire

Chaque jour vous perdez quelque chose de votre être. Les héritages que vous possédez sont les héritages de vos pères ; ces maisons ont été bâties par eux, et eux ne sont plus. L'univers entier est un vaste hôpital, où chacun est tourmenté de maladies diverses qui toutes, un peu plus tôt, un peu plus tard, doivent se terminer par la mort.

Jacques Ferron,
Le ciel de Québec

Le *Château Frontenac*, moderne et ancien. (Photos : Jan-Marc Lavergne et Bibliothèque nationale du Québec)

Samm

Abel a demandé qu'on le laisse seul, dans cette petite chambre qu'il a louée sous les combles du *Château Frontenac*. Et la fenêtre de ça ne donne même pas sur le Saint-Laurent. Pourtant, Québec qu'est-ce sinon ce qui, grâce au Saint-Laurent, a pu s'ouvrir de chaque bord de ses rives ? C'est la question que je me pose alors que, appuyée au garde-fou qui ceinture la promenade de la terrasse Dufferin, je regarde bouger l'impressionnante masse d'eau. Sous son chapeau à larges bords et sa longue cape noire, Bélial déambule, la tête sans doute pleine des mêmes images que j'ai depuis que, dans la vieille Cadillac blanche dont les grands ailerons sont lumineux, nous avons sillonné en tous sens le Vieux-Québec. Nous étions au cœur même du *Ciel de Québec*, dans toutes ces rues qui lui donnent sa configuration : la côte du Palais, Saint-Vallier, Saint-Nicolas et Saint-Paul qui mène au couvent des sœurs du Précieux-Sang, là même où commence l'histoire que raconte Jacques Ferron. D'en reconnaître le paysage, c'est ce qui nous a émus, Bélial et moi. Et d'en reconnaître le paysage après avoir passé tout cet avant-midi à Sainte-Catherine de Portneuf, alors qu'hier nous descendions vers le village des Chiquettes en suivant la rivière des Etchemins, voilà aussi qui explique que Bélial et moi, nous nous sentons en manque à cause d'Abel qui a demandé qu'on le laisse seul dans cette petite chambre qu'il a louée sous les combles du *Château Frontenac*. Même si Bélial m'a expliqué pourquoi Abel a agi ainsi, je n'en demeure pas moins sur mon quant-à-moi. Bélial a dit :

Bélial

Dans le monde du symbole, tous les signes sont importants, car ce sont eux qui sont le fondement même des choses. D'où l'importance du *Château Frontenac*. Aussi bien dans la vie québécoise que dans la vie d'Abel, le *Château Frontenac* a une grande importance. Il fut un temps où c'était la garnison anglaise, stationnée à Québec après la conquête, qui s'y retrouvait logée. Longtemps, le *Château Frontenac* a donc représenté l'occupation anglaise et c'était les traces de cela même que Herman Melville, l'auteur de *Moby Dick*, voulait retrouver quand, après s'être marié à New York, il a décidé de faire son voyage de noce au Québec, attiré par les chutes Montmorency, les Hurons de l'Ancienne-Lorette et ce *Château Frontenac* toujours envahi par les officiers de la garnison anglaise. Et, comme l'a bien compris Jacques Ferron, le *Château Frontenac* n'est vraiment redevenu québécois que lorsque Maurice Duplessis, premier ministre du Québec, s'y est installé : par ce geste symbolique, le *Château Frontenac* retournait aux siens, effaçant du même coup tout ce temps que la garnison anglaise l'avait occupé.

Samm

C'est ce que m'a raconté Bélial. Même si je ne mets pas en doute sa parole, c'est celle d'Abel que je voudrais comprendre. Mais il est là, dans cette petite chambre qu'il a louée sous les combles du *Château Frontenac*, et c'est trop loin pour que mon discours se rende jusqu'à lui.

Bélial

Il y a déjà un bon moment qu'Abel est tout seul dans sa chambre. Il ne nous en voudra certes pas si maintenant nous allons le rejoindre. Quand on est en pèlerinage, il est rare qu'on veuille rester seul très longtemps.

Samm

Bélial me prend le bras et je laisse le garde-fou qui ceinture la promenade de la terrasse Dufferin. Nous marchons vers le *Château Frontenac* que la nuit, bientôt, illuminera. Il y a un petit vent frais comme c'est toujours le cas à Québec. Rien qu'à l'idée que nous allons bientôt retrouver Abel, je me sens le corps tout apaisé. Et tout ce que je souhaite, c'est que, lorsque Bélial et moi nous allons entrer dans cette petite chambre qu'il a louée sous les combles du *Château Frontenac*, Abel ne s'en rendra même pas compte, trop avalé qu'il doit être par son écriture.

Abel

Pourtant, la vérité est tout autre. Je suis assis à cette table de pommier, une grande feuille de notaire devant moi, et je n'arrive pas à écrire deux lignes. On n'écrit pas quand trop de choses se bousculent en soi et que la mémoire vacille. Qu'étais-je moi-même en 1969, quand *Le ciel de Québec* a été publié ? Qu'était mon pays et qu'était aussi sa littérature ? C'est à peine si je me souviens que, cette année-là, Jovette Bernier a fait paraître *Non monsieur*, que Jacques Poulin et Jacques Benoît accouchaient de *Jimmy* et des *Voleurs*, que Gilles Archambault publiait *Le tendre matin* et qu'il y eut également *Les seins gorgés* de Gemma Tremblay. C'est à peine aussi si je me rappelle que c'est cette année-là que les éditions du Jour ont édité *Race de monde*, ce roman que j'avais écrit à Paris durant les sept mois que j'y avais vécu l'année précédente, dans cette chambre de l'*Hôtel Gît-le-Cœur*, là même où Jack Kerouac était descendu pour son ultime *satori beat*. En 1969, je travaillais aux éditions du Jour comme directeur littéraire. Et c'est cette année-là que Jacques Ferron y a soumis *Le ciel de Québec*, ce grand roman qu'il mettait au-dessus de tout ce qu'il avait écrit jusqu'alors. Jacques Ferron en était déjà conscient quand, l'éditeur Claude Hurtubise refusant son manuscrit par crainte de poursuites judiciaires, il est venu le déposer aux éditions du Jour. Jacques Hébert ne lisait que très rarement les manuscrits qu'on lui apportait, la littérature ne représentant peut-être pour lui que cette caution dont il avait besoin pour se pousser en avant pardevers les instances gouvernementales. Sa *vraie* vie était ailleurs, dans ce *boy scout* qu'il ne pouvait extirper de lui et qui tenait essentiellement à ce complexe d'infériorité qu'il entretenait envers Pierre Elliott Trudeau. Mais, en 1969, j'étais encore trop jeune pour le comprendre, moi qui ne vivais que de littérature. Tout ce que je pouvais soupçonner, c'est que Jacques Hébert ne tenait pas Jacques Ferron en très haute estime. Selon ses mots mêmes, il était trop farfelu pour son goût, ce en quoi à cette époque Jacques Hébert ressemblait à tous ces chroniqueurs qui, pour n'avoir appris à lire que superficiellement aussi bien le pays que le reste, ne pouvaient descendre très creux dans le monde des mots. Et je me souviens encore très bien de cette journée-là, quand Jacques Ferron a apporté aux éditions du Jour son manuscrit dont il n'avait pas encore trouvé le titre. Sur la première page du manuscrit, il y en avait plusieurs, et cela allait de *La galette* au *Grand pavé*, réminiscences à peine déguisées d'un énorme roman de l'Américain John Dos Passos. Nous étions donc tous les trois dans le bureau de Jacques Hébert, Jacques Ferron ne faisant pas de cachette par rapport à son manuscrit que Claude Hurtubise avait refusé parce qu'il avait été un ami de Saint-Denys Garneau et qu'il était tout à fait contre la vision qui en était donnée dans *Le ciel de Québec*. Derrière nous se tenait Bélial, alors chauffeur de Jacques Ferron. Il souriait énigmatiquement, comme son maître. N'était-ce qu'à cause de Saint-Denys Garneau ? Ou n'était-ce pas davantage à cause de Jacques Hébert, si sceptique devant les propos que lui tenait Jacques Ferron que, dès que celui-ci s'en fut avec Bélial, il téléphona à Claude Hurtubise : quand on est membre d'une corporation, c'est d'abord à sa corporation à laquelle on pense. En 1969, l'édition québécoise formait un cercle très fermé et qui veillait jalousement sur ses intérêts d'abord, les auteurs n'étant là que pour alimenter la machine économique. Mais, quoi qu'il en soit, ce téléphone que fit Jacques Hébert à Claude Hurtubise le confirma dans ce qu'il pensait de Jacques Ferron : c'était un polémiste dont il fallait se méfier parce qu'il remettait en cause, avec outrance, la réputation des quelques dieux qui trônaient enfin au panthéon québécois de la littérature, à commencer par Saint-Denys Garneau lui-même, sans parler de Robert Élie et de Jean Lemoyne de *La Relève*, ni de Paul-Émile Borduas qui, en 1937, s'ennuyait au purgatoire de la peinture, passant tout son temps à jouer avec ses fausses dents qui se retrouvaient plus souvent qu'autrement dans ses mains plutôt que dans sa bouche. Pour Claude Hurtubise, qui avait raconté la chose à Jacques Hébert au téléphone, c'était bien davantage qu'extravagant : c'était scandaleux. Et même si Jacques Hébert n'avait pas la réputation d'avoir le scandale facile, il n'était pas très chaud pour publier le manuscrit de Jacques Ferron, ni même pour le lire. Quand il a quitté son bureau ce soir-là, le manuscrit était toujours sur son pupitre. Je l'y ai pris et l'ai apporté chez moi. J'ai passé dedans toute la soirée et toute la nuit, trop ébloui sans doute pour me rendre vraiment compte de ce que je lisais. C'était un livre trop vaste, constitué de multiples tiroirs et, quand je me retrouvais dans un, ce n'était que pour mieux me perdre dans le suivant. Et depuis 1969, c'est ainsi. Car, comme je le fais toujours avec les livres qui me fascinent, j'ai relu *Le ciel de Québec* au moins une fois par année depuis sa parution, comme je l'ai fait longtemps avec *Les misérables* de Victor Hugo et comme je le fais toujours avec *Ulysse* et *Finnegan's Wake* de James Joyce. Et, d'une fois à l'autre, ces lectures ne me rendent que plus menacé. C'est que, de ces livres-là qui sont véritablement ceux de la plus haute autorité, on ne peut parler que pour la forme. Ce sont des œuvres totalitaires, dans le sens que Jean-Paul Sartre donnait à cette expression. Et qui suis-je, moi, pour pouvoir le faire? Voilà bien qui explique que, malgré toutes ces heures que je viens de passer dans cette petite chambre sous les combles du *Château Frontenac*, je n'arrive pas à écrire deux lignes, désemparé comme un enfant par ce qui devrait venir mais n'arrive pas. Je suis aussi bien de laisser là mon stylo feutre et la grande feuille de notaire, de quitter la table de pommier et d'aller m'allonger de tout mon long sur ce lit qu'il y a près de la fenêtre. Le sommeil, c'est parfois bien moins pire que ces mots que, par incompétence, on ne sait pas tirer de soi. Je bâille, et puis je bâille encore, et puis ça s'endort, terrorisé. Même quand la porte de ma petite chambre sous les combles du *Château Frontenac* s'ouvre, c'est à peine si je m'en rends compte. Même quand Samm et Bélial s'assoient d'un bord et de l'autre de mon lit, c'est à peine si je m'en rends compte. Et ce dont ils parlent aussi, c'est à peine si je m'en rends compte.

Samm
En entrant dans la chambre, j'ai jeté un coup d'œil vers la table de pommier et j'ai bien vu qu'Abel n'avait pas écrit deux lignes. Pourquoi?

Bélial
Parce qu'il lui aurait fallu faire simple et que ça ne correspond pas à l'image qu'il a de lui et de Jacques Ferron. C'est la raison pour laquelle il s'est endormi, pour que les mots que nous allons nous dire pendant son sommeil décompliquent l'espace et le temps. Je sais de quoi je parle Moi Bélial qui, en 1937, conduisais le coupé des sœurs du Précieux-Sang dans la Basse-Ville de Québec. Le cheval qui tirait le coupé s'appelait Chubby, en l'honneur de Chubby Power, sénateur conservateur à Ottawa, qui en avait fait don aux sœurs du Précieux-Sang.

Et tous les matins, j'allais au Grand Séminaire chercher Monseigneur Camille pour l'emmener au couvent du Précieux-Sang, afin qu'il y dise la messe. Après, je rentrais Chubby à l'écurie, troquais le coupé contre une limousine, changeais de chapeau et de perruque et, m'appelant désormais Aurèle de la terre Aurélie, j'emmenais Monseigneur Camille, Monseigneur Cyrille, voire le cardinal de Québec, là où ils voulaient que je les conduise. C'est ainsi que Moi Bélial, en cet automne 1937, je suis entré par la petite porte dans *Le ciel de Québec.*

Le coupé des sœurs.

Samm
Ce que je viens d'entendre, je ne suis pas sûre que ça décomplique grand-chose. Même Abel serait d'accord avec moi, je pense.

Bélial
Si je viens de raconter ce que je viens de raconter, c'est que, pour pouvoir s'orienter vraiment, il importe de trouver son point d'ancrage dans le temps et l'espace. C'est en tous les cas ce que pensait Jacques Ferron quand il a commencé *Le ciel de Québec*, par ce petit matin de l'automne 1937, dans la Basse-Ville de Québec, avec Monseigneur Camille et Moi Bélial, déguisé en Martial O'Farrell, le conduisant du Grand Séminaire au couvent des sœurs du Précieux-Sang. Rue Saint-Vallier, je perdrai Monseigneur Camille et ne le retrouverai qu'à la fin du roman, pour la conclusion. Autrement dit, tout le temps et l'espace du *Ciel de Québec*, tels que circonscrits entre les deux couvertures, a cours en moins d'une demi-heure. Mais c'est une demi-heure bien particulière que celle-là puisqu'elle est initiatique. Et tout ce qui est initiatique oblige le temps et l'espace à se distendre. Pendant trente minutes, Monseigneur Camille s'égare dans la rue Saint-Vallier. Et pour y trouver quoi ? Rien de moins que tout le ciel de Québec, et tel qu'il était en 1937 et 1938, durée véritable du roman.

Samm
J'écoute Bélial mais je ne crois pas que ce qu'il me dit peut m'être d'un grand avancement dans la connaissance que je pourrais avoir du *Ciel de Québec*.

Bélial
En ce cas, réveillons Abel : nous verrons bien ce qu'il en est vraiment.

Abel
Nul besoin de me réveiller : je ne dormais pas vraiment. Je ne dors vraiment plus depuis que la télévision s'en est allée de moi, me laissant à la dérive. Si ce n'était pas le cas, je ne me serais pas enfermé dans cette petite chambre sous les combles du *Château Frontenac* sous le prétexte d'écrire au moins un paragraphe pertinent sur *Le ciel de Québec*. Si je n'y suis pas arrivé, me cantonnant dans l'anecdote plutôt que de plonger dans le centre même de la création, c'est que ma fébrilité, maintenant sans limites, fragmente tout. Pourtant, *Le ciel de Québec* mérite mieux que cet éjarrement dans lequel je me trouve. Il mérite mieux, comme méritait mieux l'époque dont il rend compte.

Bélial
Moi Bélial, je partage tout à fait cet avis car, en 1937, le diable avait encore un rôle à jouer dans la société québécoise, et ce rôle-là n'était pas aussi simpliste que ce qu'on a bien voulu dire de lui par après.

Abel
En 1937, Mackenzie King était au pouvoir à Ottawa. C'était quelqu'un d'un peu fou qui, dans ses moments de loisirs, bâtissait des ruines et qui, la nuit, de son plat à barbe, appelait sa mère dans l'au-delà pour qu'elle le conseille sur les affaires de l'État. Mackenzie King ne comprenait rien au phénomène canadien-français et encore moins à la société québécoise. Il n'avait pas vraiment confiance en ses lieutenants de Montréal et de Québec, pas plus en Ernest Lapointe qu'en Chubby Power, pas plus au sénateur Lesage qu'au petit député Rondeau. Ils étaient tous les amis intéressés de Maurice Duplessis et avaient contribué à le faire élire, aussi bien député des Trois-Rivières que premier ministre du Québec. Car ainsi était le Québec politique de 1937 : une fraternité dont la tribu, centrée sur sa race et sa religion, ne pouvait être que nationaliste. Même le cardinal

Villeneuve, primat de l'Église canadienne entre les trois océans, faisait sienne la célèbre formulation de l'abbé Groulx : « Notre État français et catholique, nous l'aurons. » C'est à cause de cette manière de consensus que Maurice Duplessis et le cardinal Villeneuve étaient comme les larrons de la foire : le Québec d'alors était une grande famille et devait le rester envers et contre tous. Et parce qu'il maîtrisait tous les échelons de l'enseignement, du primaire à l'universitaire, le pouvoir religieux était en mesure d'imposer son point de vue, même pour ce qui regardait la culture. Par exemple, ne devenait pas écrivain qui voulait à cette époque car, sans cours classique, contrôlé par les religieux, point de salut en littérature. En 1937, les prêtres et les clercs avaient la dragée haute : de Gustave Lamarche à François Hertel, de Rina Lasnier à

L'épiscopat canadien en 1928.

Simone Routier, de l'abbé Groulx à Félix-Antoine Savard, la littérature de ce temps ne pouvait être qu'édifiante et correspondre aux valeurs traditionnelles du Québec, c'est-à-dire la nostalgie des grands espaces perdus, la glorification de la vie rurale et le mysticisme, phénomène urbain. Et si, dans *Le ciel de Québec*, Jacques Ferron a choisi l'année 1937 comme nœud gordien à trancher, c'est que, cette année-là, sont parus *Regards et jeux dans l'espace* de Saint-Denys Garneau.

Samm
C'est ce que je n'ai pas compris en lisant *Le ciel de Québec*: pourquoi Saint-Denys Garneau plutôt que Félix-Antoine Savard qui, en 1937, a fait paraître *Menaud, maître-draveur*?

Abel
C'est que Jacques Ferron avait un compte à régler. En 1934, Saint-Denys Garneau avait fondé *La Relève*, une revue à laquelle collaboraient Claude Hurtubise, Robert Élie et Jean Lemoyne. À la mort de Saint-Denys Garneau, ses amis de *La Relève* ont tout tenté pour en faire une manière de petit saint que les Québécois, par leur incompréhension, auraient fait capoter. Et pour le prouver, on a cité autant comme autant ce poème :

Bélial
« C'est eux qui m'ont tué
Sont tombés sur mon dos avec leurs
armes, m'ont tué
Sont tombés sur mon cœur avec
leur haine, m'ont tué
Sont tombés sur mes nerfs avec
leurs cris, m'ont tué…
Ils ont tout piétiné sans en
avoir l'air…
Par leur seul terrible mystère
étranger… »

Abel
Jacques Ferron est parti de ce poème et a remonté le temps, question d'apprendre la vérité sur Saint-Denys Garneau. À la parution de *Regards et jeux dans l'espace*, Saint-Denys Garneau aurait été épouvanté. « Ce livre, a écrit saint Paul-de-Sherbrooke, le compromettait définitivement, le jetait en pâture au jugement des hommes. Et cela, il ne put le supporter. » Mais en réalité, ce que Saint-Denys Garneau ne put souffrir, ce fut tout à fait autre chose.

Bélial
En fait, Saint-Denys Garneau aurait été surpris par la police en flagrant délit avec une demoiselle putain dans

Saint-Denys Garneau en 1937 (Photo : Bibliothèque nationale du Québec) et le manoir de Sainte-Catherine de Portneuf, en 1941 (Photo : Yvon Gamache).

un bordel. Quel scandale ç'aurait été pour la famille et les amis si la chose s'était rendue jusqu'en Cour !

Abel

Saint-Denys Garneau a donc quitté Montréal pour échapper aux agents de police. Il s'est retrouvé à Sainte-Catherine de Portneuf, dans le manoir ancestral, à jouer les aristocrates, à faire semblant de peindre et d'écrire. Après tout, n'était-il pas l'arrière-petit-fils de François Xavier, l'historien national des Canadiens français ? Et n'était-il pas aussi le petit-fils d'Alfred Garneau, le poète ? Famille oblige et détermine. Mais, dans le cas de Saint-Denys Garneau, ce ne fut pas suffisant : la race épuisée, que reste-t-il ? Rien de plus que la mort à vivre. C'est le 25 octobre 1943 qu'on retrouve Saint-Denys Garneau sans vie près du canot que la veille au soir il avait pris pour se rendre dans cette île où il avait commencé de bâtir un *shack*. Ses amis ont toujours prétendu qu'il avait succombé à une crise cardiaque. Crise cardiaque peut-être, répond Jacques Ferron, mais serait-elle survenue si, ce soir-là, Saint-Denys Garneau n'avait pas été ivre mort comme cela lui arrivait souvent dans les derniers temps de sa vie ?

Samm

Même si les choses se sont vraiment passées comme le prétend Jacques Ferron, quelle importance au fond ? Au collège, quand j'ai lu Saint-Denys Garneau, je ne savais rien de cette querelle et ça ne m'a pas empêchée de trouver très beaux certains de ses poèmes, et l'un d'entre eux en particulier, que j'ai appris par cœur parce qu'il répondait à quelque chose de singulier en moi. Tu veux que je te le récite ?

Abel

Tu sais bien que oui.

Samm

« Je ne suis pas bien du tout assis
sur cette chaise
Et mon pire malaise est un fauteuil
où l'on reste
Immanquablement je m'endors et j'y meurs
Mais laissez-moi traverser le torrent
sur les roches
Par bonds quitter cette chose pour
celle-là
Je trouve l'équilibre impondérable
entre les deux

Et c'est là sans appui que je me repose. »

Abel

« Et c'est là sans appui que je me repose. » Je me souviens moi aussi de ce poème-là, comme Réjean Ducharme s'en est souvenu, le paraphrasant dans *L'océantume*. Pour moi, Saint-Denys Garneau est le grand poète qui est venu après Nelligan ; c'est grâce à lui que le Québec s'est ouvert dans sa modernité, a pu évacuer les stéréotypes des grands espaces perdus et de la vie foncièrement rurale. C'est grâce à lui aussi que le mysticisme traditionnel québécois, tout centré sur les rites et les cérémonials extérieurs, s'est enfin intériorisé, faisant paradoxalement devenir aérienne la vie par laquelle chacun est porté.

Samm

Pourquoi alors, dans *Le ciel de Québec*, cette hargne de Jacques Ferron à propos de Saint-Denys Garneau ? Pourquoi l'accuse-t-il d'être un faussaire et pourquoi suggère-t-il encore que Saint-Denys Garneau aurait été mieux, plutôt que d'écrire, de faire des paquets et de la comptabilité comme son père, celui qui avait brisé la lignée aristocratique de la famille ?

Bélial

Moi Bélial, je peux répondre qu'Abel n'en sait rien, tout comme moi d'ailleurs. Peut-être Jacques Ferron voulait-il simplement, peu importe ce qu'il pensait du poète, qu'on n'occulte plus déraisonnablement sa biographie, même par amitié ? Jacques Ferron n'a-t-il pas livré le même combat à propos de Louis Hémon et de Claude Gauvreau ?

Samm

Peut-être, mais moi, quand je lis *Le ciel de Québec*, ce sont là des pages, celles écrites sur Saint-Denys Garneau, qui me font un peu mal au cœur.

Abel

Moi aussi, cela me fait un peu mal au cœur. Mais si ces pages-là n'avaient pas été écrites dans *Le ciel de Québec*, jamais Jacques Ferron n'aurait déposé son manuscrit aux éditions du Jour. Et sans doute ne serions-nous jamais devenus lui et moi les complices que par la suite nous sommes devenus. C'est ce à quoi je pensais avant que vous ne veniez me rejoindre dans cette petite chambre sous les combles du *Château Frontenac*. J'étais assis devant la table de pommier, avec cette grande feuille de notaire et, mon stylo feutre à la main, j'étais incapable d'écrire deux lignes. Je sais maintenant pourquoi. Lire dans l'à peu près, c'est être comme un marin qui, parce qu'il n'arrête jamais de faire le tour du monde, n'arrive pas à le pénétrer vraiment. Je crois bien que ce tour du monde, je l'ai fait maintenant. Ne resterait plus qu'à entrer véritablement dedans, et pour les bonnes raisons. Ça signifie simplement que, pour la première fois peut-être, je devrais lire enfin *Le ciel de Québec*.

Samm

Tu veux que je t'accompagne là-dedans ?

Abel

Si ce n'était pas le cas, ça voudrait rien dire parce que tous les peuples de ta nation sont dans *Le ciel de Québec*. Allonge la main et prends l'exemplaire de ça sur la table de chevet. Ouvre-le à la première page pour que les mots renaissent de la chaleur de ta voix et pour que j'oublie le tort que j'ai eu en vous demandant à toi et à Bélial de me laisser seul dans cette petite chambre sous les combles du *Château Frontenac*.

Porte célèbre du couvent du Précieux-Sang. (Photo : Yvon Gamache)

Bélial

Samm et Abel se cantent comme il faut dans le lit. Leurs corps se touchent. C'est comme s'ils étaient nus, aussi complices l'un et l'autre que Jacques Ferron et Abel pouvaient l'être jadis quand le cri nocturne des engoulevents était une illumination. Devant cette beauté, je ne peux que détourner les yeux, les portant vers cette table de pommier, cette grande feuille de notaire et ce stylo feutre qui sont dessus. Et si Moi Bélial, je ne deviens plus que cette grande oreille, c'est pour entendre le commencement même du *Ciel de Québec*:

Samm et Abel

« Monseigneur Camille, de la lignée humaniste des prélats québecquois, homme bon, discret et de bonne compagnie, disait sa messe au Précieux-Sang, dans la Basse-Ville. Chaque matin, le coupé des sœurs… »

14

Avant-dire

Il a parlé comme il a pu, en homme sage, pour conjurer la folie par la folie ; il ne pouvait pas faire autrement.

Jacques Ferron,
Le ciel de Québec

La mise à mort de l'orignal. (George de Forest Brush)

Mort du chef indien Alexandre. (Bixle)

Bélial

Il y a quelque chose de bien dans le fait d'être Moi Bélial. C'est que je peux tout voir sans que cela, par-devers les autres, mette quoi que ce soit en cause. Sinon, Samm et Abel ne pourraient pas lire véritablement pour la première fois *Le ciel de Québec* comme ils le font. Dans cette petite chambre sous les combles du *Château Frontenac*, ils sont allongés l'un à côté de l'autre. Ils sont nus tous les deux comme il convient de l'être quand on lit véritablement. Parfois, *Le ciel de Québec* leur échappe des mains, non pas parce qu'ils s'endorment, mais parce que le désir qu'ils ont l'un pour l'autre ne peut que transgresser toute lecture. Alors, l'un sur l'autre, ils roulent dans le lit, s'embrassent et s'étreignent, toute la chaleur de leurs corps irradiant dans la chambre. Bien qu'ils sachent que je suis là et que je les regarde, ils ne se préoccupent pas de moi : il n'y a pas de mal à être vus en train de s'aimer quand ce qui vous regarde n'est qu'un complice sans ambition qui attend simplement devant une table de pommier que la nuit arrive à son bout. Et puis, deux corps qui se donnent l'un à l'autre dans toute la générosité de leur tendresse, quoi de plus beau à voir ? Samm est au-dessus d'Abel, son corps va et vient lentement au-dessus du sien, et c'est pareil à de la musique, et c'est pareil à une mélodie qui viendrait de très loin en Samm. Elle dit :

Samm

Au commencement du Ciel de Québec étaient les Amérindiens. Ils habitaient tout le continent nord-américain, les Malécites, les Micmacs, les Cris, les Hurons, les Algonquins et les Montagnais à l'est. Dans l'Ouest, c'étaient les Jantoux, les Jantonnais, les Têtes-Plates, les Gros-Ventres, les Assiniboines, les Arikaras, les Ankapatines, les Ampagos, les Ogedalas, les Pieds-Noirs, les Mandans, les Sioux et d'autres nations qui, comme l'a écrit Jacques Ferron, avaient fragmenté la plaine en une multitude de pays. Et, contrairement à ce qui était arrivé dans l'Est, où les Amérindiens furent exterminés dès le seizième siècle, les grandes nations sauvages de l'Ouest existaient toujours en 1837, cent ans avant que ne commence *Le ciel de Québec.* Et 1837 est une date fort importante pour les nations sauvages de l'Ouest car c'est cette année-là que la nation mandan, la plus nombreuse et la plus prospère de l'Ouest, connut les affres de la mort collective à cause d'une couverture souillée dont l'homme blanc lui fit cadeau. Dans la seule année 1837, plus de cent cinquante mille membres de la nation mandan périrent, victimes de la picote. De ce génocide, le père de Smedt a rendu compte, insistant sur le courage amérindien. Il a écrit :

Abel
« Plutôt que de périr de la picote apportée par l'homme blanc, les hommes mandans lui préférèrent une mort plus noble, tel ce jeune guerrier qui envoie sa femme creuser sa tombe. La fosse prête, dans son plus bel apparat, lance et bouclier en main, le jeune guerrier marche vers elle en entonnant son propre chant de mort, y descend, tire son couteau et s'ouvre le corps. »

Samm
Ce n'était pourtant pas la coutume en pays mandan. Chez les Mandans, les morts restaient dessus la terre et faisaient squelettes à la face du soleil. Une fois l'an, en temps propice, tous les ossements étaient détachés, soigneusement lavés et réunis ; ils ne formaient plus qu'un seul

corps, qu'une seule famille ; alors ils étaient mis en terre avec solennité, car ainsi étaient les nations amérindiennes, aussi fastueuses que courageuses : l'un ne va pas sans l'autre, comme a encore écrit Jacques Ferron. Et le père de Smedt ajoute :

Bélial
« Traversant une forêt, nous vîmes leurs lugubres cadavres pendus aux branches des plus gros des arbres, enveloppés de peaux de buffles. De ces Mandans, autrefois nombreux et puissants, il ne reste plus que dix familles. »

Samm
Et leur grand chef, malade à la dernière extrémité, revêtit son plus beau costume, monta son cheval de bataille, l'Étoile noire, et parcourut par trois fois la ville d'Edmonton, proclamant la guerre sainte contre les Blancs, cause de tout. Le grand chef mandan proclama : « Mes fils mandans, allez à la guerre ! Moi, je ne pourrai pas vous

Le grand chef mandan.

suivre, mais je reviendrai : vous serez tous morts, il n'y aura plus de bisons dans la plaine ; je reviendrai toutefois pour vous venger. »

Abel

C'est cette anecdote racontée par Jacques Ferron qui, à Edmonton, a donné naissance à la légende de l'Étoile noire. En 1937, cette légende a connu son apogée. Les pays de l'Ouest avaient bien changé depuis 1837, les nations sauvages décimées et les colons blancs, aussi bien anglais que français, s'étant approprié leurs terres. Une autre race d'hommes était apparue, le métis, appelé aussi Bois-Brûlé. De bourgade qu'elle était, Edmonton ressemblait maintenant à un grand village. Si on s'y méfiait des métis, on craignait encore bien davantage la sécheresse. En 1937, l'Ouest en vécut une comme jamais encore cela ne lui était arrivé. La légende veut que ce soit le grand chef mandan, remonté de la mort, qui en fut la cause. Monté sur son cheval de bataille, l'Étoile noire, il a traversé par trois fois Edmonton, jetant le mauvais sort de la sécheresse sur le pays.

Bélial

Et cette année-là, la sécheresse s'étendit d'Edmonton à Calgary, et de Calgary à Winnipeg. Jacques Ferron en a parlé superbement dans un autre conte : *La vache morte du canyon.* C'est un texte important parce qu'il complète ce qui est dit dans *Le ciel de Québec.* Dans ce conte, François Laterrière, du rang Trompe-Souris de Maskinongé, fils cadet d'une nombreuse famille, doit s'exiler à Calgary. Quand il y arrive après avoir traversé dans ses souliers de beu tout le pays, c'est pour épouser une Sauvagesse, bâtir maison et se mettre à cultiver la terre au fond d'un canyon. Mais la sécheresse, celle-là même qu'a appelée le grand chef mandan en montant l'Étoile noire pour parcourir par trois fois Edmonton, s'en mêle. Entourée de sauterelles et privée d'eau, la vache meurt alors que la Sauvagesse donne naissance à une fille. Cette fille représentera en quelque sorte la mère de la nation métisse qui, à son tour, mettra au monde Louis Riel. De sauvages qu'ils étaient, les pays de l'Ouest deviendront donc métis et français. Mais la nation métisse fera long feu : l'Ouest doit être anglophone, dit Ottawa, et canadien, c'est-à-dire anglais. Louis Riel est donc pendu à Calgary en 1885, ce qui met fin du même coup à l'Amérique française. Et 1937 marque le point de non-retour selon ce qu'en dit Jacques Ferron dans *Le ciel de Québec* puisque même le métis Sicotte, conscient que les pays de l'Ouest ne lui ont jamais appartenu, décide enfin de s'en revenir au Québec, symbole de ce qui, désormais, restera à jamais de l'Amérique française et de ses rêves.

Abel

Mais le métis Sicotte ne revient pas les mains vides de l'Ouest : il en rapporte la saga des nations amérindiennes et métisse, de même que cette horde de broncos sauvages que dirige un grand étalon noir arborant une étoile blanche au beau milieu du front. Ces chevaux ont été achetés par le docteur Augustin Cotnoir de Sainte-Catherine de Portneuf, en banlieue de Québec. Cotnoir a une fille, Eurydice, qui est mal tombée en amour avec Orphée, nul autre que ce Saint-Denys Garneau qui, pour Jacques Ferron, représente une grande sécheresse de cœur, celle-là même qui, à l'automne de 1937, s'est abattue sur les pays de l'Ouest. Désespérée à cause de cet amour impossible entre elle et Saint-Denys Garneau, Eurydice va monter le grand étalon noir arborant une étoile blanche au beau milieu du front. Et l'étalon va mettre à mort Eurydice, comme si la malédiction du grand chef mandan, faite cent ans plus tôt, devait s'accomplir définitivement à travers la victime la plus innocente qu'il se pouvait trouver, cette Eurydice totalement québécoise.

Gabriel Dumont, métis d'entre tous les métis.

Bélial

Samm et Abel sont de nouveau allongés l'un à côté de l'autre dans le lit. Les larmes ruissellent des yeux de Samm. Ce n'est pas tellement à la fin de l'Amérique de l'Ouest française qu'elle pense, mais au génocide des grandes nations sauvages. Pour être née à la Pointe-Bleue, dans ce qui reste du grand pays des Montagnais, Samm sait tout le métissage auquel sa nation a été forcée pour seulement pouvoir assurer sa survivance. Et c'est de cela même que viennent ses larmes : que reste-t-il de profondément sauvage, donc d'inapprivoisable, dans ses veines ? Du bout des doigts, Abel essuie les larmes qui coulent sur les joues de Samm. Puis il porte les doigts à sa bouche, et c'est comme l'air salin venant du fleuve quand le vent souffle fort dessus. Abel dit :

Abel

Tu as raison, Samm : au commencement étaient les Amérindiens. Mais sont venus les Mistigoches, ainsi que les Montagnais appelaient l'homme blanc. Et les Mistigoches ont fait ici ce qu'ils ont fait partout ailleurs parce qu'ils se percevaient comme une race supérieure et agissaient comme telle. Même en 1937, le point de vue n'avait pas changé, surtout pas en ce qui concernait l'élite religieuse. Non seulement les prêtres refusaient-ils de se rendre compte de ce qui restait encore d'authentique dans le fait amérindien, mais ils n'admettaient pas le métissage.

Samm

Je sais. Les métis étaient des réprouvés qui n'avaient aucun droit, surtout pas celui de porter un nom. On ne les baptisait que de prénoms, du genre de celui de Moïse à Joseph à Chrétien, qui est celui du chef de village des Chiquettes, en bas de la paroisse de Saint-Magloire, le long de la rivière des Etchemins.

Abel

Ce phénomène ne se vivait pas qu'à Saint-Magloire et qu'aux Chiquettes. Dans mon enfance, je l'ai vécu aux Trois-Pistoles. Il y avait la paroisse Notre-Dame-des-Neiges et il y avait le Petit-Canada. Entre les deux, ce petit ruisseau qui partageait par ses eaux le monde d'en haut et le monde d'en bas. Dans le monde d'en haut, c'était la paroisse québécoise traditionnelle, avec toute son organisation hiérarchique : le curé, les notables, les commerçants et le peuple qui était sous leur sujétion. Dans le monde d'en bas, c'est-à-dire le Petit-Canada, on retrouvait les débris de la nation malécite, autrefois puissante et prospère en Gaspésie et dans le Bas-du-Fleuve. Ils vivaient dans des cabanes tout en démanche et étaient considérés comme des mécréants à qui il ne fallait même pas adresser la parole, de peur qu'ils ne nous contaminent.

Bélial

C'est que, aux yeux des gens qui habitaient le monde d'en haut, donc la paroisse, il ne pouvait y avoir rien de bon chez ceux qui résistaient dans le monde d'en bas. Ils étaient les créatures du diable, ceux qui faisaient venir les épidémies de sauterelles et de crapauds, quand ce n'était pas plus terriblement celle des rats, la sécheresse et les incendies. Les habitants du monde d'en haut n'allaient chez ceux du monde d'en bas que quand ils avaient besoin de forniquer ou lorsqu'ils avaient besoin du grand cheval noir du diable pour bâtir leurs églises. C'est arrivé aussi bien aux Trois-Pistoles qu'au village des Chiquettes. Jacques Ferron savait tout cela puisque le grand étalon blanc, avec son étoile noire dans le front, dès qu'il quitte Calgary pour venir au Québec, se transforme en cheval noir, sa tête étoilée de blanc. C'est que, pour les nations sauvages, le blanc est la couleur de la mort. Au Québec, c'est le noir qui a toujours prévalu, peut-être simplement par peur de tout ce qui, dans la nuit, vous rend aveugle. Ce n'est sans doute pas pour rien que notre littérature ne parle du monde d'en bas que pour autant que ça se passe dans les ténèbres. Moi Bélial, je suis bien placé pour en jaser, tout comme Jacques Ferron d'ailleurs. Mais tout diable que je sois, avec ma patte de bouc qui tressaute, il est grand temps que je revienne à Samm et à Abel. Samm ne pleure plus maintenant. Être d'une nation sauvage, c'est ne pas pouvoir pleurer très longtemps. Samm s'est redressée dans le lit, tout comme Abel, et les deux se sont remis à leur relecture du *Ciel de Québec*. On est à Québec, toujours en 1937, et Moi Bélial, déguisé en chauffeur, portant perruque et chapeau, je conduis dans cette grande limousine noire le cardinal Villeneuve, Monseigneur Camille et Monseigneur Cyrille vers le village des Chiquettes, tout en bas de la paroisse de Saint-Magloire. Et en quel honneur, je vous le demande?

Abel

Tout simplement parce que le cardinal Villeneuve, longtemps missionnaire dans les pays de l'Ouest, comprenait trop l'importance du pays d'en haut et de celui d'en bas pour ne pas essayer d'y mettre fin afin que la société québécoise prenne tout son sens. Aussi a-t-il eu l'idée de transformer le village des Chiquettes en paroisse : ainsi, croyait-il, les réprouvés, restes de la grande nation des Etchemins, s'intégreraient-ils, même malgré eux, à la nation québécoise et trouveraient-ils enfin, en lieu et place des prénoms portés, ces noms qui, enfin, leur revenaient de droit.

Le cardinal Rodrigue Villeneuve.

Samm

C'était une façon très astucieuse pour le clergé québécois de faire oublier que non seulement il n'avait jamais cru au monde amérindien, mais qu'il n'avait jamais cru non plus au métissage. Et en 1937, être métis au Québec, qu'est-ce que ça signifiait? Les métis étaient des parias à qui on ne faisait appel qu'en temps d'élections, pour qu'ils fassent les jobs sales.

Bélial
Je me souviens très bien de cette époque. Je me souviens très bien de tous ces politiciens, aussi bien de Québec que d'Ottawa, qui ne quittaient le monde d'en haut pour se rendre dans celui d'en bas que lorsqu'ils avaient besoin de gros bras pour gagner leurs élections.

Abel
Je suis d'accord, sauf que le cardinal Villeneuve, primat de l'Église canadienne entre les trois océans, voulait changer l'ordre des choses. C'est pourquoi il s'est rendu, à l'automne de 1937, au village des Chiquettes, avec Monseigneur Camille et Monseigneur Cyrille.

Samm
Qui étaient-ils, ces deux-là?

Abel
Monseigneur Camille Roy était professeur à la faculté des lettres de l'Université Laval. Auteur des *Stances agricoles*, il se prenait pour un poète. On riait de lui à Montréal, ce qu'il n'aurait pas pris s'il n'avait pas porté la soutane. Au demeurant, Monseigneur Camille comprenait tout juste assez bien le Québec pour savoir que c'était sa patrie et que toute patrie se vit dans l'humilité, sinon dans l'amour qu'on lui porte malgré tout. Monseigneur Cyrille Gagnon avait été roulé dans une autre farine, à cause de sa mère qui est devenue folle. Quand, encore jeune prêtre, Monseigneur Cyrille s'est retrouvé à Rome, sa mère a viré capot de bord. Un jour, elle est montée sur le toit de sa maison, s'est agrippée au pignon et s'est mise à crier que son fils allait revenir de Rome, dans un grand aéroplane, pour la délivrer de tous ses démons. Monseigneur Cyrille, revenant trop tard de Rome, n'a jamais pu oublier que, privée de lui, sa mère avait sombré dans la folie. Par-devers lui, il en a accusé toute la société québécoise et ne s'en est jamais remis. D'où son objection quand le

cardinal Villeneuve a voulu faire des Chiquettes une paroisse afin qu'elle devienne québécoise dans tous les sens du mot.

Bélial

Je me souviens encore très bien de cette journée-là. Moi Bélial, déguisé pour la circonstance en Aurèle de la terre Aurélie, mes doigts de pied me manquant, tout autant que mes oreilles et mes cheveux, je conduisais, dans la limousine noire, Son Éminence le cardinal Rodrigue Villeneuve, Monseigneur Camille et Monseigneur Cyrille. À quelques arpents du village des Chiquettes, la limousine a pris le clos, et nous nous sommes tous retrouvés dans le ruisseau des Chians car, « dans ce pays, on prononce *chians* ce que, dans notre langage, on appelle *chiens*. À dire vrai, le village des Chiquettes était un vrai pays de chiens : il y en avait partout et même les hommes avaient fini par leur ressembler ». L'abbé Louis de Gonzague Bessette, premier desservant du village, l'avait appris à ses dépens : il trouvait tellement mécréants les gens du village qu'il mit le feu à leur amas de cabanes avant de se faire mordre par tous les chians-chiens qui le formaient. Et depuis, on avait dû l'interner à Mastaï où, l'après-midi, il faisait sermon sur sermon sur les zouaves et les Chemises rouges de Garibaldi.

Abel

Donc, Son Éminence le cardinal Villeneuve, Monseigneur Camille et Monseigneur Cyrille arrivent au village des Chiquettes. Bien que métis, Joseph à Moïse à Chrétien retrouve tout le sens de la parole amérindienne pour haranguer, à la façon ironique traditionnelle des Etchemins, les trois prélats. L'art de Jacques Ferron a été d'avoir su en reconstituer les données, pour nous livrer ainsi une précieuse pièce d'anthologie. Joseph à Moïse à Chrétien dit :

Jeune femme mandan. (*American Museum of Natural History*)

Bélial

« Vous arrivez à l'improviste, éminents voyageurs, les plus illustres que la rivière Etchemin ait jamais vus. Nous ne vous attendions pas, vous êtes venus sous le signe de Dieu ; nos yeux ne se rassasient pas à vous voir comme si vous vous renouveliez sans cesse, comme si, déjà arrivés, vous n'étiez pas parvenus à nos cœurs qui vous sont ouverts et dans lesquels, moi, Joseph à Moïse à Chrétien, chef de ce village, qui dis tout haut la pensée des nations de mon peuple, je vous prie d'entrer, prince, prélats, chauffeur de l'Église de Québec, de Rome et de Jérusalem, illustration de notre humilité, gloire de notre bassesse, je vous prie d'entrer pour y rester à jamais. »

Abel

Le cardinal Villeneuve se doute bien que Joseph à Moïse à Chrétien ne fait que parlementer, dans le sens qu'on donnait à ce mot dans les harangues amérindiennes. Il se doute bien, le cher cardinal, que Joseph à Moïse à Chrétien reçoit avec les mêmes mots les politiciens qui, tous les quatre ou cinq ans, envahissent son village, à la recherche d'*honnêtes* travailleurs d'élections. Mais le cardinal Villeneuve n'en laisse rien paraître. Après tout, il n'a pas été missionnaire aussi longtemps dans les pays de l'Ouest pour se voir décontenancé par le premier métis québécois venu. Aussi répond-il à Joseph à Moïse à Chrétien :

Bélial

« Joseph à Moïse à Chrétien, je suis ému ; votre éloquence m'a touché. Si vous dites ce que pensent vos nations et votre peuple, en vérité, en vérité, je ne connais pas de village plus catholique que le vôtre. Il n'y a pas si longtemps, j'étais à Gravelbourg, bien loin d'ici, dans d'invraisemblables plaines où le soleil fatigué ne peut décrocher pour s'allonger un peu, car il a beau regarder du haut du ciel, il n'aperçoit ni la colline ni la forêt qui lui accorderait l'ombre d'un demi-sommeil. Et ces plaines vides sont encore plus vides depuis que le bison de nos pères communs ne les parcourt plus. C'est sans doute pourquoi les Canadiens qui laissent le Québec en perdent peu à peu l'humeur et la vie ; ils sont stéréotypés, ennuyeux, agaçants, dérisoires comme des caricatures ; ils n'ont plus d'âme, ils ont des tics. Joseph à Moïse à Chrétien, je vous le dis pour que toutes les nations du peuple de ce village l'entendent : jamais, dans des lieux aussi divers qu'étranges, jamais je n'avais été accueilli comme je l'ai été aujourd'hui, jamais ! Je vous le répète, et que le Seigneur radieux nous entende, lui qui nous ajoute une belle journée comme un cadeau de plus, le Seigneur généreux que je représente, que je vous enseigne de mon mieux, qui me chuchote les mots qui me manquent et m'inspire ceux qui vont plus loin que les autres et vous touchent le cœur ! Aussi est-ce en son nom que je vous remercie, tout ému de me trouver au milieu de vous, dans ce village qui, je vous l'annonce, s'est mérité une nouvelle destinée. »

Abel

Cette nouvelle destinée, c'est bien évidemment la transformation du village des Chiquettes en paroisse. Le métis ayant pâli en lui depuis qu'en temps d'élections il fait commerce avec le monde d'en haut, Joseph à Moïse à Chrétien accepte que le village des Chiquettes devienne paroisse sous le vocable de Sainte-Eulalie, en l'honneur d'Eulalie Durocher, la fondatrice des sœurs du Précieux-Sang, première communauté véritablement québécoise avec sa croix aux rayons de bois. Ne reste plus qu'à convaincre la capitainesse du village qui, elle, est restée foncièrement amérindienne. Si elle finit par admettre que le village des Chiquettes doit devenir une paroisse, c'est à son corps défendant de Sauvagesse, ce qu'elle exprime dans une harangue d'une aveuglante beauté :

Samm

« Vous n'avez qu'à me regarder : je suis vieille, je suis laide, vous ne saurez jamais si je suis plus laide que vieille, plus vieille que laide. Comment, dans cet état, pourrais-je parler de ma jeunesse sans la déshonorer, sans vous la rendre à jamais dérisoire ? Je ne veux pas, je ne peux pas, vous m'entendez, je ne veux pas cracher sur elle ! Pourtant écoutez-moi, nations de mon peuple, grands princes échappés des enfers et revenus sur Terre dans la voiture des morts, écoutez-moi et sachez que vos yeux vous trompent, qu'elle a été, qu'elle est encore, qu'elle sera toujours, cette jeunesse, ô ma jeunesse qu'un timide rayon de soleil a immortalisée ! C'est si loin, c'est si près qu'il n'a plus de place nulle part et qu'il est partout. Je ne sais plus et pourtant je me souviens, je me souviens du fond de la nuit la plus noire : quand j'étais ce timide rayon de soleil entre les bouleaux, au mois de mars, quand

La capitainesse (Denise Morelle) et Joseph à Moïse à Chrétien (Jacques Rossi) dans *La tête de Monsieur Ferron ou les Chians.* (Photo : Daniel Kieffer)

vierge encore je ne savais pas ce que je devenais, pleine d'humeurs gaies et de bonnes intentions, je me souviens qu'on me regardait déjà comme putain parce que je n'étais qu'une pauvre fille du village des Chiquettes. Ce regard infamant tombé sur moi des gens de bien, puis-je l'oublier, dois-je le pardonner? Les gens de bien, si je m'en rappelle! Ils convergeaient vers moi de tous les hauts lieux et de toutes les capitales, de Saint-Magloire, de Québec, de Rome, de Jérusalem, de France, d'Angleterre, de toutes les mers, de tous les temps, des grands villages, des belles maisons, des voiliers à trois ponts aux voiles de nuage, vers moi, pauvrette des Amériques qui les regardais venir avec émerveillement, pleine d'humeurs gaies et de bonnes intentions, et quand ils arrivaient, c'était pour laisser tomber ce regard dont je suis restée marquée pour la vie, qui m'a rendue laide et vieille pour les siècles! Écoutez-moi, fils du Soleil, filles de la Lune, enfants de Dieu : doit-on pardonner à ceux qui nous ont asséché le cœur et laissé l'œil aride, plus triste que dans les larmes ? Pleurer, mais comment pourrions-nous discerner sur nos visages ruisselants les larmes des crachats ? Je vous le demande, je vous le demande ! »

Abel
Mais la capitainesse n'a pas besoin d'entendre la réponse du cardinal Villeneuve ni celle de Joseph à Moïse à Chrétien parce que qu'est-ce donc qu'être sauvagesse en 1937, sinon considérer le pardon comme l'acte suprême à assumer ? Et puis, il y a cet enfant, Rédempteur Fauché, que la grosse limousine noire a failli écraser en arrivant au village des Chiquettes, et que le cardinal Villeneuve a pris dans ses bras, le regardant comme un petit dieu. Malgré tout, les nations amérindiennes et métisse ne pourraient-elles pas ressusciter par lui et retrouver leur sens, même dans le village des Chiquettes devenu la paroisse de Sainte-Eulalie ? C'est là le pari que tient la capitainesse et c'est là aussi le pari que tient Jacques Ferron quand, à la fin de son roman, il annonce une suite au *Ciel de Québec.*

Samm
La vie, la passion et la mort de Rédempteur Fauché, c'est ainsi que le roman devait s'intituler. Mais Jacques Ferron ne l'a jamais écrit, preuve que la vie amérindienne ne pouvait renaître une fois le village des Chiquettes devenu la paroisse de Sainte-Eulalie. Pour les Blancs, même aujourd'hui, les Amérindiens ne peuvent être qu'au commencement des choses, nulle part ailleurs.

Bélial
Abel ne répond pas, trop ému par les larmes qui se sont remises à ruisseler sur les joues de Samm. Certaines relectures sont des naufrages. Abel allonge la main vers Samm et l'effleure dans la nudité de son épaule. Samm se vire de bord dans le lit, tournant le dos à Abel. Certaines douleurs sont intouchables et demandent, ne serait-ce que quelques moments, à ce qu'on les laisse seules avec elles-

En octobre 1973. (Archives nationales du Québec à Montréal, photo : Michel Elliott)

mêmes. Abel le comprend. Il retire sa main, s'éloigne un peu de Samm et ferme les yeux. Tout comme moi, il doit penser à *La vie, la passion et la mort de Rédempteur Fauché*, que Jacques Ferron n'a jamais écrit après *Le ciel de Québec*. C'était pourtant un beau projet puisque Rédempteur Fauché a vraiment existé. Né aux Chiquettes, il est devenu un *honnête* travailleur d'élections comme tous les siens et a trouvé la mort dans une ténébreuse histoire politique de trafic d'influences à la fin des années soixante. Non loin de Sainte-Eulalie, on a retrouvé son corps enterré dans de la chaux vive. L'enquête policière, sans doute étouffée, n'a pas élucidé le mystère de cette mort. Dans *La vie, la passion et la mort de Rédempteur Fauché*, Jacques Ferron comptait rouvrir le dossier et faire toute la lumière sur ce messie assassiné et enterré dans de la chaux vive. S'il ne l'a pas fait, sans doute est-ce Samm qui a raison, c'est parce que au commencement seulement étaient les Amérindiens. Et c'est parce qu'elle le sait dans toute la profondeur de son corps que Samm pleure, tournant le dos à Abel. La nuit est longue à traverser et nous n'en sommes encore qu'au début. Devant la table de pommier, dans cette petite chambre sous les combles du *Château Frontenac*, je regarde les grandes feuilles de notaire et, Moi Bélial, j'aurais bien envie aussi de pleurer. Que le matin vienne vite, diable de tous les enfers !

15

Avant-dire

On apprend à vivre du moment que l'on sait qu'au bout de la vie, il y a la mort solitaire. « Laissez les morts enterrer les morts », a dit le Christ, quitte à souffrir lui-même de cette solitude au jardin des Oliviers... D'ailleurs, ce qu'on désapprend des autres, on le réapprend aussitôt par soi-même et l'on n'a plus de mal pour le retenir : on le possède.

Jacques Ferron,
Le ciel de Québec

Le hennissement du cheval de fer, toile de A. Tapy.

Bélial

Où en sommes-nous maintenant dans la nuit ? De cette petite chambre sous les combles du *Château Frontenac*, c'est difficile à dire, à cause de ce qui de l'espace se perd dans le temps. L'un à côté de l'autre, Samm et Abel sont toujours allongés dans le lit. Mais c'est Abel qui pleure maintenant tandis que Samm essaie de le consoler. Quand elle lui demande les raisons de ses larmes, Abel ne sait quoi répondre : depuis que la télévision s'en est allée de lui, c'est là quelque chose qui lui arrive régulièrement. Est-ce l'épuisement, voire ce qui vient de plus loin que l'épuisement même, c'est-à-dire ce qui, de toute création, vous dépasse ? Ainsi Abel était-il en 1969 après sa première lecture du *Ciel de Québec*. Et ainsi était-il encore en 1979, donc dix ans plus tard, quand, au *Théâtre d'Aujourd'hui*, il a fait jouer *La tête de Monsieur Ferron ou les Chians*, une épopée dite drolatique qu'il avait tirée du grand roman de Jacques Ferron en privilégiant, comme il se doit, cet épisode où le village des Chiquettes devient la paroisse de Sainte-Eulalie. Jacques Ferron a mis du temps avant d'accepter d'assister à une représentation de cette pièce imaginée par Abel. Et quand il s'y est résolu, je peux dire, Moi Bélial son chauffeur, que les bras lui en sont tombés. Et, n'avait été de la grande amitié qu'il vouait à Abel, sans doute ne lui aurait-il jamais pardonné d'avoir écrit ce texte même pour lui rendre hommage. C'est que, pour Jacques Ferron, une œuvre, dès qu'elle est écrite dans la forme qui est la sienne, est intraduisible. C'est une totalité, contrairement à toute adaptation d'elle qu'on en pourrait faire, car adapter ce n'est rien de plus qu'une indigente mutilation. Si ce n'était pas le cas, a toujours prétendu Jacques Ferron, il serait possible d'écrire, en lieu et place des romans qu'on a dans la tête, leurs résumés. De ce point de vue-là des choses, Jacques Ferron était tout à fait du bord de Borges : quand une œuvre naît, elle se nourrit d'elle-même afin que ses grosseurs lui adviennent. Et, une fois que cela est arrivé, elle est bien plus qu'un témoignage mais la fiction souveraine dans toute sa réalité. Et la réalité est indissociable. D'où la tristesse de Jacques Ferron quand il a assisté à cette représentation des *Chians* au *Théâtre d'Aujourd'hui.* On lui enlevait tout ce ciel de Québec qu'il avait mis cinq ans à écrire, et pourquoi?

Abel
Parce que alors je ne comprenais rien, pas plus mon admiration pour Jacques Ferron que le reste. Je ne comprenais surtout pas qu'il est interdit de s'immiscer dans les mots de l'autre, sauf comme lecteur.

Samm
Mais lecteur, est-ce que tu as jamais été autre chose?

Abel
Je n'en sais rien. Tout ce qui compte pour moi, c'est qu'en adaptant *Le ciel de Québec* comme je m'y suis employé, j'ai mutilé une œuvre comme ce n'est pas permis de le faire. Et pas encore content de ce que j'avais entrepris, j'ai été beaucoup plus loin : dans ma pièce, j'ai fait de Jacques Ferron un personnage, me servant de ce que j'avais appris de lui en privé pour en faire montre devant des spectateurs qui n'en demandaient pas autant. En ce sens, et parce que d'une part j'ai privilégié un seul épisode du *Ciel de Québec* et que, d'autre part, je me suis permis d'intervenir dans ce qu'il y avait de plus privé chez Jacques Ferron, je me suis déconsidéré à ses yeux, de

Monseigneur Camille (Denis Bouchard), Aurèle de la terre Aurélie (Lothaire Bluteau), le cardinal Villeneuve (Lionel Villeneuve) et Monseigneur Cyrille (René Gingras). (Photo : Daniel Kieffer)

même qu'aux miens. C'est la raison pour laquelle c'est moi qui pleure maintenant, à cause du manque total de respect que j'ai eu pour Jacques Ferron.

Bélial

Samm n'insiste pas. Issue d'une nation pour qui la mutilation venue de l'incompréhension des autres est encore ce qu'il y a de plus sordide dans la réalité, elle comprend le chagrin d'Abel. Elle le comprend aussi bien que, Moi Bélial, je puis le comprendre. Abel a mal parce que, malgré tout son vouloir, il n'est jamais arrivé à dire toute cette beauté que, dès la première fois, il a reconnue dans *Le ciel de Québec*. Et s'il a parlé avec tant de profusion de l'épisode central des Chiquettes, c'est que le lecteur ébloui en lui voulait garder privé tout le reste, notamment Eurydice, le docteur Cotnoir et Frank-Anacharsis Scott qui, avec le cardinal Villeneuve, Monseigneur Camille, Monseigneur Cyrille, Joseph à Moïse à Chrétien et la capitainesse, sont ce qui constitue le ciel même de Québec.

Abel

Et encore est-ce parce que vous oubliez le Jean Crête de la Mattawin, homme de chantier comme il se doit, et revenu des hauts pour se retrouver à Québec afin d'y dépenser son magot au bordel, celui de la rue Saint-Vallier, que tout le monde fréquentait en 1937, de Chubby Power à Médéric Martin qui fut maire de Montréal, d'Ernest Lapointe à ce pauvre Orphée-Saint-Denys Garneau. Ah ! que c'était un bordel bien tenu que celui-là ! On y venait de toutes les sociétés rien que pour retrouver là ce qui manquait désastreusement ailleurs : le plaisir. Et dans une société aussi puritaine que le Québec l'était à cette époque-là, que pouvait bien être le plaisir sinon la transgression même, c'est-à-dire ce qui, malgré tout, doit se communiquer du village d'en bas à celui d'en haut?

Bélial
Pourtant, le docteur Cotnoir n'était pas de ce bord-là des choses.

Abel
Non, parce qu'il pratiquait l'humilité, ce que la société québécoise de cette époque-là, aussi bien politique que religieuse, ne faisait pas. Aussi se contentait-il, d'aussi loin que de Montréal et que de Sainte-Catherine de Portneuf, de soigner le pauvre monde en usant de toutes les astuces de son art pour qu'Eurydice, sa fille, ne meure pas.

Samm
C'est pourtant ce qui est arrivé.

Abel
Oui, je sais bien. Mais c'est arrivé parce que les Cotnoir étaient du monde humble, comme j'ai dit. Et ils étaient humbles dans un monde qui ne voulait surtout pas se résigner à l'être pour avoir tiré du grand depuis trop de générations. Sinon, le personnage de Calliope, la mère d'Orphée-Saint-Denys Garneau, ne voudrait rien dire. De sa famille, elle avait tout eu : la gloire et la fortune, qu'elle se partageait également entre Montréal et Sainte-Catherine de Portneuf, aussi à l'aise dans un monde que dans l'autre car ainsi est l'argent, même petit-bourgeois : il vous autorise à faire n'importe quoi, y compris à jouer les grandes duchesses rouges sous le nez même du clergé qui applaudit, somme toute satisfait qu'on s'enflamme au sujet de la guerre d'Espagne plutôt que de protester contre les injustices dont surtout les femmes québécoises d'alors étaient les victimes. Culturellement, cette époque dont parle Jacques Ferron dans *Le ciel de Québec* était une époque pourrie. Souvenez-vous ! Les femmes n'avaient toujours pas le droit de vote aux élections et Calliope, au lieu de monter aux barricades comme Thérèse Casgrain et Idola Saint-Jean, préférait profiter

pleinement de sa condition de petite-bourgeoise, donnant dans le théâtre farfelu, faisant même monter à Sainte-Catherine de Portneuf une pièce belge se passant au Congo, et tout à fait incompréhensible : *La reine du bouroubourou* ! Évidemment, ce n'était pas compromettant dans un pays qui, pour ne pas souffrir vraiment, sauf de ses longs hivers, se satisfaisait avec complaisance de la représentation que culturellement il se donnait à lui-même. La parution de la plus mince des plaquettes de poésie se voyait saluée comme un événement et, étant donné que la concurrence n'était pas nombreuse, on finissait très rapidement par vivre en état de boursouflure de renommée, comme Saint-Denys Garneau et comme les gens de *La Relève*. Cette boursouflure de renommée avait ses conséquences : presque tous les intellectuels de ce temps nourrissaient un profond mépris pour le peuple, dont ils se croyaient enfin sortis et qu'ils rêvaient d'abandonner définitivement au profit de Paris, Londres, voire Rome. D'Alain Grandbois à Philippe Panneton, de Robert Choquette à Robert de Rocquebrune, combien d'intellectuels québécois de ce temps-là ont déserté le Québec pour ne pas avoir à le combattre vraiment dans ce qu'ils rejetaient de lui ? Dans *Le ciel de Québec*, c'est le point de vue du docteur Cotnoir, conscient que, de par sa qualité de médecin, il représente le seul lien pouvant encore exister entre les classes dites défavorisées et cette petite-bourgeoisie d'affaires aliénée qui, telle la famille de Saint-Denys Garneau, faisait son nid dans l'aristocratie ecclésiastique et politique. N'était de sa grandeur d'âme et de l'amour qu'il porte à sa fille Eurydice, le docteur Cotnoir ne passerait jamais au travers, sa notabilité se retournant contre lui.

Samm

N'est-ce pas ce qui finit tout de même par lui arriver ? Le docteur Cotnoir ne trouve-t-il pas la mort justement à cause de cet amour presque démesuré qu'il a pour sa fille

Eurydice ? Dans *L'amélanchier*, qui suivra de peu *Le ciel de Québec*, n'a-t-on pas sous les yeux la même problématique, cette fois entre Tinamer et son père Léon de Portanqueu ? Et de quoi parleront *Les roses sauvages*, sinon encore une fois de cet amour presque démesuré liant Baron à sa fille, amour qui le fera devenir fou et suicidaire ?

Poète mort porté par un centaure, toile de Gustave Moreau.

Abel
C'est bien certain que ces trois livres se répondent les uns aux autres. Mais *Le ciel de Québec* présente une différence fondamentale par rapport à *L'amélanchier* et aux *Roses sauvages*. Dans ces deux romans, le père meurt mais non les filles, Tinamer et Rose-Aimée. Dans ces deux romans, je dirais même que le père doit mourir pour que Tinamer et Rose-Aimée puissent atteindre à toutes leurs grosseurs, donc devenir heureuses. Dans *Le ciel de Québec*, la réalité est tout autre : et le père et la fille meurent.

Bélial
Cela tient au mythe même d'Orphée. Selon le mythe grec, Orphée est le fils de la muse Calliope, grande prêtresse de la poésie épique et de l'éloquence. Orphée a hérité les dons de sa mère : poète, musicien et chanteur, son génie

était tel, dit-on, qu'il charmait même les bêtes sauvages. Descendu aux enfers pour l'amour de sa femme Eurydice, morte de la piqûre d'un serpent, Orphée enjôle les gardiens du séjour infernal et obtient le retour d'Eurydice dans le monde des vivants, à condition qu'il ne tourne pas ses regards vers elle avant d'avoir franchi le seuil des enfers. Mais Orphée oublia la condition imposée et perdit Eurydice pour toujours. Dans *Le ciel de Québec*, Jacques Ferron n'a fait qu'adapter le mythe grec.

Abel

Sauf que, dans le mythe originel, il n'est jamais question du père. Était-il déjà mort avant même la naissance d'Orphée ? Nous n'en savons rien personne. Dans *Le ciel de Québec*, c'est Eurydice qui meurt d'abord, puis le docteur Cotnoir, peut-être parce que la souffrance paternelle doit se vivre jusqu'au bout avant de se dissoudre entièrement, dans la culpabilité et le remords. Après tout, la responsabilité du docteur Cotnoir est énorme : c'est lui qui a fait venir de l'Ouest cette horde de broncos sauvages que dirige le grand étalon noir arborant une étoile blanche au beau milieu du front. Et c'est lui aussi qui ne réagit pas quand le grand étalon noir saute par-dessus l'enclos où il est détenu pour galoper tout droit vers l'église de Sainte-Catherine de Portneuf dans laquelle Monseigneur Cyrille prêche la grande retraite paroissiale. En voyant le grand étalon noir monter sur le parvis et entrer dans l'église, le docteur Cotnoir aurait dû comprendre que l'énorme bête se *sacralisait* en quelque sorte et qu'elle redevenait d'office le cheval du diable qu'on ne doit ni débrider ni monter. Lui si connaissant de toutes ces choses, comment a-t-il pu ne même pas y songer ?

Bélial

Peut-être tout simplement parce que, dans le mythe grec, Eurydice trouve la mort après qu'un serpent l'ait mordue et qu'au Québec il n'y a pas de serpents ! On ne s'approprie vraiment les mythes des autres qu'en les fondant aux siens propres. C'est ainsi que se bâtit une véritable littérature nationale, pas autrement.

Samm
Après la harangue de la capitainesse, la description que fait Jacques Ferron de la mort d'Eurydice, c'est ce qu'il y a de plus beau dans *Le ciel de Québec*. Eurydice était une excellente écuyère et le grand étalon noir la fascinait, surtout depuis qu'Orphée, sans le lui dire vraiment, repoussait son amour. Peut-être cette journée-là où le drame arriva, Eurydice ne voulut-elle qu'en avoir le cœur net au sujet d'Orphée. Peut-être est-ce ce qui l'incita à faire seller le grand étalon noir, à le monter et à prendre la route vers le manoir qu'Orphée habitait avec sa mère à Sainte-Catherine de Portneuf. Ce jour-là, Jean Lemoyne, de *La Relève* et ami d'Orphée, était au manoir. Orphée refusant de monter à cheval, c'est Jean Lemoyne qui accompagna Eurydice dans sa chevauchée. En fait, accompagner est un bien grand mot car le grand étalon noir, bientôt parti à la fine épouvante, eut tôt fait de devancer le petit cheval que montait Jean Lemoyne. Et quand celui-ci rattrapa Eurydice, tout était déjà joué :

Abel
« Ah, quel jeu ! Eurydice gisait le visage contre terre, ses cheveux tout ensanglantés. Je sautai de cheval et m'agenouillai auprès d'elle, indécis, ne sachant que faire. Je la crus morte mais ne voyais pas sa blessure. De son visage, je n'apercevais que le côté droit, intact, détendu, sans souffrance et très beau. Elle ne me semblait plus respirer. Le plus doucement que je pus, je la retournai sur le dos. Cela me fut facile, mais alors je vis l'autre côté de son visage, tout enfoncé, fait de boue et de sang, dont l'œil exorbité sortait davantage par moments et je compris alors que si elle ne respirait plus, son cœur battait encore et que c'était lui qui entretenait le mouvement affreux de

Le cheval enchanté, gravure de Ate Goichon.

cet œil. Je me cachai la face de mes mains, priant Dieu qu'elle mourût, et j'entendis alors distinctement le nom d'Orphée qu'elle appelait. Ce n'était pas possible puisqu'elle ne respirait plus. Je me suis peut-être trompé. Quand j'ai écarté mes mains, non seulement je vis qu'elle ne respirait plus, mais encore que son cœur ne battait plus. Alors je l'ai prise dans mes bras, prenant garde de cacher le côté gauche de son visage contre mon épaule. Je me suis levé et j'ai entrepris de monter le coteau en haut duquel l'étalon noir avait empêché de passer le métis Sicotte et le père d'Eurydice. Mais quand il me sentit approcher, l'étalon noir se tourna vers moi, tremblant de tous ses membres. Chose curieuse, le grand cheval ne m'apparut pas redoutable ; au contraire, il me semblait presque irréel comme s'il eut été une sorte d'hallucination, une représentation fantastique de l'angoisse. »

Bélial

Ainsi mourut Eurydice, bientôt enterrée dans le cimetière de Sainte-Catherine de Portneuf, sur son côté droit, intact, détendu, sans souffrance et très beau. Venu de l'Ouest, le cheval du diable avait accompli son œuvre. La nuit, il envahissait le cimetière et piochait furieusement du sabot la terre encore meuble de la tombe d'Eurydice, et hennissait, comme s'il l'appelait. Le docteur Cotnoir voulut en finir avec lui. Mais, quand le cheval du diable devient la représentation fantastique de l'angoisse, on n'en vient pas à bout, même d'une balle de Winchester. Et d'autant moins que le métis Sicotte, débandé autant des pays de l'Ouest que de celui de l'Est, entreprend de le sauver afin de le ramener à Calgary. Bien évidemment, le métis Sicotte va se tromper de chemin et se retrouver au village des Chiquettes avec le grand étalon noir et sa horde de broncos sauvages. Il arrive à point, le métis Sicotte : la construction de l'église de la future paroisse de Sainte-Eulalie n'avance pas vite, justement à cause des chevaux qui manquent. Le métis Sicotte va faire don des siens aux Chians, sauf six pouliches et le grand étalon noir parce que celui-ci, ayant mis à mort Eurydice, ne peut plus avoir d'autre fonction que celle de reproducteur, quelque part entre le pays de l'Est et ceux de l'Ouest. Une fois l'église achevée, les Chians tuent les chevaux que leur a laissés le métis Sicotte et les mangent. C'est ainsi que cela se passe quand le conte arrive à son bout : de toute chose, il n'en reste plus que le squelette.

Abel
Et la mort du docteur Cotnoir?

Bélial
C'est un épisode bien triste que celui-là, je l'admets.

Samm
N'ayant pu venir à bout du grand étalon noir, le docteur Cotnoir porte tout son désespoir sur Orphée. Montant dans sa grosse Roadmaster, il s'en va donc vers le manoir de Sainte-Catherine de Portneuf dans l'intention d'y tuer Orphée. Quand il se retrouve devant lui, le docteur

Cotnoir comprend qu'Orphée n'est que la réplique de sa fille perdue et c'est pourquoi il sort tout aussitôt du manoir sans rien dire :

Abel
« Orphée, par le carreau de la fenêtre le vit monter dans son chariot funeste, cette grosse Roadmaster au moteur puissant, au capot rabattu, ouverte comme un tombereau à la pluie et aux vents de Grondines. Cotnoir se riva de nouveau au volant et démarra avec lenteur, presque sans bruit. Le fracas était tout près et Orphée l'entendit, quand la clairière sur la colline, alentour du manoir de Fossembaut, fut redevenue obscure et qu'au bas de la côte y menant, Cotnoir, poussant le moteur à fond, fut porté trop vite sur le pont pour tourner d'équerre dans la direction de la traversée, culbutant le tombereau et sa personne dans la rivière Jacques-Cartier sous les eaux de laquelle les phares restèrent quelque temps allumés, assez pour voir passer le docteur Augustin Cotnoir, détaché du volant, qui partait en aval et dont on ne rejoignit le corps que plusieurs jours après, rendu dans le fleuve, près de l'île d'Orléans. Ce fut grâce à la marée qui l'avait arrêté ; autrement on ne l'aurait jamais retrouvé. On rouvrit la fosse et on le plaça du bon côté, près d'Eurydice, du côté de son visage resté intact. Ainsi donc la rejoignit-il de même qu'il ne verra jamais, du moins on le souhaite, son œil exorbité et comme parti à la recherche du jour dans les ténèbres infranchissables de la terre. »

Bélial
En lisant ces mots venus de la mort du docteur Cotnoir, Abel s'est redressé dans le lit. Il s'est levé et est allé à la fenêtre, écartant le rideau pour voir dehors. La nuit s'effiloche, faisant apparaître les toitures de tôle de la Basse-Ville. Samm est allée rejoindre Abel. Enlacés, ils ne font plus que regarder, contents de voir que les ténèbres se dissipent. Bientôt, on entendra sans doute sonner la

cloche du couvent des sœurs du Précieux-Sang et Monseigneur Camille descendra la côte du Palais comme il le fait tous les matins depuis 1937. Et comme tous les matins depuis 1937, il y rencontrera Orphée remonté des enfers et plus pâle que la mort même. Ne manquerait plus que Frank-Anacharsis Scott pour que le portrait soit complet, pour ne pas dire éternel. Mais pourquoi, dans leur relecture du *Ciel de Québec*, Samm et Abel ont-ils sauté par-dessus toutes ces pages le concernant ? Les Scott, on le sait maintenant, ont pourtant été une famille très importante aussi bien à Québec que dans l'œuvre de Jacques Ferron.

Abel

Samm et moi, nous avons parlé de tout cela quand nous avons lu *Les confitures de coings* et *La charrette*. Quel besoin de rappeler encore que Dugald Scott était pasteur anglican et que son fils, Frank-Anacharsis, d'abord missionnaire chez les Esquimaux, s'est retrouvé à Québec en 1937 dans l'espoir un peu fou pour un Écossais anglophone de s'enquébécoiser ? Frank-Anacharsis Scott n'y arrivera jamais, trop heureux de troquer son col de pasteur anglican contre cette chaire de professeur en sociologie à l'université McGill. Car, contrairement aux métis qui n'ont pas eu le choix de s'intégrer à la majorité, les anglophones, un brin rhodésiens, ont toujours pu refuser la nationalité québécoise. La grande échelle de Frank-Anacharsis Scott n'est pas une exception qui rend la règle infirme : elle la confirme plutôt. Lui et sa famille ne sont donc là, dans *Le ciel de Québec*, que pour qu'on comprenne la chose, définitivement.

Bélial

Abel a dit cela sans quitter la fenêtre des yeux. Lui et Samm regardent toujours dehors, comme s'ils attendaient que les premiers rayons du soleil viennent les régénérer. Mais il n'y a pas que cela, je crois bien. Il y a aussi le fait qu'il ne suffit pas de refermer sur lui-même le livre de la plus haute autorité pour que les mots écrits dedans cessent de vous hanter. Car un livre véritable, par-delà toutes les anecdotes qui le constituent, c'est d'abord la

Le rêve du cow-boy vu par Masterson et Earp.

grande expérience d'écriture qui le détermine. C'est le style qui assure la pérennité de l'œuvre, et celui de Jacques Ferron, dans *Le ciel de Québec*, est souverain.

Abel

Et dans ce sens-là, tant de choses demanderaient à être dites encore ! Tant de phrases mériteraient d'être soulignées, ne serait-ce que pour leur beauté !

Bélial

Mais on ne renaît pas de la nuit, même dans une petite chambre sous les combles du *Château Frontenac*. C'est pourquoi Samm et Abel se rhabillent tandis que, Moi Bélial, je mets dans le portuna au cuir tout vermoulu les grandes feuilles de notaire et le stylo feutre qui, toute la nuit, sont restés sur la table de pommier. Je trouve Samm et Abel radieux : d'avoir fait ainsi l'amour toutes ces longues heures les a transformés. Dorénavant, ils seront bien davantage que des complices mais ce qu'on retrouve au plus intime de la peau quand le sang, celui de l'un et celui de l'autre, devient ce qu'il y a de plus doux dans la réconciliation. Samm embrasse Abel. Elle dit :

Samm

Quand j'ai quitté la Pointe-Bleue pour aller te rejoindre au carré Saint-Louis, je ne vivais encore que de la fragilité de mon suicide manqué, avec au-dessus de ma tête un corbeau dont je ne comprenais pas le sens. Maintenant, je sais que le corbeau n'était autre que toi, apparu dans ma vie pour que l'attente se dénoue. Je crois bien que c'est arrivé cette nuit et ce que je n'ai jamais osé dire à personne, je puis maintenant m'y engager : je t'aime Abel.

Abel

Je t'aime aussi et de bien plus loin que de moi-même.

Bélial

Ils s'embrassent encore puis je tends à Abel le portuna au cuir tout vermoulu. Maintenant que le plein du jour, par grandes bolées, entre dans la petite chambre sous les combles du *Château Frontenac*, il n'y aurait plus de signification à y rester plus longtemps. Je dis : maître, que sera désormais le pèlerinage?

Abel

Il nous faut maintenant rentrer à Montréal car c'est là qu'est la suite du *Ciel de Québec*. Mais auparavant, j'aimerais bien qu'on repasse une dernière fois par la Basse-Ville, qu'on s'engage dans la côte du Palais, et puis dans les rues Saint-Vallier, Saint-Nicolas et Saint-Paul qui mène au couvent des sœurs du Précieux-Sang. Je voudrais revoir encore tous ces lieux grâce auxquels l'amour m'est advenu. Après, nous prendrons le chemin du Roy, passerons par Cap-Rouge avant de nous retrouver au manoir de Saint-Denys Garneau à Sainte-Catherine de Portneuf. Puis nous suivrons la rivière des Etchemins jusqu'à Sainte-Eulalie. Et puis, ça sera le chemin du Roy encore, jusqu'à Louiseville et Yamachiche. Si nous sommes un peu chanceux, peut-être aurons-nous encore l'occasion d'y saluer le poète Nérée Beauchemin qui, assis sur la galerie de sa maison entre ses deux filles, soulèvera pour nous son grand chapeau. Je sais bien que nous avons connu tout cela depuis que nous avons entrepris notre pèlerinage, mais nous allons tout voir différemment maintenant que nous avons vraiment lu pour la première fois *Le ciel de Québec.* Et puis, dites-vous bien que, une fois que nous serons de retour à Montréal, il y aura bien de la tristesse à cause de ce que Jacques Ferron lui-même y a vécu.

Bélial

Son portuna au cuir tout vermoulu à la main, Abel est sorti de la petite chambre sous les combles du *Château Frontenac.* Un pas derrière lui, Samm l'a suivi. Et Moi Bélial, je regarde une dernière fois la table de pommier et cette fenêtre qui ne donne même pas sur le fleuve Saint-Laurent. Ma patte de bouc tressaille. C'est comme rien : je dois me faire très vieux, tout diable que je sois, pour me sentir ainsi aussi heureux. J'enfile ma longue cape et me coiffe de mon chapeau à larges bords. Quelque part le long de la rue Buade, la vieille Cadillac blanche dont les grands ailerons sont lumineux nous attend, Samm, Abel et moi. Après avoir refermé derrière moi la porte de la petite chambre sous les combles du *Château Frontenac,* je me tâte les oreilles, comme si je me prenais encore pour Aurèle de la terre Aurélie avec sa tête de crapaud. Je pars d'un grand éclat de rire, ce qui fait tressaillir la femme de chambre que je croise dans le corridor. Une fois quitté le

Château Frontenac, je ne mettrai pas de temps à retrouver la vieille Cadillac blanche dont les grands ailerons sont lumineux. À l'arrière, Samm et Abel sont déjà assis sur la banquette, collés l'un à l'autre. Je fais démarrer la vieille Cadillac blanche dont les grands ailerons sont lumineux. Et ce n'est plus le terrible corbillard de toutes les morts que je conduis vers la Basse-Ville de Québec, mais le carrosse doré de toutes les vies. Adoué ! Adoué ! crie ironiquement Abel. Je pars encore d'un grand éclat de rire, Moi Bélial dont la patte de bouc tressaute sur l'accélérateur. Et je regarde dans le rétroviseur : Samm et Abel s'étreignent, comme si tout le ciel de Québec basculait enfin dans leurs corps.

16

Avant-dire

L'inceste est un tabou qui n'a pas tellement pour but d'empêcher le père de coucher avec la fille et la mère avec le fils ; il cherche surtout à prévenir l'union des frères et des sœurs, par laquelle la famille se replierait sur elle-même et ne profiterait à la société que du dehors.

Jacques Ferron,
Le désapparentement

Au Moyen-Âge, castration de l'incestueux.

Samm

Je ne sais plus ni quand ni comment nous sommes revenus de Québec dans la vieille Cadillac blanche dont les grands ailerons sont lumineux. C'est que tout le paysage s'était comme fondu dans nos corps, à Abel et à moi. Cela faisait du bien que de se catiner dans de la tendresse à peine effleurante malgré les yeux de braise de Bélial nous regardant parfois dans le rétroviseur. Quand la vieille Cadillac blanche dont les grands ailerons sont lumineux s'est arrêtée devant le 931 rue Bellerive, à Longueuil, il nous en a fallu du temps à Abel et à moi pour sortir de ce qu'il y a de plus précieux dans l'ensommeillement quand ça se vit à deux, c'est-à-dire cet abandon total dont les corps sont capables une fois qu'ils se reconnaissent vraiment. Abel a allongé la main et pris le portuna au cuir tout vermoulu qui, entre Québec et Montréal, était tombé à ses pieds. Il l'a ramené sur ses genoux et a dit :

Abel

Nous voici maintenant dans le Coteau-Rouge, devant la maison que Jacques Ferron a habitée presque jusqu'à la fin de sa vie. C'est dans ce modeste bungalow de banlieue qu'il a élevé ses enfants et c'est aussi dans ce modeste bungalow de banlieue que, pour se délivrer de la grande fatigue où l'avait laissé l'écriture du *Ciel de Québec*, il a imaginé *L'amélanchier*. On est en plein milieu de l'année 1969, dans du grand brouillement d'ombres par-dessus la tête à cause de la crise d'Octobre qui se prépare, tramée

Rue Bellerive.
(Photo : Daniel Fontigny)

aussi bien par les felquistes terroristes que par le gouvernement canadien et Pierre Elliott Trudeau pour qui la montée du nationalisme québécois devait être tordue dans son cou, et définitivement. Mais, même si tous les signes sont là, il y a encore fort peu de monde pour les lire : c'est que les signes, ça ne devient pertinent que par après, une fois tout le jeu joué. Au milieu de l'année 1969, on n'en était pas encore là, mon moi haïssable y compris. Ça flottait de tous les bords et de tous les côtés comme flottaient mollement au-dessus du pays tous ces mots écrits dans *Le ciel de Québec* qui, enfin paru, ne connut qu'un bien maigre succès critique. Jacques Ferron en fut attristé et c'est un peu pour prendre sa revanche qu'il écrivit *L'amélanchier*, manuscrit qu'il me donna à lire après m'avoir invité, pour la première fois, chez lui.

Bélial

Je m'en souviens fort bien car j'étais là ce jour-là, à jouer derrière la maison, à la frontière de la cour et du champ sacré des salicaires. Et si je jouais avec autant de frénésie, la raison en était somme toute assez simple : de diable et de chauffeur que j'avais toujours été dans les livres de Jacques Ferron, il fallait bien que je devienne le cerbère de la famille des de Portanqueu et que par mes aboiements, j'inscrive dans l'espace ce qui partage le monde en deux, c'est-à-dire ce bon côté des choses que constitue l'enfance et cet autre, absolument mauvais, qui est tout ce qui s'arrime à la vie dès que celle-ci se prétend adulte.

Abel

Jacques Ferron est d'abord venu me rejoindre aux éditions du Jour, où nous nous étions donné rendez-vous. Il avait déjà cet air bizarre qui ne le quittera plus jusqu'à la fin de sa vie. J'ignorais alors que c'était à cause de la chlorpromazine qu'il expérimentait sur lui-même et qui, la nuit, l'empêchait de sombrer tout à fait dans l'angoisse. Je me demandais bien pourquoi il y avait ce filet de bave qui coulait parfois aux commissures des lèvres de Jacques Ferron quand il venait me voir aux éditions du Jour, mais je ne l'aurais jamais su n'avait été de mon père qui, tout comme Jacques Ferron, travaillait à cette époque au Mont-Thabor, nommaison imagée de l'hôpital du Mont-Providence que, quelques années plus tard, on a débaptisé pour l'appeler banalement l'hôpital Rivière-des-Prairies. Le Mont-Thabor était le haut lieu des hydrocéphales et des oligophrènes : quand on y entrait, c'était ou bien pour y rester à demeure ou bien pour se retrouver éventuellement à Saint-Jean-de-Dieu, c'est-à-dire dans de l'enfermement impossible à vaincre. Durant les vacances d'été, mon père aurait voulu que je travaille au Mont-Thabor. J'y suis allé quelques fois afin d'y signer une demande d'emploi. Mais dès que je me retrouvais dans ces longs corridors que la mauvaise peinture s'en était allée d'eux autres, la peur me prenait avant même que j'aie eu le temps de voir vraiment un hydrocéphale ou bien un oligophrène, et je me jetais littéralement dehors moi-même, content de courir jusqu'au boulevard Gouin et d'y arriver sain et sauf, dans toute l'intégrité où se tenait encore mon corps. À cette époque, je lisais trop Samuel Beckett : les poubelles et tout ce qui peut sourdre d'elles quand on les ouvre me terrorisaient. Je ne l'ai compris qu'après que Jacques Ferron, assis devant moi dans le bureau que j'occupais aux éditions du Jour, m'eut parlé de tout cela, le manuscrit de *L'amélanchier* sur ses genoux. Malgré la chlorpromazine qui aurait dû le calmer,

Hydrocéphales et oligophrènes au début du siècle.

il était tout fiévreux. Je lui ai donc proposé qu'on aille boire un café au *Select* parce que j'avais peur que si nous restions aux éditions du Jour, jamais il ne m'y laisserait *L'amélanchier* à lire. Mais, une fois la rue Saint-Denis descendue jusqu'à la rue Sainte-Catherine, Jacques Ferron m'a entraîné dans le parking qu'il y avait alors derrière l'église Saint-Jacques, là où il garait toujours sa voiture quand il venait me voir aux éditions du Jour. Il m'a invité à monter dans la petite Renault jaune qu'il conduisait et c'est ainsi que nous avons traversé le pont Jacques-Cartier avant de nous retrouver dans le grand Coteau-Rouge de son imaginaire, ce modeste bungalow de banlieue où il venait d'achever *L'amélanchier*. Au fond de la cour, Bélial hurlait déjà à la lune. Et dans le modeste bungalow de banlieue, Bouboule le matou, Jaunée la chatte, et Thibeau leur fils, se collaient tout contre nos jambes et miaulaient parce qu'ils avaient faim. Jacques Ferron a mis le manuscrit de *L'amélanchier* sur la table, il est allé vers le réfrigérateur, en a sorti ce sac d'éperlans qu'il a ouvert. Puis, au beau mitan de la cuisine, il s'est mis à lancer les poissons tout autour de lui pour que Bouboule, Jaunée et Thibeau se rassasient. Je ne me souviens que de la lumière que cela faisait dans la cuisine, et c'était pareil à des éclairs de beauté. Après, Jacques Ferron et moi, nous nous sommes assis et j'eus le grand plaisir d'entendre, de la voix même de celui qui l'avait écrit, ce grand commencement de livre que sont les premières pages de *L'amélanchier*:

Samm

« Je me nomme Tinamer de Portanqueu. Je ne suis pas fille de nomades ou de rabouins. Mon enfance fut fantastique mais sédentaire de sorte qu'elle subsiste autant par ma mémoire que par la topographie des lieux où je l'ai passée, en moi et hors de moi. Je ne saurais me dissocier de ces lieux sans perdre une part de moi-même. ‹ Ah ! disait mon père, je plains les enfants qui ont grandi en haute mer. › Fin causeur et fils de cultivateur, il se nommait Léon, Léon de Portanqueu, esquire, et ma mère, ma douce et tendre mère, Etna. Je suis leur fille unique. Et mon enfance, je la décrirai pour le plaisir de me la rappeler, tel un conte devenu réalité, encore incertaine entre les deux. Je le ferai aussi pour mon orientement, étant donné que je dois vivre, que je suis déjà en dérive et que dans la vie comme dans le monde, on ne dispose que d'une étoile fixe, c'est le point d'origine, seul repère du voyageur. On est parti avec des buts imprécis, vers une destination aléatoire et changeante que le voyage se chargera lui-même d'arrêter. Ainsi l'on va, encore chanceux de savoir d'où l'on vient. »

Abel

Tout *L'amélanchier* est écrit sous le signe, non de l'orientation, mais sous celui de l'orientement. Il s'agit d'une différence énorme et tout à fait dans la logique de l'écriture ferronnienne à travers le Québec interposé. Car l'orientation, voilà bien quelque chose qui n'appartient en propre qu'aux Britanniques, pour qui le centre du monde, c'est-à-dire le *home* fondamental, est constitué par l'île ingrate qu'ils habitent et dans laquelle ils vont toujours retourner car elle représente l'espace même de leur singularité. Aussi les Britanniques peuvent-ils se retrouver aux quatre coins de l'univers, s'y projetant eux-mêmes dans l'agrandissement de la découverte, il n'en reste pas moins que tout ce qu'ils reconnaissent dedans, ce n'est rien que ce qui les a toujours habités, ce *home* natal qu'ils mettent au-dessus de tout et auquel ils reviennent une fois la voyagerie terminée. Par rapport à cela, l'orientement est tout à fait autre. Le mot même le dit : s'il y a aussi orientation dans le mot orientement, on y trouve bien autre chose quand on est québécois : on y trouve l'Orient, soit la magie même de la fabulation, soit l'i-mage-rie grâce à laquelle sont venus les *Contes des mille et une nuits.* Évidemment, dans *L'amélanchier*, c'est cette différence singulière qu'établit souverainement Jacques Ferron, à

cause de l'enfance dans laquelle le pays se trouve toujours, à la recherche de la boussole mythique qui saura lui donner son centrement qui n'est rien de plus, pour lui-même, que la fusion des quatre points cardinaux. Je sais que cela peut paraître compliqué et, de tous les livres que Jacques Ferron a écrits, *L'amélanchier* est, pour tout ce qui se dévale en lui, un ouvrage absolument chiffré. Pourtant, c'est celui-là même que les lecteurs québécois privilégient encore. Pourquoi?

Samm
Comme *L'amélanchier* est raconté par une petite fille, j'aimerais bien, en ma qualité de femme, malgré le fait que je sois amérindienne, en donner les raisons. Je peux?

Abel
Quand on est dans l'an premier des choses, l'homme n'est que ce qui se boursoufle du paysage. Aussi, Bélial et moi allons-nous t'écouter, Samm.

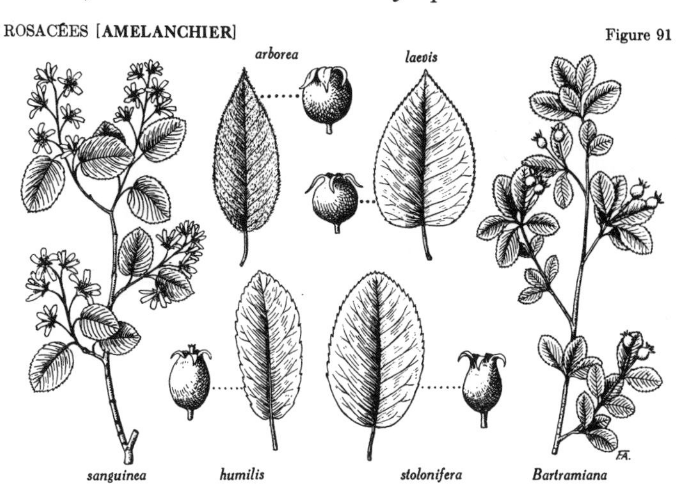

Amelanchier: *A. sanguinea*, rameau florifère; *A. arborea*, feuille jeune et fruit; *A. humilis*, feuille et fruit; *A. laevis*, feuille jeune et fruit; *A. stolonifera*, feuille et fruit; *A. Bartramiana*, rameau fructifère.

Samm
Il a déjà été établi que je m'appelle Tinamer de Portanqueu. Je suis une enfant et je vis avec Léon de Portanqueu, mon père. Léon, ce n'est pas un prénom qui s'est choisi pour rien étant donné qu'il signifie lion : être lion, c'est savoir de quoi son royaume est fait, c'est l'habiter dans tout ce qu'on imagine, aussi bien dans le territoire que ça s'est donné que dans les balises qu'on se fixe pour soi-même à cause que les autres ne pourront jamais manger ce que vous

êtes par peur de ne pas le digérer. Mais moi, Tinamer, je n'habite pas toute seule avec Léon de Portanqueu. Il y a aussi ma mère Etna, dont le nom aussi ne parle pas pour rien : Etna, c'est un volcan qui s'est mal éteint, de sorte que parfois il se réveille, et sans trop savoir pourquoi il le fait. Voilà ma mère et telle que Léon de Portanqueu se l'imaginait. Longtemps, je me suis retrouvée du même bord des choses que lui car avoir pour nom de famille celui de de Portanqueu, c'est porter la queue et la porter roide puisque rien ne giclerait d'elle si elle était molle, même pas la semence dont je suis venue, moi Tinamer dont le nom aussi ne saurait tromper personne. Dans le langage enfantin, Tinamer signifie *petite mère*. Et de *petite mère* à la mer tout court, il n'y a que le pas du large à traverser. Dans *L'amélanchier*, ce pas est double et contradictoire : devant la maison, il n'y a que le mauvais côté des choses à observer, car on n'y retrouve jamais que le monde adulte qui, pour survivre, s'est aliéné dans sa poésie. Devant la maison, rien de plus que la banalité agressante du quotidien, c'est-à-dire cette rue asphaltée qui débouche sur d'autres rues mêmement asphaltées, et dans lesquelles on ne se promène que le jour parce que la nuit, elles disparaissent comme d'elles-mêmes, emportées par l'illusoire dont elles proviennent. C'est tout le contraire qu'on retrouve derrière la maison, car là seulement on peut se baigner tout à son aise dans le bon côté des choses, à cause du champ des salicaires qu'il donne à voir, à l'orée de ce petit bois qui en marque en même temps la fermeture et l'ouverture. Ce champ des salicaires et ce petit bois, moi, Tinamer de Portanqueu, j'y ai passé toute mon enfance, à l'ombre de l'amélanchier. Voici comment c'était:

Bélial

« Il y avait par derrière la maison, à l'extrémité du jardin, un bois de repoussis, parsemé de petites clairières, à mi-chemin entre la futaie et le taillis qui s'étendait sur toute une longueur de terre et quatre ou cinq arpents de largeur : aéré, bavard et enchanté, il le demeura aussi longtemps que j'ignorai ses limites et les miennes. Seule, je ne m'y aventurais guère, craignant de me perdre, mais avec mon père je ne m'inquiétais plus de rien. Nos promenades étaient sans fin et le bois ne me semblait pas avoir d'autre issue que celle du retour qui, immanquablement, nous ramenait à la maison par les mêmes sentiers que nous avions pris pour nous en éloigner. Nous profitions des premiers jours de mai, avant le maringouinaille, quand le sous-bois fleurit le ciel du printemps, et après, des semaines et des mois du bel automne, quand l'été n'en finit plus de mourir à tous les étages. Le frêne, discret dans ses couleurs, prédominait. Il y avait aussi les ormes, trois espèces de chênes, des bouleaux, des érables, quelques tilleuls, des nerpruns, des charmes, des cornouillers et des aulnes. Sur le pourtour des clairières se pressaient l'amélanchier, le sumac et deux cerisiers qui donnaient, l'un des merises, l'autre des cerises ; au milieu poussait l'aubépine, pionnière des reboisements. Tous ces arbres, arbustes, arbrisseaux avaient un langage et parlaient à qui voulait les entendre. Le cornouiller menaçait de ses harts rouges les mauvais enfants. Le bouleau, ne voyant que ses branches et leurs feuilles, brunes et vertes, disait qu'il aurait préféré être blanc. Dans les coins sombres, l'aulne dénonçait l'humidité d'une voix sourde et jaune. De fait, si l'on n'y prenait pas garde, on se mouillait les pieds. Le plus extraordinaire de tous était l'amélanchier. Dès le premier printemps, avant toute feuillaison, même la sienne, il tendait une échelle aux fleurs blanches du sous-bois, à elles seulement : quand elles y étaient montées, il devenait une grande girandole, un merveilleux bouquet de vocalises, au milieu d'ailes muettes et furtives, qui annonçaient le retour des oiseaux. »

Abel

Si Jacques Ferron situe ainsi *L'amélanchier*, c'est que l'an premier du monde ne saurait exister sans le printemps qui le fonde, comme il ne saurait exister sans la magie de la nature et l'apprentissage qu'on en doit faire durant l'enfance. Jacques Ferron ramène tout cela à la mémoire. Sans mémoire, impossible de traverser ce miroir qu'est la nuit. Léon de Portanqueu l'explique bien à Tinamer quand il lui raconte le premier grand souvenir qui a déterminé sa petite enfance, cet incendie qui a rasé de fond en comble l'église de Louiseville. Jusqu'alors, Léon de Portanqueu n'avait pas vraiment de mémoire, sinon celle de ses parents. En voyant le feu lécher les poutres de l'église, tout change pour lui :

Bélial

« Avant l'incendie de l'église, la nuit ne m'apparaissait pas comme une chose simple. La chose simple, c'était le jour. Elle, toujours double, la nuit derrière, la nuit devant, et peut-être doublement double, glissant deux latérales pour compléter le quadrilatère, peut-être même plus complexe encore, tenant du système, d'un système contre mon

L'église de Louiseville incendiée. (Photo : S.J. Hayward)

entendement. Contre mes quelques heures de règne, elle englobait mon passé et mon avenir, plus la durée incalculable de tous les temps, plus les espaces infinis qui se perdent derrière les étoiles. Je n'étais pas de taille à me mesurer contre elles. Sans la protection des divinités familiales, j'aurais été sa proie et n'en aurais rien su. Son système a tenu bon aussi longtemps qu'elle a été multiple. Mais cette nuit-là, la nuit de l'incendie de l'église, tout a changé. Ce fut une nuit unique. Les bruits qui m'éveillèrent, le bruit sourd des poutres crépitantes qui tombaient alors que les flammes fusaient déjà par les trouées du toit, ces bruits marquèrent l'effondrement de son système. L'illumination n'était pas au-dehors, mais au-dedans de moi-même. Mon petit théâtre intime et personnel commençait. Je me disais que pour la première fois de ma vie, j'allais traverser la nuit et qu'à l'avenir elle ne s'interposerait plus entre ma conscience de la veille et ma conscience du lendemain, qu'enfin et pour toujours je me trouvais réuni à moi-même, capable de continuité par mes seuls moyens, indépendant de la topographie familière qui m'avait jusque-là servi de mémoire. Je jubilais mais je me mis à pleurer. Je venais tout simplement d'entrevoir la possibilité de me libérer de mes parents. »

Samm
Pourtant, Léon de Portanqueu agit tout à fait différemment avec moi Tinamer. Loin de songer à me libérer de lui-même en tant que mon géniteur, il me donne à entendre et à voir toute une mythologie dont je ne serai jamais certaine de me sortir vraiment.

Abel
Cette mythologie, tu la trouves belle, de sorte qu'il te faut bien la vivre dans toute la plénitude de ton enfance. Et l'enfance, que serait-elle sans les grandes découvertes de l'imaginaire ? En t'emmenant au-delà du champ des

salicaires, dans ce boisé où un grand télescope est braqué sur la mer des Tranquillités, Léon de Portanqueu t'ouvre le pays sacré du langage, exactement comme Alice une fois que Lewis Carroll lui fait traverser le miroir. Derrière, la réalité devient tout autre chose : de simple médecin au Mont-Thabor qu'il est, Léon de Portanqueu se transforme en voleur de banque. Et comme tout voleur de banque qui se respecte, ses complices sont plutôt étranges comme il se doit. Il y a d'abord Monsieur Northrop, une manière de grand lapin britannique qui se promène dans le boisé en tirant incessamment de son gilet une grosse montre, qui est en fait une boussole. Ce Monsieur Northrop, Jacques Ferron ne l'a pas pris seulement chez Lewis Carroll. Aux cocktails de presse des éditions du Jour, un Monsieur Northrop venait toujours : il s'appelait John Richmond, était journaliste au *Montreal Star*, arborait une admirable moustache, portait de superbes complets de tweed anglais et était fier de la grosse montre dorée qu'à tout moment il sortait de la poche de son gilet. Sa secrétaire Patricia ne le quittait pas d'une semelle : si elle ne parlait jamais, elle souriait tout le temps, nous faisant voir les grandes dents de lapin qui lui tenaient lieu de bouche. Comment Jacques Ferron et John Richmond auraient-ils pu ne pas devenir amis ? Fasciné qu'il a toujours été par les Britanniques, Jacques Ferron a trouvé en John Richmond un grand interlocuteur. C'était un homme de connaissance pour qui la boussole anglaise n'avait pas de secret. Quand avec Jacques Ferron il entrait

en état de parlure comme il disait, moi je faisais l'éponge. Je venais de trop loin pour comprendre véritablement ce qu'il racontait, comme je venais de trop loin aussi pour comprendre ce que Jacques Ferron lui répondait. Je n'en saurais aujourd'hui encore rien si *L'amélanchier* n'était venu pour me donner l'heure juste, qui n'est rien de plus que ce que vit Tinamer quand, au-delà du champ des salicaires, elle se retrouve de nuit dans le boisé sacré, avec son père Léon de Portanqueu et Monsieur Northrop :

Samm
« Je ne pouvais aller dans le bois sans le rencontrer. À peu près chaque fois, il tirait une grosse montre de la pochette de son gilet, la consultait avec la même satisfaction, chaque fois, en refermait le boîtier et prenait soin de s'arrêter afin de s'assurer qu'il la remettait dans sa pochette ; cela fait, il ne repartait pas pour autant, vérifiant chacun des boutons de son gilet, refermait son veston et restait là planté comme s'il n'eut plus su où il allait. Un jour que j'accompagnais mon père, il me demanda ce qu'il m'en semblait. Je lui répondis que sa montre lui avait rappelé qu'il n'était pas pressé.

Bélial
Ce n'est pas ça.

Samm
Alors je suppose qu'il l'a regardée parce qu'il ne savait pas où aller.

Bélial
Ma fille, un Anglais sait toujours où il va.

Samm
Même Monsieur Northrop qui, sous des dehors de satisfaction, est malheureux de l'être au-dedans de sa personne, très profondément ?

Bélial

Même Monsieur Northrop. Son malheur d'être anglais ne prouve pas qu'il soit malheureux ; par contre, il établit hors de tout doute qu'il est anglais. Les enfants anglais sont très sérieux. Jouent-ils aux quatre coins, il s'en trouve toujours un qui se nomme Alfred East, Timothy West, Will South ou Henry North. Très sérieux et très conséquents. S'il leur arrive de rire, c'est pour des raisons que les autres enfants ne comprennent pas, en rapport avec l'orientation. On croit qu'ils rient pour rien, on se trompe, car s'ils personnifient les points cardinaux lorsqu'ils jouent aux quatre coins, seuls au monde à le faire, c'est qu'ils savent, pauvres enfants, qu'ils deviendront marins et qu'un marin ne peut pas tenir la barre du gouvernail sans que l'Empire le regarde. Voilà pourquoi Monsieur Northrop tire la montre de la pochette de son gilet, en ouvre le boîtier et se souvient de tout, de son existence antérieure au pays des merveilles, de sa sortie du terrier, de la beauté des institutions britanniques, institutions auxquelles il a pu accéder grâce au *fair play*, complément du jeu des quatre coins et de la rédemption par les nègres du colonel Jack, et il est content, content, au point qu'il reste là planté, figurant de ce bois enchanté. »

Abel

Mais il n'y a pas que Monsieur Northrop à y figurer. Dans la nuit, les bêtes sont toujours plus nombreuses que leur nombre et c'est pareil pour tout ce qui, de l'humanité, y délire. Aussi Tinamer fera-t-elle dans le bois enchanté la connaissance de Messire Hubert Robson, ce prêtre qui, venu des Bois-Francs du dix-neuvième siècle, est à la recherche d'une petite orpheline nommée Mary Mahon, qu'il a sauvée de la mort mais qu'une méchante sorcière lui a reprise, de sorte que, même dans l'au-delà de la mort où il se trouve, il est condamné à errer éternellement à sa poursuite. Voilà encore le mythe de la chasse-galerie, mais dans tout ce que l'enfance peut en appréhender quand elle est avant tout une aventure intellectuelle où, comme l'a écrit Jacques Ferron, seules importent la conquête et la sauvegarde de son identité.

Samm

Mais Jacques Ferron a aussi ajouté que cette aventure est la plus dramatique de l'existence, ce que moi Tinamer il a bien fallu que j'éprouve à mes dépens, ne serait-ce que pour devenir adulte à mon tour. Comment c'est arrivé, il faut maintenant que je le relate. Comme de bien entendu, on en est au plus creux de la nuit. Autrement dit, je devrais dormir profondément dans mon lit. Mais, au-delà du champ des salicaires, le boisé m'attire. Je m'y retrouve donc, étonnée qu'il soit devenu un fouillis inextricable. Je voudrais pleurer mais ne le peux : à quoi ça servirait de pleurer quand on est sûre de ne pas être entendue ? Je tourne plus simplement la tête et « le voile se déchire de haut en bas. J'aperçois une lumière debout, très étroite. À ma grande surprise, je peux me glisser facilement dans la fente qui, dès lors, tel un couloir, va en s'élargissant ».

Abel

On reconnaît tout de suite ici ce qu'Alice a vécu dans le pays de toutes les merveilles une fois qu'elle s'y est rendue, au-delà du miroir. La magie joue et se joue, telle qu'elle est en elle-même et pour elle-même : Tinamer mange et mange et boit, et pourtant elle ne fait plus que rapetisser alors qu'autour d'elle cacassent de grands volatiles, ces poules qui appartiennent à Monsieur Petroni que *La charrette* nous a déjà fait connaître. Ces poules, qui symbolisent la mère Etna, doivent la conduire au château dont la châtelaine est une gélinotte, un autre avatar encore de la mère Etna. Celle-ci n'en peut plus de voir que sa fille, hallucinée par la fausse magie de Léon de Portanqueu, vit dans de l'enfance trouble et fiévreuse. Alors, elle la fait déshabiller par les poules puis se met à la frotter dans tout son corps. Mais la pommade ne réussit guère :

Samm

« Quand je reviens à moi, je me lève avec une précipitation qui n'a rien de naturel ; les bras me remuent comme à ressorts ; mes yeux sont ouverts, ronds comme ils ne l'ont jamais été, mais je ne distingue rien. Tout à coup, un vent furieux ébranle le château, une fenêtre s'ouvre avec fracas, je me sens happée au-dehors, je m'agrippe au bâton, le bâton suit et me voici planant dans la vague des airs, sans trop savoir ce qui m'arrive, quelle voiture me porte, quel espace je parcours. À un moment donné, j'ai l'impression de frôler la Lune, je me dis que le comté de Maskinongé n'est plus loin, puis je me rends compte que je descends au milieu d'une tumultueuse assemblée, à cheval sur un manche à balai. C'est Mardi gras ou la Mi-Carême. Au-dessus des masques, drapé dans ses guenilles, Léon de Portanqueu, plus esquire que jamais, préside à la fête du haut de son trône. Seulement je remarque que, au lieu d'avoir ses pieds et ses jambes ordinaires, il a des sabots et des pattes de bouc. »

Jacques Ferron, Marie et le chat Jaunée.

Bélial

Et me voilà encore comme je suis toujours, même dans les confins du rêve, redevenu ce diable malicieux sans lequel aucun voyage initiatique n'est possible. Et si je surviens ainsi dans *L'amélanchier*, c'est qu'il faut qu'on comprenne enfin que la relation qu'entretient Léon de Portanqueu avec sa fille Tinamer est avant tout

Marie Ferron chevauchant Triboulet.

incestueuse. Sinon, du milieu même de la nuit, il n'en ferait pas une bécasse, ce qui, dans le langage familier, veut dire femme. Une fois tout emplumée, que doit faire Tinamer? C'est Moi Bélial qui le lui dis, par ce Léon de Portanqueu qui a maintenant des pattes et des sabots de bouc. Quand je dis que je dis, c'est plutôt d'un ordre qu'il s'agit car, du milieu même de la nuit, Etna aussi s'est transformée : elle est devenue une gélinotte, aussi bien dire la reine de tous les volatiles, aussi bien dire cette mère et cette femme qu'il faut violenter pour que l'inceste puisse se vivre. Aussi ai-je dit à Tinamer : « Va dans l'appartement du château où repose Etna, et arrache la touffe de plumes qui lui sert d'aigrette ! »

Samm

« Alors, sans hésiter, bien décidée à me venger, j'entre dans la chambre de la méchante femme, de cette sorcière qui a usurpé le nom de ma mère. Elle repose sur son lit, l'air innocent, dans le jaune serin de son plumage. Je lui porte la main au front, lui arrache sa houppette. Elle pousse un cri aigu. Que vois-je ? Le château disparaître, Etna et ses compagnes, les poules endoctrinées, dépouillées de plumes, transformées en dégoûtantes harpies, s'élever en l'air sur des ailes de chauve-souris, avec un bruit de moteur à gazoline et une odeur d'herbes coupées. »

Abel

Si cela se passe ainsi dans *L'amélanchier*, nul besoin de chercher midi à quatorze heures : l'inceste chez Jacques Ferron ne se vit que dans le domaine du rêve, ce grand défouloir du sentiment profond. Car, une fois la nuit initiatique arrivée à son terme, avec la mère Etna dépouillée de son aigrette, que reste-t-il ? La quotidienneté même des choses, ce Léon de Portanqueu qui, démuni de ses sabots et de ses pattes de bouc, se retrouve au Mont-Thabor où, en tant que médecin, il se prend de passion pour un petit aliéné, Jean-Louis Maurice, que de savants psychiatres prétendent fou parce que, précisément, il serait le produit de parents incestueux ! De quoi se retrouver pour toujours du mauvais côté des choses, là où, à l'orée du boisé, en plein milieu du champ sacré des salicaires, se trame, incestueuse aussi, la crise d'Octobre.

Tinamer (Sarah-Jeanne Salvy) dans le film de Jean-Guy Noël. (Photo : ACPAV)

17

Avant-dire

J'ai toujours été un garçon normal. Ce n'est pas parce que je donne dans la littérature que j'aurais cessé de l'être.

Jacques Ferron,
Le salut de l'Irlande

À Longueuil. (Photo : Daniel Fontigny)

Bélial

Nous sommes toujours devant le 931 rue Bellerive, à Longueuil, là où, dans ce modeste bungalow de banlieue, Jacques Ferron a élevé ses enfants et écrit les grands livres de son désarroi. Les mains comme vissées sur le volant de la vieille Cadillac blanche dont les grands ailerons sont lumineux, je n'ose regarder de mes yeux de braise dans le rétroviseur, à cause de ma patte de bouc qui ne ferait plus que tressauter sur l'accélérateur, malagauchement. Mais je devine bien ce qui peut se passer sur la banquette arrière, avec Abel qui a l'impression d'avoir défloré *L'amélanchier* mais sans avoir été capable d'en dire la grande vérité. Pourtant, Abel sait bien qu'un livre ne se résume pas, pas plus pour celui qui l'écrit que pour celui qui le lit : un livre, n'importe quel vrai livre, c'est toujours ce qui de lui restera toujours à comprendre, peu importe le talent qu'on peut mettre à l'écrire ou bien à le lire. Dans cette perspective, *L'amélanchier* ne peut être qu'une œuvre profondément ouverte comme l'est le sens de l'orientement quand on est québécois. Comment, toutefois, le faire entendre à Abel ? Ce pèlerinage l'épuise et ne fait qu'ajouter à la grande fatigue où l'a laissé la télévision, sans doute parce qu'il voudrait que quelque chose de définitif survienne, et qui assurerait en même temps la pérennité de Jacques Ferron et la sienne. Et Moi Bélial, je ne peux pas lui dire que le pays n'en est pas encore là, qu'il n'est qu'une grande étendue de désir et que, si le sens même du désir est de tendre à triompher, il ne doit y parvenir jamais car cela serait le signe que, de tout temps, il était caduc. Aussi, mes mains comme vissées sur le volant de la vieille Cadillac blanche dont les grands ailerons sont lumineux, j'attends calmement qu'Abel remonte de ce qu'il a vécu au 931 de la rue Bellerive. Tôt ou tard, il faudra bien que cela arrive : c'est déjà octobre là où on se trouve et, au-dessus de Longueuil comme au-dessus de Montréal-Nord, virevoltent outrageusement les hélicoptères de l'armée canadienne. À la télévision, Jean Drapeau et Jean Marchand s'égosillent : l'enlèvement de James Cross et celui de Pierre Laporte sont le fait, non de quelques patriotes exacerbés, mais de milliers de mercenaires qui veulent mettre à feu et à sang tout Montréal, sans parler du Québec et du Canada. On est en pleine hystérie, ce qui fait bien l'affaire de Pierre Elliott Trudeau qui n'a jamais cru que le Québec, de par sa seule volonté, puisse devenir historique. Alors, Pierre Laporte meurt après que la magouille d'Ottawa eut dit de lui, par la presse interposée, qu'il était acoquiné avec la pègre. Toute cette crise est un véritable opéra bouffe qu'orchestrent sans scrupule ces Québécois mercenaires qui, à Ottawa, n'ont plus que la conscience de ce que leur permet impunément le pouvoir. Avec Pierre Laporte, il y a eu mort d'homme ? Qu'importe ! La raison d'État, c'est-à-dire ce qu'on peut établir d'elle quand on a le gros bout du bâton, l'emporte sur tout, ce qui explique sans doute qu'il y eut très peu de scribes, même québécois, pour en rendre compte, sauf Jacques Ferron, encore et toujours.

Abel

Je me souviens quand Pierre Laporte est mort. Il y avait autant de journalistes étrangers à Montréal qu'on pouvait y voir de soldats. L'un d'eux, du journal *L'Express* de Paris, est venu m'interviewer à mon bureau des éditions du Jour. Et ce que je lui ai dit en substance, c'est que les Québécois étaient un peuple pacifique, si pacifique que la violence, s'il en usait, ne pouvait que se retourner contre lui-même, d'où la mort de Pierre Laporte, un frère, plutôt que celle de James Cross, un étranger. Quelques-uns des mots que j'ai dits au journaliste de *L'Express* furent publiés. Cette semaine-là, il y avait la photo arrogante de Pierre Elliott Trudeau en première page, avec comme manchette : « Le sang de l'otage ». Je l'ai épinglée sur le mur derrière moi, sous ce grand placard publicitaire vantant les quatre-vingt-dix mille exemplaires vendus de *La solution* de René Lévesque. Après la parution de l'article, Jacques Ferron est venu me voir pour me féliciter de ce que j'avais dit. Après, c'est Jacques Hébert qui s'est manifesté. À la toute fin d'un cocktail de presse, il est entré dans mon bureau et, tout larmoyant parce qu'il avait bu, il m'a demandé

d'enlever la photo arrogante de Pierre Elliott Trudeau que j'avais épinglée sur le mur. Ah ! quel beau monde que celui-là ! De quoi en devenir sénateur canadien, contrairement à Jacques Ferron qui s'est contenté d'écrire un très beau texte sur la mort de Pierre Laporte. Ce texte n'est pas venu de rien : après la mort de Pierre Laporte, les felquistes Rose et Simard se retrouvent à Saint-Luc sur la Rive-Sud, chez Michel Viger où, dans la cave, ils ont creusé un souterrain pour mieux se cacher. Quand la police les y découvre, les felquistes Rose et Simard demandent à parlementer. Comme intermédiaire entre eux et la police, ils suggèrent le docteur Serge Mongeau. La police propose plutôt Jacques Hébert, *ce si bon garçon*. Les felquistes Rose et Simard le récusant, on finit mutuellement par s'entendre sur Jacques Ferron, qu'on réveille pour ainsi dire au milieu de la nuit afin de l'emmener à la maison de Michel Viger. En fait, le rôle de Jacques Ferron ne fut pas très compliqué étant donné que le gouvernement fédéral n'avait absolument pas l'intention de négocier quoi que ce soit avec les felquistes, même pas leur sortie de la cache où ils se terraient. C'était là le seul message que Jacques Ferron pouvait leur livrer. S'il a réussi à convaincre les felquistes Rose et Simard, ce n'est que par *des paroles toutes simples sur la nécessité de croire en la bonne foi des partis, de trouver en l'adversaire le point respectable, de ne pas chercher à faire perdre la face aux représentants de la couronne par un engagement formel aussi impoli qu'inutile*, d'autant moins que ceux-ci, dira Jacques Ferron, ne semblaient pas chercher à humilier trois hommes réduits à se rendre. Même s'il ne pouvait pas cacher sa sympathie pour les felquistes, l'humaniste en Jacques Ferron ne pouvait souscrire à la violence, surtout lorsqu'elle donne lieu à mort d'homme. Une fois sortis de leur souterrain et une fois rendus dans la cuisine de la maison de Michel Viger, les felquistes Rose et Simard expliquent à Jacques Ferron le sens du geste extrémiste qu'ils ont posé en enlevant Pierre Laporte :

Bélial

« Que m'a dit Paul Rose ? Je peux traduire sa pensée par une parabole : ‹ Si nous avions dérouté la fameuse procession des camions Brinks, à la veille des dernières élections, vers notre caveau de Saint-Luc, quitte à tuer involontairement une couple de chauffeurs surexcités, personne ne s'en serait formalisé, pas d'hélicoptères dans le ciel, pas d'intervention de l'armée, à la condition que nous l'eussions fait avec des intentions pures, c'est-à-dire par cupidité. À la rigueur, on aurait accepté que nous jouions le jeu de la démocratie, en annulant par le nôtre un coup de main électoral. Et la suite des événements aurait démontré la pertinence de cet esprit de tolérance : de Saint-Luc, repartant vers le Texas avec nos camions conquis, avec tout ce fric, jeunes comme nous sommes, ardents à vivre, nous n'en serions jamais revenus et la crise d'Octobre n'aurait pas eu lieu. Pourquoi cette crise a-t-elle eu lieu ? Justement à cause de notre esprit, à cause de nos idées, parce que nous n'étions pas de la pègre, parce que nous n'agissions pas par cupidité. Vous comprenez ? »

Abel

Jacques Ferron répond à Paul Rose qu'il ne se pose pas en juge de l'action des felquistes parce qu'il sait que ceux-ci ont agi avec une motivation supérieure et que personne ne peut douter de leur abnégation personnelle. Ce à quoi Paul Rose rétorque que c'est la motivation politique seule qui a déterminé l'engagement des felquistes. Comme il dit :

Bélial

« Nous ne faisons pas de sentiment. Nous nous fondons dans une lutte qui n'est pas seulement la nôtre, vous le savez, docteur Ferron. Vous avez écrit une pièce sur Chénier. Nous, nous avons animé une cellule du même nom. Seulement, nous allons maintenant devoir nous taire. Tout ce que je vous demande, c'est de nous prêter voix et de continuer de parler pour nous. »

Abel

Jacques Ferron promet alors à Paul Rose, dont la grande dignité l'émeut, qu'il ne restera pas silencieux, promesse qu'il a tenue en écrivant *Une mort de trop* et toute une série d'articles sur la crise d'Octobre dans lesquels il a essayé de démontrer que le gouvernement fédéral, bien avant les enlèvements de James Cross et de Pierre Laporte, savait déjà ce que les felquistes préparaient, mais qu'il a laissé courir parce que le but qu'il visait, c'était la fin des aspirations souverainistes du Québec. Mais Jacques Ferron n'a pas fait qu'écrire des articles sur le sujet. Un roman est aussi venu de la crise d'Octobre, ce *Salut de l'Irlande* si bellement nommé. Nous allons maintenant en faire la lecture, mais non pas devant ce modeste bungalow de banlieue où Jacques Ferron a élevé ses enfants. Par toute la Rive-Sud, nous allons rouler dans la vieille Cadillac blanche dont les grands ailerons sont lumineux, et nous allons nous imaginer que nous en sommes au beau milieu d'octobre 1970, avec plein de soldats qui déambulent partout, et plein aussi d'hélicoptères qui, papillons haineux, virevoltent dans le ciel.

Samm
Bélial n'attendait que ce signal d'Abel pour faire en sorte que s'ébranle la vieille Cadillac blanche dont les grands ailerons sont lumineux. Lentement, nous allons quitter le Coteau-Rouge pour nous retrouver sur le chemin de Chambly, aux portes de ce Vieux-Longueuil qui, dans *Le salut de l'Irlande*, occupe une place importante. Tiré du portuna au cuir tout vermoulu, *Le salut de l'Irlande* s'ouvre devant Abel et moi. Blottis l'un contre l'autre, nous nous laissons varloper par la musique du roman, et ce qui se laisse à entendre, c'est tout pareil à un reel irlandais.

Abel
Rien de plus normal étant donné que c'est de l'Irlande qu'il s'agit dans ce roman, celle que la grande baleine sacrée de saint Brendan a crachée sur les rives du Saint-Laurent. Par tout ce qu'a déjà écrit Jacques Ferron, on sait l'affection qu'il a toujours eue pour l'Irlande, qui fut jadis

La grande baleine sacrée de saint Brendan.

un grand peuple, notamment par sa littérature et par ses moines qui ont porté la bonne nouvelle aux quatre coins du monde et sans rien exiger en retour. Quand les Anglais s'en sont mêlés, ce fut la catastrophe : les pommes de terre se mirent à pourrir et ce fut la famine. Aucun salut possible sinon par l'émigration. Dans *Le salut de l'Irlande*, c'est l'une de ces histoires d'émigration-là que raconte Jacques Ferron, grâce à la famille de CDA Haffigan.

Bélial

« Un drôle de numéro que celui-là, comme presque tous les Irlandais qui, établis depuis deux ou trois générations au Québec, ont su faire leur chemin dans la vie en jouant les gros bras lors des campagnes électorales, ne ménageant ni sur la bagosse ni sur le reste pour arriver à leurs fins. Parce qu'il a été organisateur politique pour le ministre fédéral John O'Sullivan, CDA Haffigan roule en Cadillac et habite le *Castle*, un monument historique de Saint-Lambert qui a d'abord servi de résidence à Sir Gordon Clough, le bâtisseur du pont Victoria. Une fois le pont rendu à ses grosseurs, Sir Gordon Clough ne mit pas de temps à déménager, d'autres merveilles du monde l'attendant ailleurs, à Kingston, Toronto, Winnipeg et Calgary, à cause de la voie ferrée qu'il fallait amener jusqu'à Vancouver avant les Américains. »

Abel

Sir Gordon Clough en allé, deux juges lui succédèrent dans le *Castle* de Saint-Lambert, un anglophone, Gibbon, qui parlait surtout le français, puis un francophone, Delorimier, qui parlait surtout anglais, ce qui ne l'empêcha pas de mourir si vieux que, quand ça lui arriva, on le croyait déjà enterré depuis longtemps. Quelques années, le *Castle* resta abandonné, jusqu'en 1938 alors que CDA Haffigan, au sommet de toute sa gloire d'organisateur électoral véreux, s'en porta acquéreur. Comme écrit Jacques Ferron :

Samm

« Il embauche des peintres, les fait boire si bien et les paye si mal qu'il n'y eut que la moitié de la façade de repeinte. Cette tentative de restauration ne sauva pas le *Castle* de la décrépitude, même qu'après il ne sera jamais plus tout à

Le pont Victoria, construit par Sir Gordon Clough.

fait d'aplomb, penchant à bâbord, du côté des bardeaux restés noirs, remontant à tribord, la joue drôlement fardée. »

Abel

Mais, de cette joue drôlement fardée, CDA Haffigan n'en a cure. Ses Cadillac dans lesquelles on ne retrouve que des moteurs Ford lui suffisent, tout comme le banditisme discret auquel il se livre en même temps qu'à l'alcool. Ce qui ne l'empêche pas de prendre pour femme une Québécoise de bonne souche, issue d'une famille rurale de Saint-Wenceslas, et qui lui donnera quatre garçons : Mike, Tim, Buck et Connie, le cadet, qui est le narrateur du *Salut de l'Irlande*. C'est Connie qui dit de sa mère :

Samm

« C'est une fille de la terre ferme, sans aucune dévotion pour saint Brendan, d'un peuple qui ne se souvient pas plus de l'océan Atlantique que du déluge. En un mot, pour tout dire, elle n'est pas irlandaise. Néanmoins, sans elle, CDA Haffigan n'aurait pas pu nous élever dans un *Castle* et il aurait perdu un de ses moyens de rhétorique. C'est M'man qui l'a rendu un peu possible, trottant dans ce *Castle* comme une souris du matin au soir pour réussir à en faire le quart du ménage. Elle remplace de son mieux et de mal en pis, à mesure qu'elle vieillit, la nombreuse domesticité que nos illustres prédécesseurs, Sir Gordon et les deux juges, avaient nourrie. C'est un luxe que CDA Haffigan ne pourrait pas se permettre faute de moyens, bien entendu, mais aussi à cause de son idéal démocratique, forcément égalitaire, lequel est avec la bagosse et le trafic d'influence, une des trois mamelles de sa tétée. Point de domestiques mais de bons principes, telle est la base de sa politique. À chaque élection, quand il travaille le peuple souverain pour le garder dans le respect et l'admiration de ses gouvernants, il a besoin de sincérité, autrement il ne serait pas aussi persuasif : cette sincérité, M'man la lui fournit. M'man est honnête pour deux ; de courage et d'amour pour le travail, M'man en a de reste. »

Abel
M'man pourrait s'appeler Marguerite comme dans *La nuit* et comme dans *La charrette* tant tout ce qui lui reste de la femme en elle, c'est la mère qu'elle est devenue, et dans un royaume qui ne sera jamais le sien, ce *Castle* qui tombe en ruine, avec un mari irlandais saoulon, grand parleur pour rien, étant donné qu'il ne fait jamais que revenir à ses origines prétendument royales et à ce renard mythique qu'on retrouvait jadis sur les armoiries familiales. Comment un tel père pourrait-il éduquer ses enfants, et en particulier l'aîné, celui à qui appartient d'office le balisage du chemin?

Bélial
Il n'y a que le *fosterage* qui peut répondre à la question.

Samm
Le *fosterage*, vieille coutume irlandaise, consistait à confier l'enfant mâle sur qui on fondait plus d'espérance que sur un autre, soit à son oncle maternel, soit à quelque personnage auprès duquel il faisait son apprentissage de la vie, apprenait les règles de la tribu, s'initiait aux métiers et plus particulièrement à celui des armes.

Abel
C'est au nom de cette vieille coutume irlandaise que Mike, l'aîné de la famille de CDA Haffigan, est confié au major Bellow, un vieux Britannique qui, après avoir fait toutes les guerres de l'Empire, s'est retrouvé sur la Rive-Sud, propriétaire de l'ancien domaine du *Montreal Hunt Club* que, par petits lopins, il vend aux ouvriers montréalais émigrant en banlieue. Mike va devenir son homme de main, puis entrer dans l'armée :

Scènes de la grande émigration irlandaise.

Bélial

« L'armée a toujours été une grande école pour les garçons de bonne constitution, bien nés mais sans fortune. On y apprend la discipline, le maniement des armes, le salut au drapeau et à ses supérieurs. On se familiarise avec le principe des hiérarchies, le seul bon principe au monde. On marche au pas, on monte en grade, soldat de troisième classe, de deuxième classe, de première classe, chef de section, caporal, et le temps passe : on oublie d'aller en prison, voilà le droit chemin, *the right way*, car en anglais on va plus loin. Puis, comme une gendarmerie mène à une autre gendarmerie, on peut passer *policeman*. Ça ne vaut pas un emploi dans une distillerie, mais on est rassuré sur soi-même pour le reste de la vie, c'est un grand avantage. »

Abel

Tim et Buck ne manqueront pas de suivre leur aîné dans l'armée. Seul le cadet Connie ne deviendra pas soldat, à la demande de son père qui désire le voir se métamorphoser en effelquois, ce qui, vers le milieu des années soixante, est la seule façon pour un Irlandais de prendre vraiment la nationalité québécoise. Aussi, contrairement à ses frères qui ont reçu leur éducation en anglais, Connie, lui, va aller étudier au collège de Longueuil, chez les frères des Écoles chrétiennes, patrie de Marie-Victorin, notre grand botaniste. Au collège, Connie, qui fait mine de ne rien entendre à la langue française, se voit bientôt confiné à l'infirmerie. Mais il s'agit là d'une chance inespérée pour lui parce que c'est à l'infirmerie qu'il fait la connaissance du frère Thadéus, une manière de prophète et de sage. Connie finira par admirer la modestie du vieux frère et par comprendre ce que représente la beauté québécoise, surtout par le personnage même de Marie-Victorin. Voici donc l'échange initiatique qui eut lieu un jour entre Connie et le vieux frère Thadéus. Il est d'importance comme on va l'entendre. Le vieux frère Thadéus dit :

Bélial

« Le très révérend Marie-Victorin, en voilà un qui l'a aimé son pays laurentien ! Et pourquoi, penses-tu ? Je vais te le dire, Connie : il l'a aimé parce qu'il s'était accepté comme frère ignorantin. C'est ainsi qu'on nous avait surnommés car nous formions une engeance aussi utile que méprisée, un peu dans le genre des hospitalières de mère d'Youville

Le frère Marie-Victorin dans son laboratoire.

qu'on surnommait, elles, les Sœurs grises. Tu dois les connaître, une bonne partie d'entre elles se sont crevées à soigner le typhus irlandais. On les a surnommées les Sœurs grises parce qu'on prétendait qu'elles se saoulaient. Nous, on nous donnait pour ignorants parce que nous dispensions l'instruction. Oui, tout simplement. Et encore était-ce à de pauvres enfants qui sans nous, souvent, seraient restés analphabètes. Mais peu importe. Nous étions fiers de notre sobriquet : par lui nous participions à l'humiliation des classes populaires. Quand Marie-Victorin commença de se faire une réputation, on trouva inconvenant qu'il restât plus longtemps parmi nous. On lui proposa de devenir prêtre et l'on ne croyait pas qu'il pût refuser un tel honneur. On se trompa. Marie-Victorin écrivit de son sang, je dis bien de son sang, la promesse de ne pas nous quitter. Et je sais de quoi je parle : j'ai vu de mes yeux, de mes yeux vu, ce qui s'appelle vu, le document. Puis il l'a remis au supérieur du collège afin que celui-ci l'utilisât au besoin pour le montrer à ceux qui nous le voulaient débaucher. Et il est mort frère ignorantin, nous laissant un peu de sa noble fierté. »

Abel
L'enseignement du vieux frère Thadéus ne serait pas complet s'il ne débouchait pas sur l'amour. Pour être sauvé, dit-il, il faut d'abord aimer, peu importe la façon. Connie va faire sienne la leçon. Une fois qu'une jeune Anglaise va l'avoir dépucelé, dans l'aura protectrice du bonhomme Papette, réincarnation du pape Poulin de Saint-Zacharie en Dorchester, Connie va effectivement devenir effelquois, le renard mythique des Haffigan lui servant de totem. Mais avant que le terrorisme ne survienne enfin, M'man devra mourir : un pays ne s'établit pas sans qu'auparavant n'ait lieu le sacrifice propitiatoire de la mère. C'est d'ailleurs après les funérailles de M'man que CDA Haffigan, pour la première fois, dit à son fils Mike qui s'adresse à lui en anglais : « *Sorry, son, I don't speak English*. » À Buck, qui lui parle lui aussi en anglais, il ajoute :

Bélial
« Voici ce que j'exige désormais, c'est très simple et vous n'aurez qu'à obéir, Buck, Tim et toi Mike : je ne veux plus voir personne de la police ici. Vous viendrez quand vous aurez un mandat contre moi. »

Abel
Et les trois frères de s'en aller, qui dans son uniforme de la

Gendarmerie royale, qui dans son uniforme de l'armée canadienne, qui dans son uniforme de la Sûreté du Québec. Ne reste que Connie avec CDA Haffigan, Connie dont la mission est de sauver l'Irlande en la faisant devenir québécoise car lui seul vit dans son corps la tradition canadienne-française et celle de saint Brendan, son appartenance double permettant l'avenir. Venu quant à lui du passé, CDA Haffigan ne pourra pas vivre assez vieux pour se rengorger de la Terre promise : un soir de beuverie, il verra le vieux *Castle* éclater dans toutes ses planches et un canot volant, celui de la chasse-galerie, venir le prendre, pareil à la grande baleine de saint Brendan. Connie s'emparera alors de l'énorme fusil de chasse paternel et, greyé aussi bien de son arme que de ses émotions, se mettra en route, en direction des hélicoptères survolant déjà toute la Rive-Sud et Montréal. L'un d'eux ne prendra pas de temps à toucher terre. Comme raconte Connie :

Bélial

« Avant que ses deux pales ne se fussent arrêtées, une meute de militaires, casqués et la mitraille au poing, sortirent. Aussitôt je fus coincé au milieu d'un cercle qui se rétrécissait. Sous les casques derrière la mitraillette, je reconnus mes trois frères, Mike, Tim et Buck. Et je pensai, non sans soulagement, qu'ils avaient réussi à s'évader du ciel rouge grâce à cette machine volante. Ils étaient trois parmi d'autres qui avaient sans doute été victimes d'un pareil malentendu. Ils se rapprochaient, toujours la mitraillette au poing et d'un air si fâché que je crus qu'ils allaient tirer, qu'ils allaient m'abattre sans autre forme de procès. Je criai à mes trois frères que je n'avais encore rien fait de mal et que je voulais tout simplement sauver l'Irlande, leur pays comme le mien. J'étais effelquois, bien sûr : comment aurais-je pu sauver l'Irlande autrement ? Ils me passèrent les menottes et se mirent à ricaner bêtement. Je ne les comprenais pas. Je comprenais très bien, par contre, à cause de leur force, à cause de mes menottes, à cause du mauvais visage de mes frères, que l'Irlande était en péril, que l'Irlande était aux abois et qu'il fallait la défendre au prix de son sang, la sauver au prix de son âme comme CDA Haffigan sous le coup de la fulguration, parce qu'il s'était mis à penser, ô supplice ! ô déchirement de toute une vie !, m'avait commandé de le faire. Menotté, j'eus droit aux injures. J'étais ci, j'étais ça et ‹ regardez-moi donc cette p'tite face de renard ! › Alors je n'eus plus peur, une sorte de jubilation me gagnait. Du ciel une fine gueule se penchait, glapissant pour moi seul entre ses dents : ‹ Haffigan ! Haffigan ! › Je souris à mes frères, à leur stupide hélicoptère, je souris à mon pays, au-delà de la nuit. »

Abel

Ainsi se termine *Le salut de l'Irlande*. Jacques Ferron y a tenu la promesse qu'il avait faite aux frères Rose et à Francis Simard, celle de ne pas se taire et de continuer à parler pour eux et de ce pays dont le vieux frère Thadéus avait déjà dit que, parce qu'il était ouvert comme un moulin, il restait menacé et incertain, avec des intrus compatriotes devenus traîtres et mercenaires qui avaient érigé sa perdition en système. De s'en rendre compte, voilà qui est bien suffisant pour en souffrir dans tout son corps, pour s'en rendre malade et agoniser, ainsi que c'est arrivé à Jacques Ferron lui-même. Mais je ne veux pas encore le savoir comme Jacques Ferron non plus ne voulait pas le savoir après la crise d'Octobre. Même s'il a dit qu'écrire ne représente rien de plus que la longue traversée du désert, et qu'une fois celui-ci traversé, on ne peut qu'y revenir, ses exigences d'écrivain ne pouvaient que l'amener à faire venir de son corps meurtri encore plus de beauté. Mais cette beauté-là, ce n'est pas rien qu'au Québec qu'il va la trouver après *Le salut de l'Irlande,* c'est notamment à Moncton, en plein cœur du Nouveau-Brunswick, là où il va se laisser happer par elle grâce aux *Roses sauvages.*

Bélial
Est-ce donc dire que c'est maintenant là qu'il faut que nous nous rendions dans la vieille Cadillac blanche dont les grands ailerons sont lumineux?

Abel
Il le faut bien si on ne veut pas que la crise d'Octobre reste à jamais ce qu'il y a de plus injurieux pour un peuple : cette infamante trahison manigancée par ses élites aliénées.

Samm
De toute sa patte de bouc, Bélial appuie sur l'accélérateur de la vieille Cadillac blanche dont les grands ailerons sont lumineux. Nous allons quitter la Rive-Sud et laisser loin derrière nous tous ces hélicoptères qui, pareils à des papillons haineux, transgressent le ciel québécois. J'embrasse sur la bouche Abel qui a renversé la tête par-derrière et fermé les yeux. Ce n'est plus seulement l'Amérindienne en moi qui voudrait le conforter : quand on vient soi-même d'une minorité, que pourrait bien signifier le confortable de ce qu'il y a de plus souffrant dans une autre minorité, sinon le désir profond qu'enfin ça puisse se vivre à deux, et contre *l'autre* qui, du seul fait qu'il est majoritaire, ne pourra jamais se percevoir que dans l'arrogance qui le détermine ? Je le dis à Abel et, de sa langue, il me lèche l'oreille, et longtemps. Pendant ce temps, roule toujours la vieille Cadillac blanche dont les grands ailerons sont lumineux, conduite par Bélial qui chantonne, ses mains comme vissées sur le volant.

18

Avant-dire

Ils étaient l'un et l'autre fort beaux, ils semblaient se convenir, mais sans doute s'aimaient-ils déjà trop pour pouvoir le faire sans honneur?

Jacques Ferron,
Les roses sauvages

L'échappée des monstres.

Abel
Jacques Ferron n'a pas beaucoup voyagé dans sa vie, peut-être parce qu'il croyait qu'il est possible de faire le tour du monde sans même se déplacer, rien que par la volonté de son imaginaire. Après avoir été reçu médecin, Jacques Ferron a traversé tout le Canada, se promenant d'un camp militaire à l'autre, ce qui lui a permis de comprendre non seulement la réalité anglophone mais celle du reste du monde. Une seule fois, Jacques Ferron est sorti du pays. C'était en novembre 1973, pour se rendre à Varsovie, à un congrès de psychiatres. De son court séjour à l'étranger, il a écrit dans *L'exécution de Maski*:

Samm
« Je n'ai jamais été plus désorienté que durant la semaine que je viens de passer là-bas, si bien que je vous l'avoue franchement : j'ai eu peur de n'en pas revenir. »

Abel
Les seules autres fois où Jacques Ferron a véritablement quitté son bureau de médecin du 1285 chemin de Chambly, ç'a été pour se rendre à Moncton, en 1967 notamment, invité comme médecin par le *Ninth Congress of Mental Retardation*. Ce court séjour à Moncton lui inspira *Les roses sauvages* de même qu'une série d'articles qui ont été publiés sous le titre de *Le contentieux de l'Acadie*. L'Acadie, pays mythique d'Antonine Maillet, ne pouvait que fasciner Jacques Ferron : que voilà un autre peuple minoritaire qui a dû souffrir, d'âme et de corps, la

domination du conquérant à une époque, 1758, où les droits de l'homme n'étaient encore que ceux du plus fort, ceux de cet Empire britannique en train de se constituer et peu enclin à niaiser avec les formes. N'importe quel empire, ce n'est rien de plus qu'une force qui se retourne contre les autres quand ceux-ci ne croient plus qu'à leur souveraineté. Aussi les Acadiens ne pouvaient-ils pas triompher : poursuivis par l'envahisseur britannique qui brûla leurs maisons, leurs récoltes et leurs bêtes, ils en furent bientôt réduits à la déportation, certains se retrouvant en France, d'autres en Louisiane, et d'autres encore dans les Caraïbes, ce qui permit à Alejo Carpentier de parler d'eux dans ce grand roman qui s'intitule *Le partage des eaux*. Mais, malgré tout l'acharnement qu'ils y ont mis, les Britanniques ne purent faire de l'Acadie un pays totalement anglais, ils ne purent déporter tout le monde, de sorte que le fait français y resta dans toute sa verdeur, et pour ainsi dire dans l'an premier de son monde, comme l'a reconnu Jacques Ferron en lisant, entre autres, *Les crasseux* et *Don l'Orignal* d'Antonine Maillet. Dans ces ouvrages, Jacques Ferron reconnaît d'abord ce qui distingue la société acadienne du peuple québécois, cette langue française qui est restée telle qu'elle a toujours été, ne serait-ce que dans ses contes oraux qui se sont perpétués dans toute leur pureté, contrairement au Québec qui les a modifiés jusque dans leur sens profond. Même la notion du village d'en haut et du village d'en bas semble pour Jacques Ferron mieux comprise par les Acadiens que par les Québécois, sans doute à cause de la déportation de 1758 qui a obligé ceux qui sont restés à se percevoir comme des mécréants, irréductibles à cause de leur pauvreté même. Encore là, il y aurait des pages et des pages à écrire sur le sujet tellement les textes du *Contentieux de l'Acadie* nous rappellent quel bon journaliste pouvait être Jacques Ferron quand son œil s'ouvrait tout grand.

La déportation des Acadiens, toile de Frank Dicksee.

Samm

Depuis que nous sommes à Moncton, il me semble que l'œil d'Abel est tout pareil à celui de Jacques Ferron, sauf que nous ne sommes plus ni en 1967 ni en 1972, alors que Jacques Ferron est revenu en Acadie pour parlementer à l'université avec des étudiants. En 1990, la réalité est tout autre : Moncton ressemble à une grande bourgade sur laquelle le grand-père Irving, dieu du pétrole et des stations-service, règne toujours. Et, contrairement à 1967 et à 1972, il n'est pas très apparent que les Chiacs soient maintenant très portés sur la revendication.

Abel

Comment le pourraient-ils, eux qui ont vu leur élite déserter le pays, à commencer par Antonine Maillet qui, une fois sacrée grande écrivaine par Paris, ce qui était presque un malentendu, n'a pu que se réfugier au Québec, à Outremont, et dans une rue qui porte son nom, ce qui, depuis, lui permet d'être de partout mais en même temps de nulle part. Pourtant, quelle profondeur que le pays chiac !

Bélial

Avant nous, Abel y est venu quelques fois. Il nous en a parlé alors que, de Montréal, nous nous en venions vers Moncton dans la vieille Cadillac blanche dont les grands ailerons sont lumineux. Cela date déjà de 1982. Pour faire plaisir à ses deux filles sauvages, Abel a loué cette maison motorisée et, après avoir traversé toutes les provinces québécoises, il a longé les côtes du Nouveau-Brunswick, puis celles de la Nouvelle-Écosse, puis celles du cap Breton, avant de se retrouver dans l'Île-du-Prince-Édouard dont le corps, trop veiné, ne pouvait qu'exsuder le sang rouge qui lui tient lieu de terre. Après, ce fut le retour au Nouveau-Brunswick, à ce pays chiac dont Moncton, ainsi nommée en l'honneur du général qui, en 1758, dévasta le pays, est la capitale. Comme toujours quand il est en voyagerie, Abel fut amèrement déçu.

Abel

Ç'a n'a pas toujours été le cas. Quand j'ai écrit sur Herman Melville et qu'ensuite je me suis retrouvé en Nouvelle-Angleterre, à Pittsfield, à Cape Cod, à New Bedford, à Nantucket et à Plymouth, je n'ai pas été déçu. Pourquoi? Parce que ce pays-là est resté conséquent avec ses origines, ce qui veut dire qu'il en a gardé la mémoire profonde et que cette mémoire-là vit aussi dans le quotidien des choses. Voilà pourquoi les maisons de la Nouvelle-Angleterre, même récentes, sont si belles : leur architecture se fonde sur le passé dont elles se nourrissent pour que tout puisse être à la même hauteur. Au Québec et dans le Nouveau-Brunswick chiac, c'est généralement le contraire qui se produit : les maisons qui s'ajoutent ne représentent rien de plus que ce qui, de tout paysage, s'est perdu quelque part, dans le grand cul-de-sac qu'est le prêt-à-habiter. La première fois que Jacques Ferron est venu à Moncton pour le *Ninth Congress of Mental Retardation*, qu'est-ce qui l'a frappé en tout premier lieu? Ces vieilles bâtisses à pignons multiples qui, en plus de lui rappeler le chef-d'œuvre de Nathaniel Hawthorne, cette *Maison aux sept pignons*, lui ont fait penser à celle de son enfance, golurée de partout et avec une tour sur le sommet de laquelle même un drapeau ne peut paraître dépareillé. Aujourd'hui, ces maisons nous les avons vues : on les a défoncées dans leurs pignons, on en a fait des toits tout plats, on a obturé leurs fenêtres ou bien on les a déformées, de sorte que ça ne ressemble plus à grand-chose sauf par ces si beaux noms de lieux qu'on n'a heureusement pas encore songé à modifier.

Samm

Dans son petit calepin noir, Abel en a noté un grand nombre, juste pour le plaisir : Memramcook, Cocagne, Shediac, la Côte d'Or, Bouctouche, Dieppe, Petcoudiac, Bonaccord, Tracadie, Shippegan, Chignectou, Beaubassain, Mésagouèche et Caraquet.

Abel

Tous ces noms-là, on les retrouve aussi bien dans *Le contentieux de l'Acadie* que dans *Les roses sauvages* tant

L'hôtel *Brunswick* de Moncton, quarante ans avant que Jacques Ferron n'y descende.

la géographie a toujours eu une importance capitale dans l'œuvre de Jacques Ferron. On peut même dire que, dans *Les roses sauvages*, ce sont les lieux qui déterminent l'histoire qui nous est racontée : sans eux, le roman basculerait tout entier du côté de la folie qui en est l'enjeu et la terrible résolution. Mais voyons ça depuis le commencement, par les yeux mêmes de Baron, ainsi nommé parce qu'il est un beau grand jeune homme toujours bien mis qui soigne son apparence sans ostentation, toujours prévenant malgré son exubérance naturelle, mais surtout très avantageux. Comme a écrit Jacques Ferron, Baron prenait toute la lumière et ne parlait jamais de l'ombre. Employé d'une importante maison d'affaires de Montréal qui a des succursales à travers tout le continent, il épouse une jeune femme dont le grand mérite est de lui vouer une admiration sans bornes. Le couple s'établit en banlieue, dans un coquet bungalow. Devant la fenêtre de la chambre conjugale, une talle de rosiers sauvages que Baron a transplantée lui-même, et qui fleurit souverainement à la fin de tous les mois de juin. Baron est heureux et le resterait sans doute toujours car la générosité qu'il y a dans la vie le satisfait totalement, probablement à cause de l'égocentrisme qui le fonde comme individu et qui l'empêche de voir la réalité en face.

Samm

Cette réalité, comment Baron pourrait-il la voir? La jeune femme qu'il a épousée, il ne la connaît pas et ne cherche pas non plus à la connaître vraiment. Quand le soir il rentre du bureau, ce n'est pas à elle qu'il s'adresse mais à ce miroir qui lui renvoie l'image qu'il se fait de lui-même. La même chose se passe lorsque Baron est envoyé en stage à Baltimore, Toronto et San Francisco par sa maison d'affaires : si tous les soirs il écrit à sa femme pour lui rendre compte de sa journée, il le fait bien davantage pour organiser sa propre mémoire que par amour. Sa jeune femme s'en rend compte d'ailleurs et cesse bientôt de répondre à ses lettres. Lui ne s'en formalise pas parce qu'il ne se rend pas compte de ce qu'elle ne vit pas, recluse dans son coquet bungalow de banlieue, à ne faire rien d'autre que de tuer le temps. Même la naissance d'une enfant, la petite Rose-Aimée, ne peut rien y changer : depuis le début, les dés sont pipés et c'est la jeune femme de Baron qui en est la victime, à cause de cette solitude qui la gruge de l'intérieur et qu'elle ne peut plus combattre. Sa fille Rose-Aimée ne saurait être une alliée pour elle : les enfants récusent la folie et s'insurgent contre elle, au point d'en devenir absolument hostiles. C'est ce qui arrive à Rose-Aimée, qui se prend de haine pour sa mère parce que celle-ci ne lui donne pas ce qu'elle serait en droit d'obtenir et que le médecin accoucheur a si bien résumé à sa naissance :

Bélial
« Ce qu'il faut à un enfant, ce n'est pas une mère qui joue du violon, une mère qui écrive des livres, c'est une mère qui soit une bonne p'tite vache affectueuse, du moins pour les premières années. »

Abel
Dans son coquet bungalow de banlieue, la jeune femme de Baron est tout à l'opposé de ce qu'a prétendu le médecin accoucheur. Aussi le cauchemar ne peut-il que se dénouer dans l'atrocité. Un soir de juin alors que les rosiers sauvages sont dans le plein de leur floraison, Baron rentre à la maison. Que voit-il quand il arrive dans la cuisine ? La petite Rose-Aimée qui, assise dans sa chaise haute, hurle à s'en égosiller, son œil gauche tout tuméfié. Et dans le grand lit de la chambre conjugale, la mère hoquette, tout son corps déjà investi par cette mort qu'elle s'est donnée en absorbant ces flacons de pilules que le médecin accoucheur lui a prescrits. Mais il y avait déjà bien longtemps qu'elle était morte : ça lui était arrivé dès

qu'elle avait mis les pieds dans le coquet bungalow de banlieue et que son corps n'avait pu s'en accorder, ce qui, à ses propres yeux, ne pouvait que la rendre indigne de tout, aussi bien de Baron que de sa fille. On ne remonte pas de l'indignité : on y laisse sa peau, tout simplement.

Samm
Mais, tout beau qu'il soit, tout bien mis qu'il soit, tout soigné dans son apparence qu'il soit, tout poli et prévenant qu'il soit malgré son exubérance naturelle, Baron ne comprend pas vraiment le sens de la mort de sa jeune femme, sinon qu'il n'en est pas innocent et que, toute sa vie, il devra composer avec elle.

Bélial
Et quand ça arrive, pas autre chose à faire que d'entrer soi-même dans la schizophrénie, cette magie que le corps découvre parce qu'il serait injurieux de sombrer soi-même quand, de l'incompréhension, est venue une petite fille que, malgré tout, il faut rendre à ses grosseurs.

Samm
Après la mort de sa jeune femme, voilà tout ce à quoi va s'employer Baron. Honteux de n'avoir pu être pour sa femme ce que peut-être elle attendait de lui, il va reporter sur Rose-Aimée toute son affection, quitte à vivre à son tour la solitude profonde. N'étant que de la beauté toute

Cocagne. (Photo : Tourisme Nouveau-Brunswick)

simple, c'est-à-dire extérieure, Baron ne peut élever tout seul Rose-Aimée. Il confie son problème à cet ami acadien avec qui il travaille dans cette grande maison d'affaires de Montréal. Et l'ami acadien, dont le frère vit à Cocagne, en plein cœur du pays chiac, de lui proposer d'y envoyer Rose-Aimée : là, au moins, elle aura une mère, un père, des frères et des sœurs. Baron accepte.

Abel
Mais, en acceptant, Baron ne fait que signer son arrêt de mort. Au fond, il n'en a jamais mené plus large que sa jeune femme morte. Pendant des années, il refusera de le comprendre, se contentant du coquet bungalow de banlieue dont s'occupe pour lui la tante Gertrude, une religieuse qui a perdu sa vocation en même temps que la cornette qu'elle portait. Et, quelques jours par année, au moment des grandes vacances, Baron se retrouvera en Acadie, dans le pays de Cocagne, afin d'y voir sa fille dont il est amoureux, et qui ne lui appartient plus, même dans sa paternité.

Bélial
C'est que la paternité ne se vit pas dans le sang comme c'est le cas avec la maternité. Un père n'existe que dans ce que, du quotidien des choses, il montre à ses enfants. C'était là la grande leçon de *L'amélanchier* alors que Léon de Portanqueu, du seul fait qu'il vivait continuellement avec elle, apprenait à Tinamer ce qu'il y a de plus beau dans le monde, ce rêve que représente la vie quand le père, par sa présence, sait lui donner tout son sens.

Samm
Et lorsqu'on est fille, le père nous manque toujours. Il n'est jamais là où il devrait être, même quand il prétend y être. Bien qu'amérindienne, j'ai vécu ça aussi, élevée par les femmes de mon clan tandis que mon père, même avec ce corbeau qui se tenait sur son casque d'ouvrier,

n'essayait que de donner le change. Bien sûr, il m'aimait, mais il m'aimait de cet amour qui, tout le temps, s'était empêché en lui parce qu'il ne savait ni le prix du sang ni celui de l'affection. Quand il me tenait dans ses bras, il avait peur. Il avait peur de me serrer de trop près, il avait peur de m'embrasser, il avait peur, lui si vieux, de l'avenir que représentait mon corps. Aussi ne m'a-t-il aimée que par le biais du grand corbeau qui se tenait sur son casque d'ouvrier. En lisant *Les roses sauvages*, je retrouve la même chose, je retrouve un père qui, tout infatué de lui-même, se joue le jeu de l'inceste, mais en s'y reniant parce que les tabous, c'est pareil aux totems : c'est là pour dire ce qu'on n'a pas le courage de vivre.

Abel
Oui, je sais. Et si je le sais, c'est que je peux en fournir l'explication. Quelqu'un a écrit que si on lit, la raison de ça est qu'on a besoin d'être confirmé dans ce qu'on pense. Mais on ne pense jamais rien que ce qui se vit en soi et qui est exclusif. Et exclusif, Baron l'est dans *Les roses sauvages* parce qu'il sait que sa fille n'a pas besoin de lui étant donné qu'elle vit dans le pays de Cocagne, dans cette famille qui l'a adoptée, dans cette famille où elle se sent bien, sauf quand Baron y apparaît. Ce que Rose-Aimée reconnaît instinctivement en lui, ce n'est pas le père mais ce cavalier, cet amoureux qui a mis en elle toutes ses complaisances au point même de refuser l'amour que pourrait lui donner Ann Higgit, cette étrange et belle femme dont un jour il fait la connaissance en avion, entre Montréal et Moncton.

Bélial
Ann Higgit, le corps aussi agréable que sa longue chevelure rousse, est originaire d'une famille de notables de l'île de Terre-Neuve, île qu'elle a fuie avec son mari qui, rédacteur du journal de Corner Brook, a dû s'exiler à Toronto parce que, dans une malheureuse affaire de

LES ROSES SAUVAGES

Une fois, par taquinerie, elle l'appela Baron et le surnom lui était resté car, loin de s'en piquer, il avait été plutôt flatté. C'était un beau grand jeune homme, toujours bien mis, soignant son apparence sans ostentation, toujours poli et prévenant malgré son exubérance naturelle, mais surtout très avantageux ; il prenait toute la lumière et ne parlait jamais de l'ombre. Dans la maison d'affaires où il était entré du collège, il avait déjà obtenu de l'avancement ; ses supérieurs appréciaient son travail et l'enthousiasme ingénu qu'il mettait à l'entreprise, parlant d'elle comme si elle était la sienne ; sa situation restait modeste en comparaison de ce qu'elle deviendrait, assez belle déjà pour s'installer dans une banlieue respectable et épouser une jeune fille dont l'admiration pour lui l'avait séduite, qui l'aimait aussi sans doute, celle-là même qui l'avait appelé Baron pour taquiner, non sans quelque ironie et un peu d'agacement. Ils avaient emménagé ensemble avec la joie enfantine des jeunes gens qui se bâtissent une captivité comme s'il s'agissait d'un jeu ; ils s'étaient mis au pas du voisinage dont ils ne connaissaient pas les gens mais voyaient l'unifamiliale à peu près de même style et de mêmes matériaux que leur si joli bungalow, s'appliquant à l'entourer de gazon et d'arbustes. Seulement, ayant englouti toutes leurs économies dans l'achat de cette propriété, autant les siennes à lui que les siennes à elle qui, avant le mariage, avait travaillé et gagnait bien sa vie, ils avaient dû le faire avec très peu de moyens, y suppléant par leur ingéniosité, et ils avaient réussi de la sorte à se donner dans la rue une originalité par la verdure. En fin d'avril, chaque année, ils fermeture d'usine, il a pris le parti des ouvriers. Dès que, dans l'avion, Ann Higgit fait la connaissance de Baron, elle en tombe amoureuse, ce qui est réciproque puisque Baron partage les mêmes sentiments. Main dans la main, pareils à des collégiens, ils vont donc se promener dans tout Moncton, essayant de se comprendre aussi bien dans ce qui les unit que dans ce qui les sépare. Ann Higgit va mettre un certain temps avant de se rendre compte que, anglophone de Terre-Neuve, elle n'attache pas à la famille les mêmes valeurs qui conditionnent Baron, pour qui le pays de Cocagne, même dans le refoule de la rivière Petcoudiac, n'est que le prolongement de ce qu'il vit au Québec : cet amour totalisant qu'il éprouve pour sa fille Rose-Aimée.

Abel

Mais Ann Higgit sera bien obligée de le comprendre quand Baron l'emmène à Cocagne. Devant la maison, Rose-Aimée joue avec ses sœurs et ses frères d'adoption, dans l'aura protectrice d'un grand jars qui va mordre Ann Higgit au mollet. Ce grand jars, je sais d'où il vient dans l'imaginaire de Jacques Ferron. C'était peu de temps après la publication des *Roses sauvages*, par un beau dimanche d'automne, alors que Jacques Ferron nous avait invités chez lui, ma femme rare, mes deux filles sauvages et moi. Il venait de vendre son petit bungalow du Coteau-Rouge et vivait désormais à Saint-Marc sur le Richelieu, dans une ferme, celle qu'on retrouve encore tout au bout du rang des Trente. Il l'avait achetée pour rendre heureux ses filles et les chevaux

Saint-Marc et la Renault jaune.

qu'elles montaient en fières cavalières. Quand nous sommes arrivés devant la très rénovée maison de ferme, il y avait ces oies et ce grand jars agressif, que Jacques Ferron a dû écarter pour que ma femme rare et mes deux filles sauvages aient droit de passage jusqu'à la maison. Une fois la chose faite, Jacques Ferron et moi sommes allés dans l'écurie. Il m'a fait la présentation des chevaux de ses filles dont l'un a bien failli s'appeler Malcomm Hudd à cause de ce livre que j'ai écrit, qui racontait l'histoire d'un paumé du Bas-du-Fleuve qui, se retrouvant à Montréal, ne pouvait que devenir ce petit homme de main de la pègre et en mourir. Par amitié sans doute, Jacques Ferron m'a dit qu'en Malcomm Hudd il avait reconnu ce Rédempteur Fauché dont la passion devait constituer la suite du *Ciel de Québec*. Par ce beau dimanche d'automne dont il est question, il m'en a parlé longuement, aussi bien dans l'écurie que sur cette route qui ceinturait sa propriété, lui au volant de sa petite Renault jaune, et moi assis à son côté, perdu de tête et de corps parce que j'entendais mal ce qu'il me disait. Il me parlait des *Roses sauvages*, c'est évident. Il me parlait de l'amour

Les oies et l'enfant. (Archives publiques du Canada)

qu'il portait à ses filles, c'est évident. Mais j'étais trop jeune pour savoir ce que ça représentait vraiment. Au fond, on ne fait jamais que lire très mal car la douleur des autres nous échappe toujours et, lorsqu'on la comprend, tout est désastreusement trop tard comme c'est si admirablement dit dans *Les roses sauvages* quand Baron renonce à Ann Higgit et, ce faisant, renonce en même temps à lui-même pour que sa fille Rose-Aimée n'ait pas à vivre la folie qui va le consumer. Je ne sais plus où c'est écrit mais Jacques Ferron a affirmé quelque part que, dans une famille, ou bien ce sont les parents qui doivent assumer la folie, ou bien ce sont les enfants qui sont nés d'eux. Dans son œuvre comme dans sa vie, je crois maintenant que Jacques Ferron, par amour pour ses filles, et tel que ça se vit dans *Les roses sauvages*, a choisi la première proposition. Voyez ce qu'à Montréal devient Baron quand, sans Ann Higgit ni Rose-Aimée, il se retrouve tout seul, délesté du pays de Cocagne. Il vire au noir malgré le beau grand jeune homme toujours bien mis qu'il reste encore, soigné dans son apparence mais sans ostentation, toujours aussi poli et prévenant en dépit de son exubérance naturelle. Il vire au noir parce qu'un homme, n'importe quel homme, ne peut se percevoir comme innocent quand sa jeune femme meurt et qu'elle laisse en héritage une enfant qu'il faut sauver de sa propre mort. Aussi Baron ne peut-il plus que fabuler, imaginant que sa femme s'en est allée non pas dans la mort mais à Casablanca dont le nom même dit bien tout le soleil qui s'y trouve. Sans que jamais il n'y ait de cesse pour lui, Baron envoie à Casablanca lettre après lettre pour que sa femme qui s'en est allée et qui, de ce fait, lui a enlevé sa fille, ne sombre pas définitivement dans le noir de la nuit, tout comme lui et tout comme Rose-Aimée. Mais ne pas avoir de réponse, c'est pire que la mort même. Baron prend donc l'avion pour Casablanca ; il n'est pas sitôt arrivé dans les airs qu'il comprend enfin la folie qui se joue en lui : sa fille Rose-Aimée est maintenant dans ses grosseurs, elle ne lui appartient plus et elle voyage de par le monde en compagnie d'une manière de *G.I.* américain. Alors Baron craque. Il craque, lui ce beau grand jeune homme toujours bien mis qui soigne son apparence sans ostentation, toujours poli et prévenant malgré son exubérance naturelle. Il craque, Baron, il craque, se prend pour un terroriste et veut détourner l'avion en route vers Casablanca pour La Havane. C'est si triste que j'en ai mal dans mon ventre et tout partout ailleurs.

Samm
Abel a envoyé revoler dans le refoule de la rivière Petcoudiac son petit calepin noir, de même que le vieux portuna au cuir tout vermoulu, éventré, et qu'il tenait sur ses genoux. Il s'est redressé ensuite, quittant cette grosse roche plate où nous sommes restés assis depuis que nous sommes à Moncton, lui, Bélial et moi. Sur le sable de la grève, Abel s'est mis à courir vers la vieille Cadillac blanche dont les grands ailerons sont lumineux. Il ouvre la portière et s'engouffre sur la banquette avant. Puis le moteur vrombit, et ça devient comme une éternité de poussière entre Abel, Bélial et moi. Mais pourquoi restons-nous sur cette grosse roche plate plutôt que de courir vers Abel?

Bélial
Pour Abel, *Les roses sauvages*, il n'y a pas un livre qui lui a parlé autant. Et quand ça parle autant, on n'a pas le choix si on ne veut pas que ce qu'il y a dans le livre vous force à votre propre mort.

Samm
Je voudrais comprendre.

Bélial
Tout le monde voudrait comprendre mais la vie ce n'est peut-être rien de plus que ce qui s'affronte, pour soi-même, dans son corps, ainsi que l'a vécu Baron une fois

que, ramené de Casablanca à Montréal, on l'a interné à Saint-Jean-de-Dieu. Bien sûr, Baron va mettre fin à ses jours en sautant du haut de cette tour, ancien château d'eau de Saint-Jean-de-Dieu. Mais, à défaut de sa pérennité, c'est celle de sa fille Rose-Aimée qu'il assure en faisant ainsi. Autrement dit, il s'agit là du plus grand acte d'amour qu'on puisse imaginer.

Samm
Mais pourquoi est-ce si insupportable pour Abel ? Et pourquoi s'est-il enfui sans nous, au volant de la vieille Cadillac blanche dont les grands ailerons sont lumineux?

Bélial
On ne peut pas tout savoir, ni du tout ni du rien. Mon avis, c'est qu'il faut suivre Abel car, là où on en est rendu tout le monde, c'est ce qui agonise quand tous les dés ont été lancés. Généralement, ils finissent par tomber du mauvais côté des choses, là où il n'y a que du remous pour que tout chavire. Je pense que, tout comme Jacques Ferron, Abel en est là et que, même s'il le refuse, il a besoin de nous.

Samm
Comment faire?

Bélial
On va d'abord commencer par couper les rosiers sauvages afin qu'ils renaissent d'eux-mêmes, puis nous trouverons bien une voiture quelque part qui nous ramènera vers Abel et Jacques Ferron. Je comprends tout ce qu'il y a dans la mort, même dans le diable boiteux que je suis devenu. Ce n'est toutefois pas une raison pour désespérer, ainsi que ça s'est écrit tout à la fin des *Roses sauvages.* Pour qu'un pays s'advienne à lui-même, il ne suffit pas que la mère en meure : il faut que cela arrive aussi au père afin que les enfants se retrouvent enfin dans toute leur liberté. Tu comprends?

Samm
Je n'ai jamais été libre.

Bélial
Il n'est pas trop tard : il n'est jamais trop tard quand on aime et qu'on est aimé.

Samm
Bélial me dit cela alors que, penché vers les eaux de la rivière Petcoudiac, il allonge la main pour saisir le petit calepin noir d'Abel et le vieux portuna au cuir tout vermoulu, qui autrement s'enfonceraient définitivement dans la vase. L'eau dégouline de partout, et c'est tout encré de noir. Rien qu'à voir, je ne me suis jamais sentie aussi malheureuse. Rien qu'à voir, je ne me suis jamais sentie aussi coupable. Je le dis à Bélial. Il me répond :

Bélial
Il n'y a rien de prégnant, ni dans le malheur ni dans la culpabilité, surtout pas lorsqu'on est amérindienne comme toi, qu'on aime un homme d'une tribu étrangère à soi, que cet homme vous aime aussi mais ne sait pas encore très bien comment le manifester, peut-être parce qu'il n'a pas encore tout appris de Jacques Ferron.

Samm
Cette connaissance, est-il même possible qu'elle advienne ?

Bélial
Nous le saurons sans doute lorsque nous aurons rattrapé Abel.

Samm
Bélial me tend cette main que je prends puis, tournant le dos au refoule de la rivière Petcoudiac, nous nous mettons à courir. Au-delà de cette butte qui nous barre

la vue, peut-être verrons-nous Abel, debout près de la vieille Cadillac blanche dont les grands ailerons sont lumineux, et ne faisant rien d'autre que nous attendre. Peut-être... peut-être.

Le bungalow de la rue Bellerive. (Photo : Jan-Marc Lavergne)

19

Avant-dire

La vie a quelque chose de sportif ; on s'y amuse d'abord, puis on s'en fatigue. Respirer, quand on y pense, quelle corvée ! Alors il arrive, un jour ou l'autre, qu'on n'en remonte plus. Les vivants, après tout, ne forment qu'une bien mince partie de l'humanité ! Se rallier à la majorité, quoi de plus naturel ! Rester au fond de la soupière, dans le sein de Dieu, pendant qu'il y en a encore un, quelle pitié ! quel suprême acte de foi !

Jacques Ferron,
L'eschatologie québécoise

Le château d'eau. (Photo : Jan-Marc Lavergne)

Bélial
Il nous en a fallu du temps avant de rattraper Abel. Pour un peu, Samm et moi, nous aurions pensé que nous actions dans un mauvais film américain où, pour nous faire oublier la pauvreté du scénario, le fil de l'histoire ne devient plus que ce que, dans de grosses voitures, il est encore possible de poursuivre. C'est ainsi que nous sommes sortis de l'Acadie profonde, ce pays chiac qui a fait écrire à Jacques Ferron cette très belle histoire qui s'appelle *Les roses sauvages*. Depuis, à bonne distance de la vieille Cadillac blanche dont les grands ailerons sont lumineux, nous ne faisons plus que suivre, Samm et moi. Samm a dit :

Samm
Pourquoi devons-nous nous retrouver là, dans ce qui de la route ne cesse pas de se dérouler de chaque côté de nous ? Pourtant, j'aime Abel même du fond de l'Amérindienne que je suis. Et malgré ça, je me rends compte que, depuis le début, je ne lui suis d'aucun secours et surtout pas dans cette lecture de Jacques Ferron que nous avons entreprise ensemble.

Bélial
C'est là où tu te trompes car la lecture, comme l'écriture, on ne la retrouve jamais qu'au commencement même des choses, ce en quoi ça ressemble étrangement au fait qu'on est amérindienne. Par le refus qui le dirige, Abel, lui, se considère plutôt à la fin de tout. Dans les dernières

années de sa vie, je crois que Jacques Ferron ressentait le même sentiment.

Samm

Mais pourquoi?

Bélial

Parce qu'il avait trop écrit, tout simplement, ajoutant au monde au moins deux livres par année depuis son entrée en écriture. Et ces deux livres par année qu'il a ajoutés au monde depuis son entrée en littérature, Jacques Ferron les a pris dans sa chair vive, de sorte que, après *Les roses sauvages*, il était un peu normal qu'il se retrouvât épuisé mais si fier encore qu'il croyait qu'on ne sort de la fatigue que par une plus grande fatigue encore. Aussi Jacques Ferron est-il devenu comme ce médecin opiomane dont il raconte les aventures dans *Les Méchins*: il s'est tant dopé, et sans jamais cesser d'écrire, que le désarroi s'est emparé de lui et que jamais plus il n'a pu remonter à la surface de lui-même, conscrit totalement par cette folie qu'il soignait chez les autres, inutilement, puisque la folie n'est rien de plus que ce miroir malsain que la société vous renvoie à vous-même, tout aussi inutilement. Après *Les roses sauvages*, Jacques Ferron est tombé tout à fait dedans et Abel ne s'en est jamais remis: la douleur de ça, venue de cette énormité qu'est l'amitié, l'a déchiré tout partout. Et c'est cette douleur-là qui le fait fuir devant nous au volant de la vieille Cadillac blanche dont les grands ailerons sont lumineux.

Samm

Mais où cela s'arrêtera-t-il?

Bélial

Peut-être dans cet au-delà qu'est toute lecture, dans ce pays qui restera à jamais de la reconnaissance.

Samm
Je voudrais tout de même comprendre mieux.

Bélial
Il est difficile de comprendre vraiment la vie des autres. Tout ce que je puis dire de celle de Jacques Ferron après *Les roses sauvages*, c'est qu'elle lui semblait fuir de tous les pores de son corps et qu'il ne pouvait exister rien qui fût en mesure d'arrêter l'affreuse hémorragie. De travailler au Mont-Providence et à l'hôpital Saint-Jean-de-Dieu, voilà bien quelque chose qui, en soi, ne pouvait que le déporter définitivement du mauvais côté des choses. La chlorpromazine qu'il expérimentait sur lui, à laquelle ont suivi les amphétamines, n'était pas pour l'aider non plus, tout comme la folie des autres que Jacques Ferron, depuis *L'amélanchier*, avait fini par prendre à son compte, d'où l'histoire du petit Jean-Louis Maurice et cette lettre d'amour soigneusement présentée qu'il a publiée en appendice aux *Roses sauvages* et qui, pour lui, était comme l'illustration par excellence de ce qu'il avait tenté de décrire dans son roman.

L'entrée principale de l'hôpital Saint-Jean-de-Dieu. (Photo : Jan-Marc Lavergne)

Samm
Cette folie, elle doit pourtant avoir son origine !

Bélial
La folie est une nécessité sociale, a dit Jacques Ferron, parce que les fous sont d'abord là pour rendre témoignage.

Souviens-toi, Samm : c'est écrit en toutes lettres dès le commencement de cette lettre d'amour soigneusement présentée, et qui ferme *Les roses sauvages*:

Samm
« Les fous rendent témoignage. Leur langage est hermétique. On ne sait trop dans quelle cause ils plaident, quelles sont leurs accusations. D'ailleurs on ne les écoute pas. On les enferme tous ensemble dans des lieux où le temps cesse, où rien ne se passe sauf ce qui a déjà eu lieu ailleurs et dont ils s'obstinent à témoigner, haussant la voix au milieu des insensés qui la haussent de même pour se faire entendre et se trouvent à se couvrir les uns les autres ; ils parlent tous en même temps quand personne ne les écoute ou seulement des gens qui font semblant, dont le métier consiste à être doux et patients, des gens autorisés et qui sont là moins que personne. Le temps mort des asiles n'empêche pas l'autre, le vrai, au-delà des grilles, de rester vivant, de continuer son cours et de s'éloigner. Bientôt le procès refusé, faute de toutes les parties, ne pourra plus avoir lieu : le témoignage des fous aura perdu son sens, preuve qu'on ne les a pas enfermés pour rien et qu'ils étaient vraiment fous. »

Bélial
Évidemment, il est malaisé d'expliquer pourquoi quelqu'un se passionne autant pour la folie, ce qui fut le cas de Jacques Ferron. Sans doute la schizophrénie de ses géniteurs y fut-elle pour beaucoup, à commencer par celle de son grand-père qui, monté sur son cheval Flambard, se laissait totalement emporter par elle. La folie vient de l'isolement où l'on se trouve, elle est la réponse la plus sauvage qu'un individu puisse opposer à la société qui, pour faire fi de lui, l'oblige à se concevoir comme personnage. Jacques Ferron en a parlé superbement dans son essai sur Claude Gauvreau, la pièce maîtresse de ce grand livre, avec *Les salicaires*, qu'est *Du fond de mon*

arrière-cuisine. Il y a bien démontré que la folie jamais ne saurait s'expliquer parce qu'elle se situe dans le rapport du soi au soi et que, ainsi, elle ne peut s'appréhender de l'extérieur.

Samm
Aussi bien au Mont-Providence qu'à Saint-Jean-de-Dieu, c'est pourtant là tout ce que Jacques Ferron a tenté de faire, et c'est là aussi ce qui a rempli sa vie d'écrivain depuis les tout premiers commencements. Moi, je n'y vois pas une menace, même pour moi. Pourquoi est-ce le cas pour Abel qui roule à tombereau ouvert devant nous au volant de la vieille Cadillac blanche dont les grands ailerons sont lumineux?

Bélial
Cela, sans doute le saurons-nous quand Abel s'arrêtera enfin.

Samm
Mais où?

Bélial
On ne peut pas savoir encore : on ne sait jamais avant la fin du pèlerinage.

Samm
De sa patte de bouc, Bélial appuie à fond sur l'accélérateur. Nous aurons bientôt traversé tout le pays chiac du Nouveau-Brunswick et nous allons nous retrouver chez les Brayons, au beau mitan de la république du Madawaska qui, en plus du Nouveau-Brunswick, jouxte le Maine et le Québec, aux confins du lac Témiscouata, de Sainte-Rose-du-Dégelis et de Cabano. À l'embouchure de la rivière Saint-Jean, les gorges du Grand-Sault, majestueuses, coupent littéralement le paysage en deux, dans une formidable dégueulée d'eau et

de lumière. Et s'arrête enfin la vieille Cadillac blanche dont les grands ailerons sont lumineux. Abel en sort et son corps plié en deux, il vomit dans l'herbe. Oserons-nous nous approcher de lui, Bélial et moi?

Bélial

Sans doute était-il normal qu'Abel se retrouve ici : rien de mieux que de l'eau torrentielle pour se défatiguer dans son corps. Et puis, le pays brayon de la république du Madawaska, c'est celui des Mantines, la contrepartie acadienne des contrées chiacques, ce qu'Abel a bien connu quand il vivait aux Trois-Pistoles.

Samm

Presque sans nous en rendre compte, Bélial et moi avons quitté la voiture empruntée et avons fait ces quelques pas vers Abel. Lui, il s'est assis sur cette grosse roche plate juste en face des gorges du Grand-Sault, et il a mis ses mains dans son visage. Bélial et moi, nous nous assoyons à ses côtés. Le silence va durer un bon moment. Puis Abel va dire :

Abel

Je m'excuse d'être parti de Moncton en fou comme je l'ai fait. Mais ce qui est arrivé à Jacques Ferron après *Les roses sauvages* m'a toujours paru intolérable, probablement parce que c'est à cette époque que je l'ai vraiment connu, alors que la folie des autres le brisait dans sa propre vie et l'usait désastreusement. Jacques Ferron livrait trop de combats pour pouvoir en réchapper : au milieu des années soixante-dix, la fatigue a pris définitivement le dessus, et toute son écriture, à commencer par *Du fond de mon arrière-cuisine*, en rend douloureusement témoignage. Je ne sais rien de plus atrocement beau que le commencement des *Salicaires*, ce texte testamentaire dans lequel Jacques Ferron, prématurément vieilli et usé, ne se cache rien de sa vérité :

Bélial

« Et puis, un jour que vous saviez possible, que vous aviez peut-être longuement préparé mais auquel vous ne vous attendiez plus, vous croyant prémuni, le laissant à d'autres, à certains aliénés de Saint-Jean-de-Dieu où vous travailliez alors, il vous est arrivé qu'à force de vivre vous en avez ressenti la fatigue, une fatigue insolite qui venait avant son heure, alors que le soleil restait encore haut, loin de la nuit qui l'aurait rendue naturelle et transformée en repos comme elle distille en rosée la sécheresse de l'été, qui aurait allégé le poids de cette journée en un lendemain limpide où l'on voit s'élever en fines buées la rosée qui déjà s'évapore. Jusque-là vos accablements n'avaient pas été prématurés ; vous les conjuguiez en sommeil avec l'ombre et la chlorpromazine ; fermant les yeux, éludant quelques heures, vous ne tardiez pas à retrouver le fil ténu et translucide de vos idées, prêt à revivre comme vous aviez vécu, à raccorder les jours, les mois, les années, identique à vous-même et content d'assurer la pérennité du monde. Si vous aviez ajouté la chlorpromazine à la nuit, ç'avait été pour la rendre plus opaque, en éliminer les rêves et mieux souder le jour au jour ; ç'avait été aussi par curiosité pour cette drogue qu'on prescrivait beaucoup à l'hôpital, par sympathie pour les patientes avec lesquelles vous passiez de longues heures et pour mieux vous adonner avec elles, sans compter que vous cultiviez en secret des

Les gorges du Grand-Sault. (Tourisme Nouveau-Brunswick)

personnages fabuleux, Faust et Mithridate. Vous n'aviez pas remarqué que vous deveniez moins souple, que vous traîniez une démarche de plus en plus pesante ; vous ne jugiez que votre hâte à renouer avec la veille pour continuer tout ce que vous aviez entrepris. Vous n'éprouviez que de la complaisance pour une bonne vieille bête dont vous aviez l'impression de faire ce que vous vouliez. Certes, vous saviez qu'il ne pourrait pas en être toujours ainsi et que le fil du temps finirait bien par se rompre. En attendant, vous ne perdiez rien à vivre, vous familiarisant avec le monde, à la fois plus reclus et plus libre, et comprenant mieux. Au terme de cet enrichissement progressif, la mort ne vous effrayait pas, arc de triomphe de votre salut. Cette disparition individuelle marquerait votre accomplissement car vous pensiez laisser le monde plus beau que vous ne l'aviez trouvé. Au-delà de l'arc de triomphe, vous ne seriez plus rien, devenu tout, fondu dans un ensemble aussi grand que Dieu. Mais le fil ténu se brise-t-il toujours brusquement ? Vous aviez oublié qu'on peut mourir en continuant de vivre, se survivant sur Terre comme en enfer. »

Abel

Ainsi s'est perçu Jacques Ferron durant les dix dernières années de sa vie. Quand il venait me voir aux éditions du Jour ou quand il m'invitait à son bureau de médecin du 1285 chemin de Chambly, il ne cessait pas de m'en parler, de plus en plus angoissé, au point que les mots, qu'il maîtrisait jusqu'alors si souverainement, lui échappaient, ce qui le morfondait parce que deux grands projets de livres le tenaillaient. Il y avait d'abord *La plus haute autorité*, roman dans lequel, en plus de rendre hommage à son père, il comptait régler pour toujours ses comptes avec lui. Il ne rendit jamais ce roman à ses grosseurs, et il n'en reste que quelques bribes, sous forme de contes, qui ont été publiées dans *La conférence inachevée*. L'autre grand projet fut *Le pas de Gamelin*, un pavé aussi considérable que *Le ciel de Québec*, et dont Jacques Ferron me fit cadeau du manuscrit.

Samm
Mais *Le pas de Gamelin*, cela aussi a été publié dans *La conférence inachevée.*

Abel
Ce qui a été publié, ce n'est que la pointe de l'iceberg. Le manuscrit intégral était autrement plus complexe comme en font foi ces autres bribes qu'on peut lire grâce à *Maski*

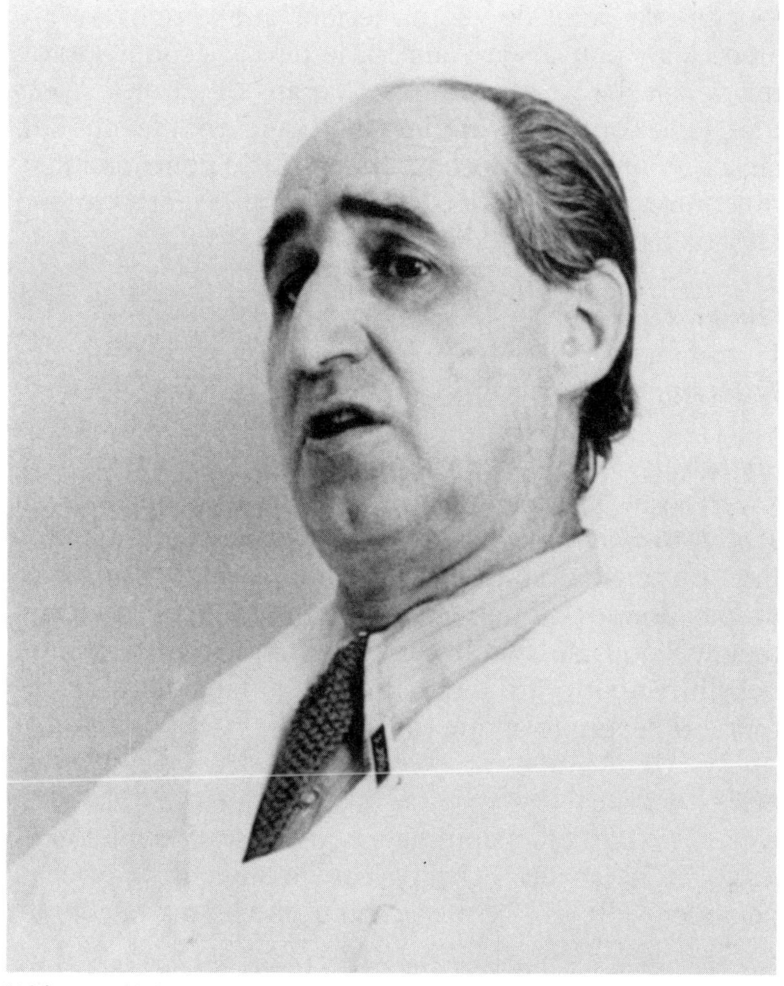

Médecin à l'hôpital Saint-Jean-de-Dieu. (Archives nationales du Québec, photo : Michel Elliott)

ou le désarroi et à *Gaspé-Mattempa*. Ils faisaient partie de ces cinq cents pages où l'on avait affaire à un notaire qui cherchait par tous les moyens à tuer son double, cet écrivain que, toute sa vie durant, il avait soutenu en lui-même. C'est facile de deviner que, dans ce roman, Jacques Ferron parlait de lui et de la propre dichotomie de sa vie. Ça commençait avec l'enfance, l'adolescence et ses études à la faculté de médecine de l'Université Laval, et ça rendait ensuite compte de tout l'itinéraire de Jacques Ferron en tant que médecin, de Gaspé-Nord à l'hôpital Saint-Jean-de-Dieu, là où tout ne pouvait que verser dans la folie. Par grands bouts, le manuscrit était incohérent, en tout cas du point de vue du lecteur que je pouvais être alors. Mais pouvais-je vraiment le dire à Jacques Ferron qui venait d'y passer presque cinq ans de sa vie ? Après tout, je le considérais comme mon père en littérature et, ainsi qu'il me l'avait recommandé lors de notre première rencontre au carré Saint-Louis, je ne me sentais aucun droit d'en devenir le tueur.

Samm
Je commence à comprendre pourquoi, vers la fin des *Roses sauvages*, tu as fui de Moncton.

Abel
J'ai lu je ne sais pas combien de fois le manuscrit du *Pas de Gamelin* que j'apportais partout avec moi dans mon portuna au cuir tout vermoulu. Je m'en voulais de ne pas donner de nouvelles à Jacques Ferron qui, tout menacé qu'il se sentait alors, en avait pourtant bien besoin. Un jour, il a bien fallu que je me sollicite dans tout mon courage et que j'aille le voir.

Bélial
C'était un dimanche, après la grand-messe, comme toutes les fois que Jacques Ferron accordait audience à Abel. À peine le matin levé, j'avais accompagné en ma qualité de

chauffeur Jacques Ferron à son bureau du 1285 chemin de Chambly. Je l'ai laissé comme à l'accoutumée devant la porte, cherchant après ce dépanneur pour me procurer une pinte de lait. Jacques Ferron en buvait beaucoup à l'époque afin de contrer les médecines dures qu'il se prescrivait à lui-même. Quoi qu'il en soit, Abel était déjà dans le bureau de Jacques Ferron quand je fus de retour au 1285 chemin de Chambly. Dans la salle d'attente, j'ai tout simplement mis la pinte de lait sur la table, et je m'en suis allé dans le parking où la petite Renault jaune de Jacques Ferron était stationnée. La suite de l'histoire, je ne peux pas la dire, ne l'ayant pas vécue.

Abel

Le manuscrit du *Pas de Gamelin* était éparpillé, aussi bien sur le bureau de Jacques Ferron que sur sa table d'examen. En m'attendant, il avait dû le feuilleter car il y avait plein de petites annotations sur les pages qui se trouvaient devant lui. Jacques Ferron a commencé par me dire que son manuscrit ne valait rien, qu'il était à réécrire dans sa totalité mais que la répulsion qu'il avait désormais pour lui ne lui permettrait pas de le faire. Puis, après avoir bu une gorgée de lait à même cette pinte qu'il avait été chercher dans la salle d'attente, il m'a confié ce désarroi qui l'habitait depuis l'écriture des *Salicaires* et depuis qu'il s'automédicamentait dangereusement. Il se percevait comme un écrivain fini et portait même sur tout ce qu'il avait écrit un jugement absolument négatif, se comparant à un bricoleur, pour ne pas dire à un patenteux. Ça faisait mal à entendre et j'étais si ému que j'avais de la difficulté à parler. Qu'ai-je d'ailleurs dit pendant cette audience ? Et que pouvaient bien représenter mes mots d'encouragement face à une telle solitude ? Ce fut le dimanche le plus triste de ma vie parce que je sentais bien que, chez Jacques Ferron, le ressort de la vie s'était brisé et que ça ne reviendrait plus jamais.

Samm
Pourtant, d'autres livres de lui ont été publiés par la suite. C'est donc qu'il a continué d'écrire.

Abel
Bien sûr, il y a eu les bribes venues du *Pas de Gamelin* et que Jacques Ferron a à peine retouchées avant de les faire paraître, ce qui n'est pas significatif par rapport à son écriture de cette époque. En fait, le seul véritable inédit que Jacques Ferron a fait éditer entre l'échec du *Pas de Gamelin* et sa mort, ce fut ce *Rosaire* qu'en 1980 il me fit parvenir à VLB Éditeur. Quelques semaines plus tôt, une lettre avait précédé cet envoi. Dans le portuna au cuir tout vermoulu, je l'ai toujours apportée avec moi car c'est la dernière que j'ai reçue de Jacques Ferron.

Bélial
Du portuna au cuir tout vermoulu, Abel retire cette enveloppe rouge dont il force les rabats. Il sort ensuite de l'enveloppe cette feuille toute tachée d'encre qu'il déplie, lui jette un coup d'œil, puis la tend à Samm, disant :

Abel
Je voudrais que ce soit toi qui la lises : moi, je ne pourrais pas.

Bélial
Samm préférerait n'en rien faire. Elle pense comme Moi Bélial : elle pense que le privé est sacré et qu'il devrait rester tel, même par-delà la mort. Si elle va finir par lire quand même, c'est qu'Abel insiste. Alors, il faut bien écouter.

Samm
« Mon cher Abel, je suis sorti de mes années noires et j'aurai soixante ans bientôt ; ce n'est pas le printemps. Je ne sais pas encore très bien devant ce que je me trouve. J'ai fait un petit livre très simple, presque médiocre, dans

Mon cher Lamy.

Je suis sorti de mes années noires et j'aurai soixante ans bientôt ; ce n'est pas le printemps. Je ne sais pas encore très bien devant ce que je me trouve. J'ai fait un petit livre très simple, presque médiocre, dans le genre de la "Lettre d'amour" qui suit les "Roses sauvages". Il s'intitule <u>Rosaire</u>, c'est l'histoire d'un plâtrier malade de son métier qui se mourait et que le 21 avril 1961 ~~qui~~ on avait décidé d'interner, ce qui ne le sera pas. Les curés étaient encore présents, le Service social était diocésain, c'est une époque de transition, et à ce point de vue le livre a une certaine valeur documentaire. Ma fille Marie qui est à le copier, y trouve un certain plaisir ; elle ne sait pas trop comment il finira. Après un mois, la bataille est gagnée, j'aurai remué ciel et terre. Puis en 1964, lors d'une élection à la mairie, Rosaire me téléphone durant la nuit pour me demander si je le vois comme maire, et enfin en 1967, je le reverrai une autre fois et je lui crierai : "Va-t'en, je ne veux plus te voir, maudit fou !" C'était un homme normal dans des situations simples, un bon plâtrier, mais qui dans les ~~sit~~ situations qui le dépassaient avait une façon de les expliquer un peu bizarre. Le principal aura été d'avoir empêché son internement. Je lui aurai été utile sans qu'il me donne de reconnaissance... Bon, cela donne cent pages et sera précédé par "L'exécution de Maski", une trentaine de pages. Il y a quelques rapports entre les deux, car c'est Maski qui aide ~~le~~ Rosaire. Et Maski n'est pas tout à fait mort parce que le Notaire, le scribe — son double — s'en est réchappé. Voilà donc le livre que je vous prole genre de la lettre d'amour qui suit *Les roses sauvages.* Il s'intitule *Rosaire.* C'est l'histoire d'un plâtrier malade de son métier qui se mourait et que le 21 avril 1961 on avait décidé d'interner et qui ne le sera pas. Les curés étaient encore présents, le Service social était diocésain, c'est une époque de transition, et à ce point de vue le livre a une certaine valeur documentaire. Ma fille Marie qui est à le copier y trouve un certain plaisir ; elle ne sait trop comment il finira. Après un mois, la bataille est gagnée, j'aurai remué ciel et terre. Puis en 1964, lors d'une élection à la mairie, Rosaire me téléphone durant la nuit pour me demander si je le vois comme maire et, enfin en 1967, je le reverrai une autre fois et je lui crierai : ‹ Va-t'en, je ne veux plus te voir, maudit fou ! › C'était un homme normal dans des situations simples, un bon plâtrier, mais qui dans les situations qui le dépassaient avait une façon de les expliquer un peu bizarre. Le principal aura été d'avoir été utile sans qu'il me doive de reconnaissance. Cela donne cent pages et sera précédé par *L'exécution de Maski*, une trentaine de pages. Il y a quelque rapport entre les deux, car c'est Maski qui aide Rosaire. Et Maski n'est pas tout à fait mort parce que le notaire, le scribe — son double — s'en est réchappé. Voilà donc le livre que je vous propose, mon cher Abel, si vous continuez d'être éditeur. C'est ça que je ne sais pas très bien. Si vous continuez, je serai en mesure de vous envoyer *Rosaire* dans quinze jours, trois semaines. Autrement, je tenterai de le placer ailleurs. Avec mon amitié, Jacques Ferron. »

Abel

La parution de *Rosaire* fut un désastre, aussi bien du point de vue de la critique que du point de vue des lecteurs. Cela fit quelques ronds dans l'eau et s'y enfonça à jamais tant nous fûmes peu nombreux à comprendre que, avec *Rosaire*, Jacques Ferron revenait à l'incipit même de son œuvre, à ce *Cotnoir* racontant l'histoire de ce médecin qui, avant de s'en aller sous la terre, avait sauvé de l'enfermement Emmanuel, ce pauvre plumeur de volailles qui aimait se déculotter en public parce que personne ne s'intéressait à son corps. Pour Jacques Ferron, l'écriture de *Rosaire*, ce n'était rien de moins que son ultime tentative pour remonter des enfers. Le refus de la critique et du lecteur le désarçonna et il n'écrivit plus que quelques contes, fort beaux toujours, qui, tel *Le glas de la Quasimodo*, le ramenèrent à Gaspé-Nord, à cette terre de la fin de toutes les terres qui lui inspira aussi *Les têtes de morues*, qui se passe bien évidemment dans un Gros-Morne mythique. Ces quelques contes donnèrent la matière de *La conférence inachevée* qu'encadrent les débris venus du *Pas de Gamelin*. Et ç'a été publié après sa mort qui est survenue en avril 1985. Mais il y avait déjà longtemps que Jacques Ferron s'en était allé, à cause de la nuit qui vous rejoint toujours à défaut de ce jour glorieux qui la ferait se virer à l'envers.

La folle, toile de Jean Dallaire.

Bélial

Abel a quitté la grosse roche plate sur laquelle nous étions assis et il a marché vers les gorges du Grand-Sault. Samm et moi, nous ne bougeons pas : on n'entre pas dans ce qu'il y a de singulier dans le chagrin. Tout ce qu'on peut faire par rapport à lui, c'est de l'accompagner à distance. Dos tourné à nous, Abel regarde les eaux torrentielles des gorges du Grand-Sault. Va-t-il se jeter dedans, comme pour rejoindre dans la mort ce père, cet écrivain et ce complice qu'il a toujours mis au-dessus de tout ? On dirait que son corps vacille, on dirait que son corps va basculer, appelé par ce qui de l'écume est vertige. Sur la grosse roche plate, Samm et moi nous nous redressons, criant ensemble :

Samm et Bélial
Non, Abel ! Non, Abel ! NON !...

20

Avant-dire

Vous me demandez ce qu'est le Québec ; c'est un monstre qui bouffe tout pour savoir ce qu'il est ; il est devenu prétexte.

Jacques Ferron,
Autre fragment

Le Christ jaune, toile de Gauguin.

Samm
C'est de la pluie qui tombe dru, à la boire debout, et que poussent violemment au-dessus des Trois-Pistoles les grands vents soufflant de la mer océane. Nous sommes déjà entrés dans l'automne, dans le baissant du soleil, le ciel comme voussuré pour que l'hiver de glace prenne bientôt. Mais Bélial et moi, nous ne nous en apercevons guère, toute notre attention allant à Abel. Il est là, allongé dans le lit de la chambre du sud, et grelotte, assailli par la fièvre, les extrémités de ses mains et de ses pieds tressautant pitoyablement. Se jeter dans les gorges du Grand-Sault, en plein mitan de la république du Madawaska, c'est bien ce qu'a tenté de faire Abel. Il n'y est pas arrivé parce que les jambes lui ont manqué et qu'il s'est effondré de tout son corps. Bélial et moi, nous l'avons emmené jusqu'à la vieille Cadillac blanche dont les grands ailerons sont lumineux. Puis le pays brayon traversé, nous nous sommes retrouvés aux Trois-Pistoles. Notre seule consolation, à Bélial et à moi, c'est qu'enfin Abel ne délire plus dans son sommeil. Cela a duré trois jours et trois nuits, avec plein de bouts de phrases dont il serait difficile de saisir le sens, sinon par ce qui d'elles parle encore de Jacques Ferron. À leur sujet, Bélial m'a dit :

Bélial
Tous ces mots syncopés qui sont venus du délire d'Abel ont quelque chose à voir avec *Le moi crucifiant*, un autre des grands textes qu'a écrits Jacques Ferron. Est-il possible qu'Abel et toi, tout au long de votre pèlerinage,

vous ne l'ayez pas lu? Souviens-toi : ça commence par : « La recherche de l'identité, d'un pareil à soi-même, d'un duplicata unique qu'on peut glisser sous l'oreiller ou mettre dans sa poche ou mettre dans sa tête, aboutit au moi sur lequel on s'épingle, quand il reste menu, où l'on se cloue quand il prend des proportions humaines et qu'on dispose d'une croix latine. »

Samm

Rien qu'à entendre cette première phrase, je me rappelle qu'Abel me l'a souvent psalmodiée alors que dans les provinces québécoises roulait la vieille Cadillac blanche dont les grands ailerons sont lumineux. Mais, toute à ma découverte d'Abel, sans doute n'ai-je pas accordé au *Moi crucifiant* l'importance que ça représentait et pour lui et pour Jacques Ferron. Aussi, ne puis-je que demander à Bélial de m'en lire la suite. Il dit :

Bélial

« On se rassemble et l'on se possède pour mieux se disperser et dissoudre. Auparavant on traverse bien des étapes ; on commence dans le noir par le dedans et l'on va vers le dehors, et l'on revient ensuite vers soi, dans le noir, pour terminer au point de départ. On se boucle. On est le fils d'une maison, le cousin d'une parenté, l'écolier d'un collège, l'habitant d'un pays et le citoyen du monde. On monte, on se déploie et plus on gagne, plus on perd, car tous les termes de la série sont minés. Rendu à tout, on retombe à soi et puis à rien. Comme l'oignon. Il part de son cœur et finit à son cœur. Robe par-dessus robe, sans point ni couture. Ainsi s'habille-t-il et devient-il mûr, bon à être épluché, robe après robe, pour finir à rien, c'est-à-dire à tout selon un procédé de rhétorique, l'amplification forcée, dernier espoir de l'homme, qui donne à l'oignon le courage de recommencer l'oignon. À la place d'un pauvre légume, il reste le monde, l'humanité des oignons dont votre disparition assure la pérennité. On a pu dire, tout compte fait, que vous mourez en Dieu, par Dieu et pour Dieu, principe de toute culture maraîchère et symbole du grand ensemble où vous vous seriez trouvé durant quelques années, sous un soleil malade. »

Samm
Quand il délirait, Abel a, je pense, très bien exprimé ceci en disant qu'on part de tout, qu'on passe à soi et que l'on finit à rien.

Bélial
C'est que le moi n'est pas haïssable, a ajouté Jacques Ferron : il est plutôt schizoïde.

Samm
C'est donc ce qu'Abel serait ?

Bélial
Schizoïde, nous le sommes tous et ce n'est pas un mal : le repli sur soi reste le seul rempart qui protège l'individu contre les maléfices du monde.

Père et fils, et Nelson, en 1927.

Samm
Dans la chambre du sud, Bélial a laissé la petite table de pommier derrière laquelle il se tenait assis. Dehors, il vente de plus en plus fort et le ciel est pareil à un grand panier percé d'où coulent la pluie, les éclairs fauves et le tonnerre. Bélial dit :

Bélial

Malgré que ce soit la nuit, j'ai une course à faire. Je ne devrais pas être très long.

Samm

Bélial sort, claudiquant de toute sa patte de bouc. Je regarde Abel allongé dans le lit de la chambre du sud, son front emperlé de sueur et les extrémités de ses mains et de ses pieds tressautant. Comme j'ai appris à l'aimer dans cette folie qui est la sienne et que, sans Jacques Ferron, je n'aurais jamais comprise, ni acceptée d'ailleurs, à cause que l'Amérindienne en moi se refusait au don sacré de ses amours. Je sais maintenant pourquoi : en chacun de soi, il y a du suicide, qu'on soit amérindienne ou bien qu'on soit québécois. Je sais aussi maintenant ce qui détermine l'écriture et ce qui la rend aussi menaçante, aussi bien pour soi que pour les autres : tous les mots sont des nations sauvages différentes et qu'il faut assumer après en avoir fait l'ordonnement afin que le sang de soi se détienne et se retienne en tous même quand il semble se liguer contre tous. Je pense que c'est le sens de cette note de Jacques Ferron qu'Abel avait transcrite dans son petit calepin noir avant qu'il ne prenne eau de toutes parts. Ça disait :

Abel

« On écrit parce que la société ne vous accorde qu'un nom, qu'un rôle, qu'une femme, et que ce n'est pas assez. On se conforme à ce partage, le seul équitable. Et l'on reste avec l'énorme excédent de ses virtualités. On écrit pour ne pas les perdre, pour tromper l'état civil, sa femme, son devoir, pour échapper à la société, se substituer à son super ego. On écrit par révolte contre soi-même, pour libérer le monstre, le mégalomane, pour être soi-même et tout ce qu'on n'est pas et qu'on pourrait être. C'est permis, c'est faisable, car on écrit à un niveau qui n'est pas sujet aux lois de la société pour la bonne raison qu'on écrit en dehors de toute société et qu'on sera lu par un solitaire du même acabit, non par un citoyen : par un complice. C'est pour lui seul qu'on écrit. On ne l'oblige à rien. S'il ne se sent pas de mèche, il cesse de lire et l'affaire ne va pas plus loin. Le livre est le grand lieu de la contestation et le restera. »

Samm

Et si Abel se retrouve là, allongé dans ce lit de la chambre du sud, je me doute bien de ce que ça met en cause. Abel l'a répété plusieurs fois : il n'a jamais pensé qu'il était un écrivain authentique, au sens que Jacques Ferron donnait à ce mot par toute l'intransigeance qui le forcenait dans son écriture. Plutôt que de soigner la maladie, même au travers des mots, Abel a plutôt l'impression de l'avoir exacerbée, notamment quand il a écrit pour la télévision ces téléromans dans lesquels, tout en donnant le meilleur de lui-même, il ne pouvait que se perdre dans l'affreuseté du nivellement social, celui que la bureaucratie génère pour ne pas avoir elle-même à se remettre en question. Dans un sens, Jacques Ferron et Abel ont raison car qu'est-il advenu de Roger Lemelin, de Marcel Dubé et de tant d'autres une fois que la télévision leur est passée sur le corps ? Qu'est-il advenu de leurs grands lieux de contestation ? Rien de plus que ce qui de l'oignon s'est épluché jusque dans son cœur même. Mais, regardant Abel toujours allongé dans ce lit de la chambre du sud, je me dis que c'est le moi crucifiant qui a raison car il représente le fils qui, par ses actions, peut et doit régénérer le père. Mais, seul, le fils ne peut y arriver : une femme qu'il aime et qui l'aime lui est essentielle, ne serait-ce que pour que tous les mots sauvages de toutes les nations deviennent enfin ce qui manque encore au monde, cette sagesse qu'on devrait trouver à la fin de toute écriture. Je regarde Abel, et il me semble que cette sagesse-là, pour avoir lu la totalité du ciel de Québec tel que représenté par Jacques Ferron, il me faut maintenant la lui donner. Au pied de ce lit de la chambre du sud, je me déshabille donc, heureuse de constater que mon corps a changé depuis que, dans la vieille Cadillac blanche dont les grands ailerons sont lumineux, a commencé l'exigeant pèlerinage. Il me semble que mon corps s'est gonflé de vie et que, pour la première fois, il peut rendre compte de lui-même. Toute nue, je m'allonge auprès d'Abel dans le lit de la chambre du sud, collant mon corps contre le sien. La chaleur va venir pour qu'enfin Abel ne grelotte plus. Le temps que ça va prendre, je n'en sais rien : dans le monde de la chaleur vraie, le temps n'est qu'élocutoire, sans durée comme sans espace. L'important, c'est qu'Abel remonte des enfers où l'a laissé Jacques Ferron. Quand ça se produit, Abel ouvre les yeux à demi et, de ses lèvres sèches, m'effleure le front puis la joue. Il dit:

Abel

Je crois bien que, depuis le début, je n'ai fait que rêver le même rêve. De toute façon, je ne me suis jamais senti doué pour autre chose dans la vie parce que les signes, je ne saurai jamais les lire vraiment. Quand on ne sait pas lire vraiment, il n'y a plus que du cauchemar. C'est là où j'en étais entre le carré Saint-Louis, Moncton et la république du Madawaska, si creux enfoncé dans la nuit que le *dé-lire* m'est tombé dessus. Alors le rêve m'est revenu, et Madame Ferron m'a encore téléphoné, et j'ai traversé encore tout Montréal-Nord afin de me rendre à Longueuil afin de chercher avec elle le vrai Jacques Ferron, celui avec qui elle a toujours vécu, et dont les mots des autres ne peuvent pas rendre compte véritablement. Je m'attendais encore à me retrouver devant d'énormes tiroirs, comme à la morgue, puisque c'est le propre des rêves de se recommencer éternellement. Mais une fois le petit bungalow du Coteau-Rouge parvenu jusqu'à moi, j'ai dû me rendre à l'évidence : il n'y avait plus ni tiroirs, ni morgue, ni même de maison. Au centre d'un fabuleux dépotoir, Madame Ferron m'attendait, debout près d'une grande roue de charrette. C'était non plus la nuit mais un petit matin dans lequel « le soleil ne cessait pas de tourner, étourdissant de lumière au travers des raies d'ombres qui viraient encore ». Madame Ferron m'a montré, près de deux chevreaux qui broutaient, une étrange échelle de bois blanc qui se tenait toute seule dans l'espace. J'ai compris qu'elle voulait que j'y monte. Je m'y suis donc engagé, gravissant barreau après barreau, malagauchement. Une fois rendu en haut, je ne fus pas surpris de me retrouver face à face avec Jacques Ferron. Ses mains étaient extrêmement mobiles et se promenaient partout sur son corps dont elles dévissaient et revissaient les membres, et c'était plein de sang qui coulait, et Jacques Ferron, me faisant voir son visage ensanglanté, hurlait :

Bélial

« Vois tout ce que les salauds m'ont fait, à commencer par toi, parce que ce qu'il y a de bien pire que de ne pas être un tueur de père, c'est de ne pas admettre ce qu'on représente pour soi-même et par soi-même ! »

Abel

J'aurais voulu répondre à Jacques Ferron mais il n'y avait plus d'échelle, elle était devenue cette tour de l'ancien château d'eau de Saint-Jean-de-Dieu au sommet de laquelle Baron s'est élancé pour mettre fin à ses jours. Jacques Ferron était là, avec à ses côtés Émile Nelligan et Claude Gauvreau, et tout ce que j'entendais, c'était ces mots-ci que ça disait, rien de plus que du cantique :

Bélial

« Les nuages enveloppent leurs corps. Les aigles tournoient sous leurs pieds. Les héros sont debout sur les rocs escarpés, ouvrant la voie à la conquête des montagnes. Les foreuses pneumatiques rugissent au sommet des falaises. Les drapeaux rouges embrasent le ciel ! »

Émile Nelligan vu par le peintre Michel Boutet.

Abel

Après, Jacques Ferron s'est jeté du haut de cette tour de l'ancien château d'eau de Saint-Jean-de-Dieu. Fermant les yeux, j'ai fait pareil à lui. Mais le vent soufflant de la mer océane était trop fort : au lieu de nous échouer lamentablement sur le sol, nous avons été charriés vers le large et le fleuve Saint-Laurent que nous avons remonté jusqu'au lac Saint-Pierre, et jusqu'à Batiscan. Alors Jacques Ferron m'a dit :

Bélial

« Maudit homme, il serait temps que tu saches regarder vraiment. Il serait temps qu'au lieu de t'apitoyer autant sur moi que sur toi, tu comprennes ce qui, malgré tout, fait le prix de l'écriture, et sa beauté. Maudit homme, il serait temps que tu saches regarder vraiment ! »

Abel

Mais peut-être ne le pouvais-je pas. Aussi, plutôt que de regarder en bas, ai-je voulu m'agripper à Jacques Ferron, essayant de mes mains démentes de me retenir à l'un de ses pieds, à l'un de ses bras, voire à ses cheveux. Dès que je les touchais, les pieds, les bras, le nez, les oreilles ou bien les cheveux, ils tombaient en poussière. Quand il n'en est plus rien resté, le ciel de Québec a basculé, et je me suis mis à descendre dedans, pareil à un engoulevent emporté par la furie de la pesanteur. Juste au moment où j'allais toucher terre, j'ai senti ton corps se coller au mien et c'est dans le parachute de ça que, au lieu de m'écraser, le rêve originel a pris tout son sens.

Samm

De ma langue, j'ai léché sur la joue d'Abel les larmes qui y gouttelaient. Puis nous nous sommes redressés à demi dans le lit de la chambre du sud, nous bécotant pareil à ce que font les grandes corneilles noires quand elles en arrivent dans le rose de leur désir. Puis Abel a dit :

Abel

Ce rêve que j'ai vécu entre le carré Saint-Louis, Moncton et la république du Madawaska, je sais maintenant ce qu'il signifie. Et il s'agit d'une grande leçon de choses, la plus belle sans doute que Jacques Ferron nous ait donnée. Car, malgré tout, il n'y a pas d'entreprise

Le presbytère de Batiscan. (Photo : Jan-Marc Lavergne)

désespérée, il n'y a que des désespoirs entreprenants. C'est là tout le sens du *Saint-Élias*, ce roman de Jacques Ferron venu après *Les roses sauvages* et que moi-même j'ai laissé de côté dans le pèlerinage qu'ensemble nous avons entrepris. Pourquoi cela est-il arrivé ? Peut-être seulement parce qu'on comprend le rêve profond une fois qu'il ne reste plus que lui. Et ce rêve profond, quand on est québécois, il ne peut être représenté que par le *Saint-Élias*, ce trois-mâts construit par les gens de Batiscan et que Mithridate, le roi du Pont, envoie vers la mer océane pour que se brisent les écrous du pays. Être soi, par le profond qui l'anime, n'a rien à voir avec l'enfermement : être soi, par le profond qui l'anime, constitue la plus belle ouverture qui se puisse imaginer car ce n'est pas du ciel de Québec qu'il faut tomber, ainsi que c'est arrivé à Jacques Ferron. Quand on existe vraiment, il n'y a que l'eau qui soit en mesure de faire de tout, aussi bien de soi que des autres, la seule réalité habitable, ne serait-ce que parce que, par la magie de la parole, il est possible de marcher dessus aussi bien de Batiscan que de toutes les provinces de ce pays qui reste toujours à établir.

Samm
Abel s'est comme retiré de mon corps : il n'en a plus besoin puisqu'il possède enfin le sien et que, lorsqu'on se possède enfin, tout sentiment de propriété devient nul et non avenu. Il ne reste plus que de l'affection très tendre, aussi bien dire de l'amour, et pour lequel le corps n'est pas nécessaire, en tous les cas pour que ça s'entende et que ça se vive. Quittant le lit de la chambre du sud, Abel dit :

Abel
J'ai l'impression d'être un tout petit enfant, j'ai l'impression que je viens tout juste de sortir d'entre les cuisses de mon père, j'ai l'impression non de renaître mais de venir au monde pour la première fois, et ce n'est pas

seulement à cause de Jacques Ferron, mais parce que tu m'as accompagné tout ce temps-là, même dans l'affreux de la représentation. Comment pourrais-je t'en remercier?

Samm
D'un bord et de l'autre du lit, Abel et moi nous nous regardons. Il n'y a plus rien d'étranger en nous, sinon ce qui restera toujours de la vie sauvage. Abel va s'habiller d'abord, conscient de tout ce qui s'est aminci dans son corps depuis que nous avons entrepris notre pèlerinage. Moi, mon corps, il me semble qu'il est prêt à tout, même à vivre l'hiver de force que ça doit être dans cette vaste maison des Trois-Pistoles où, grâce à Jacques Ferron et à la vieille Cadillac blanche dont les grands ailerons sont lumineux, nous sommes maintenant. Habillé pour ainsi dire de la tête aux pieds, Abel vient vers moi. Il dit:

Abel
Il n'y a plus de rêve maintenant, il n'y a plus que de la conscience. Tout ce que j'espère, c'est que toi et moi, nous serons maintenant en mesure d'y répondre, ensemble.

Samm
Je m'habille à mon tour et, pendant que je le fais, Abel regarde dans la fenêtre. Derrière, les grandes corneilles noires becquent les pommes qui sont tombées des pommiers qu'il a lui-même mis en terre.

Abel
J'avais oublié que les saisons passent aussi vite, peut-être parce qu'il n'y a pas de temps pour la compréhension. J'avais oublié que le temps, ce n'est rien de plus que du grand effeuillage. J'avais oublié jusqu'à quel point je t'aime depuis vingt ans.

Samm
Abel vient vers moi et nous nous prenons dans nos bras

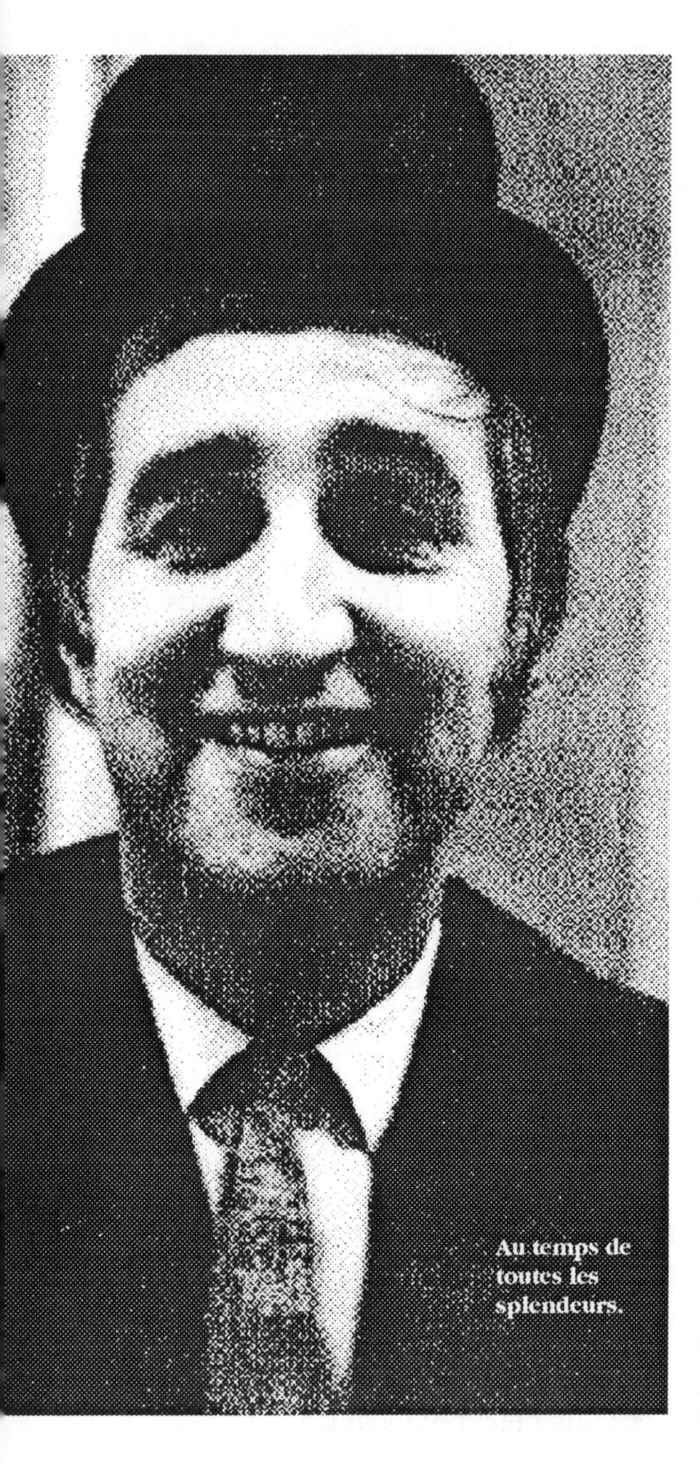

Au temps de toutes les splendeurs.

dessus dessous. Nous quittons la chambre du sud, nous engageant dans ce long corridor qui mène à la cuisine. Chapeauté de son grand chapeau aux larges bords, revêtu de sa longue cape, Bélial est assis de l'autre bord de la table de pommier, sa patte de bouc allongée et tressaillante. Même si c'est le petit matin, ses yeux de braise trouent la pénombre. Abel et moi, nous nous attendions si peu à le voir là que nous en figeons tout raide. Visiblement, Bélial s'en amuse. Quand il dirige sa patte de bouc vers ce mur sous lequel il y a cette vieille huche de chantier, je comprends tout, je comprends pourquoi Bélial m'a laissée seule avec Abel dans la chambre du sud sous le prétexte d'une course qu'il avait à faire. Accrochée au mur, il y a cette photograhie de Jacques Ferron alors que, dans le temps de toutes ses splendeurs, il était encore capable de rire de ce qu'il pouvait être, même dans le tuyau de castor lui recouvrant la tête. Tout comme moi, Abel regarde. Et les larmes lui venant de partout, il dit, se tournant vers Bélial :

Abel
Bien que je sache que, lorsque ça se comprend, tout est symbole, je crois quand même que je ne suis pas encore digne de cette photographie de Jacques Ferron que tu as accrochée sur l'un des murs de la vaste maison des Trois-Pistoles que, dorénavant, je compte habiter avec Samm.

Bélial
Il se peut mais ce qui se peut, ce n'est généralement que le peu qu'on est content de retrouver quand tous les dés, même pipés, ont été jetés en l'air. Moi Bélial, tout diable amoindri que je sois, je ne serai jamais de ce bord-là des choses parce que, pour avoir été aussi longtemps le chauffeur de Jacques Ferron, je sais que le pays, même quand il se reconnaît en soi, ne suffit pas : il faut en comprendre l'envers, là où est la véritable souveraineté.

Abel
C'est-à-dire ?

Samm
Pour toute réponse, Bélial s'est levé, est allé vers la porte et, l'ouvrant, nous a invités, Abel et moi, à le suivre. Ensemble, nous avons contourné la vaste maison des Trois-Pistoles qu'Abel a habitée depuis que la télévision s'en est allée de lui. Abel et moi, nous sommes étonnés de nous rendre compte que c'est déjà l'hiver de force qui est là devant nous, avec toute cette neigeante neige en train

de tomber. Et devant cette vaste maison des Trois-Pistoles, la vieille Cadillac blanche dont les grands ailerons sont lumineux brille comme seuls les feux sauvages savent le faire. Bélial nous fait monter dedans, puis se retrouve au volant. Il dit :

Bélial
Malgré ce que Jacques Ferron a pu prétendre, Moi Bélial je n'admettrai jamais, en dépit de ma patte de bouc, de devenir le jardinier de n'importe quel sénateur. Il me restera toujours mes yeux de braise, et ces yeux-là vont vous conduire dans le véritable an premier des choses.

Abel
Où ?

Bélial
Dans la réserve de la Pointe-Bleue, ce pays sauvage dont Jacques Ferron a si bien parlé mais sans le vivre jamais. Personne ne peut savoir ce que tous, nous allons y trouver, peut-être encore du mépris d'un bord comme de l'autre, mais peut-être aussi tout autre chose, cet amour qui est toujours l'envers de soi mais auquel on s'empêche pour ne pas avoir à vivre quoi que ce soit.

Abel
Adoué ! Adoué, Bélial ! J'ai aussi hâte que toi, que Samm et que tout le reste du monde d'en être enfin rendu là. Adoué, Bélial ! Adoué, taccaouère !

Ce 5 septembre 1990,
quinze heures

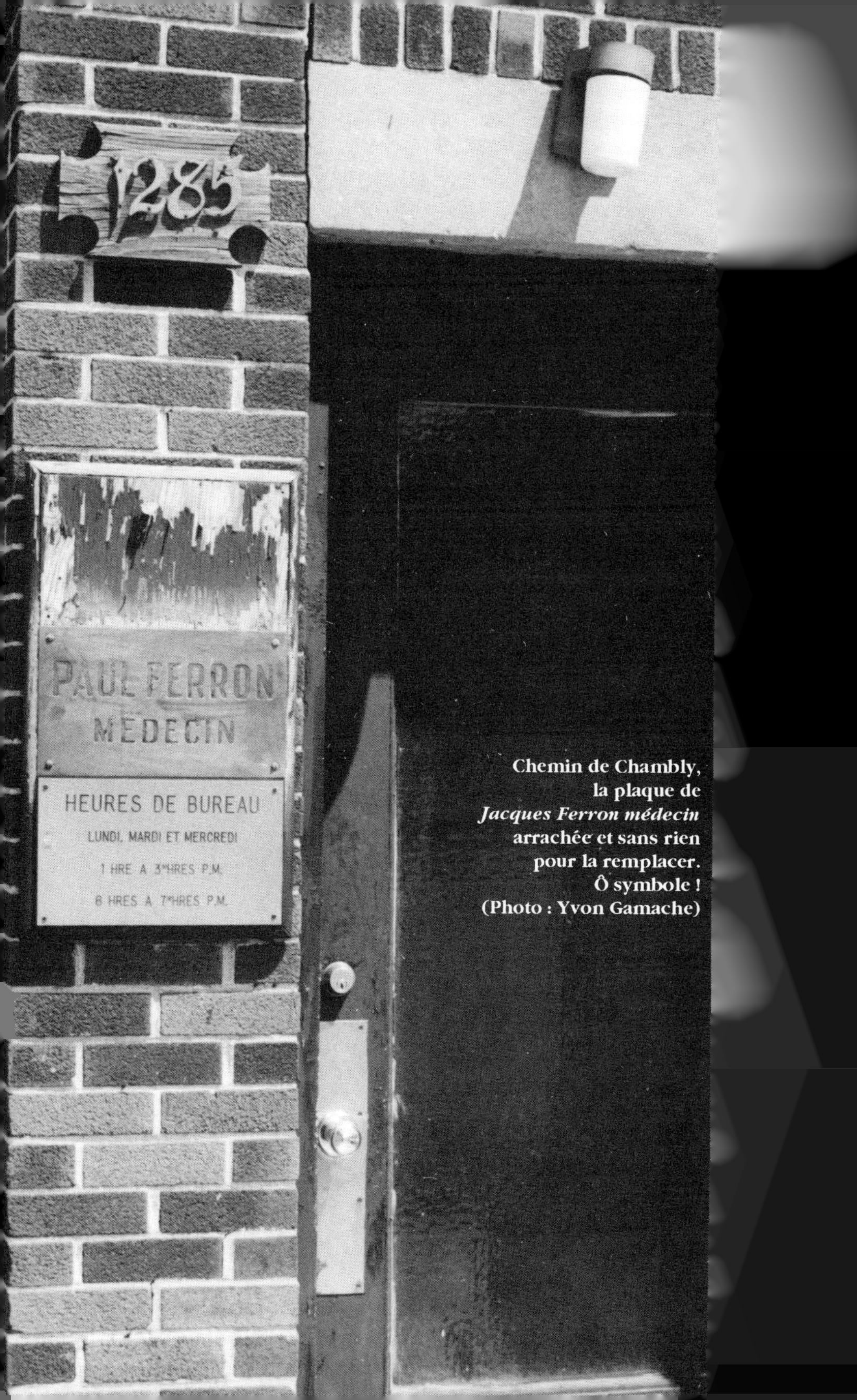

Chemin de Chambly, la plaque de *Jacques Ferron médecin* arrachée et sans rien pour la remplacer. Ô symbole ! (Photo : Yvon Gamache)

Bibliographie

Dans *Jacques Ferron, polygraphe* (Éditions Bellarmin, Montréal, 1984), Pierre Cantin a écrit une indispensable bibliographie exhaustive sur l'œuvre de Jacques Ferron. J'y renvoie donc le lecteur soucieux d'approfondir sa connaissance de Jacques Ferron. On ne retrouvera donc ci-dessous que les ouvrages de Jacques Ferron dont je me suis servi pour écrire mon pèlerinage, de même que les principales études parues sur lui et disponibles dans les bibliothèques et les librairies.

De Jacques Ferron

L'ogre, Les Cahiers de la File indienne, Montréal, 1949.

La barbe de François Hertel, suivi de : ***Le licou***, pièce en un acte, Éditions d'Orphée, Montréal, 1951.

Le Dodu ou le prix du bonheur, Éditions d'Orphée, Montréal, 1956.

Tante Élise ou le prix de l'amour, Éditions d'Orphée, Montréal, 1956.

Le cheval de don Juan, pièce en trois actes, Éditions d'Orphée, Montréal, 1957.

Le licou, Éditions d'Orphée, Montréal, 1958.

Les grands soleils, Éditions d'Orphée, Montréal, 1958.

Contes du pays incertain, Éditions d'Orphée, Montréal, 1962.

Cotnoir, Éditions d'Orphée, Montréal, 1962.

La nuit, Éditions Parti pris (Collection « Paroles »), Montréal, 1965.

Papa Boss, Éditions Parti pris (Collection « Paroles »), Montréal, 1966.

Contes, édition intégrale : ***Contes anglais***, ***Contes du pays incertain***, ***Contes inédits***, Éditions HMH (Collection « L'Arbre »), Montréal, 1968.

La charrette, Éditions HMH (Collection « L'Arbre »), Montréal, 1968.

Théâtre 1 : ***Les grands soleils***, ***Tante Élise***, ***Le don Juan chrétien***, portr. (Postface) d'André Major, Librairie Déom, Montréal, 1968.

Historiettes, Éditions du Jour, portr., (Collection « Les Romanciers du Jour »), Montréal, 1969.

Le ciel de Québec, roman, Éditions du Jour, portr. (Collection « Les Romanciers du Jour »), Montréal, 1969.

L'amélanchier, récit, Éditions du Jour, portr., (Collection « Les Romanciers du Jour »), Montréal, 1970.

Cotnoir suivi de : ***La barbe de François Hertel***, roman, Éditions du Jour (Collection « Les Romanciers du Jour »), Montréal, 1970.

Le salut de l'Irlande, roman, portr. de Daniel Fontigny, Éditions du Jour (Collection « Les Romanciers du Jour »), Montréal, 1970.

Les roses sauvages, petit roman suivi d'« ***Une lettre d'amour*** » *soigneusement présentée*, portr. de James Gauthier, Éditions du Jour (Collection « Les Romanciers du Jour »), Montréal, 1971.

La chaise du maréchal-ferrant, roman, portr. de James Gauthier, Éditions du Jour (Collection « Les Romanciers du Jour »), Montréal, 1972.

Le Saint-Élias, roman, Éditions du Jour (Collection « Les Romanciers du Jour »), Montréal, 1972.

Les confitures de coings *et autres textes*, Éditions Parti pris (Collection « Paroles »), Montréal, 1972.

Du fond de mon arrière-cuisine, portr. Éditions du Jour (Collection « Les Romanciers du Jour »), Montréal, 1973.

Théâtre 2 : ***Le Dodu ou le prix du bonheur***, ***La mort de monsieur Borduas***, ***Le permis de dramaturge***, ***La tête du roi***, ***L'impromptu des deux chiens***, portr. (Postface) d'André Major, Librairie Déom, Montréal, 1975.

Escarmouches. La longue passe, deux tomes, préface de Jean Marcel, Leméac (Collection « Indépendances »), Montréal, 1975.

Les confitures de coings *et autres textes*, suivi de : ***Le journal des Confitures de coings***, portr. de KÈRO, Éditions Parti pris (Collection « Projections libérantes »), Montréal, 1977.

Gaspé-Mattempa, Éditions du Bien public (Collection « Choses et gens du Québec »), Trois Rivières, 1980.

Rosaire précédé de : ***L'exécution de Maski***, VLB Éditeur, Montréal, 1981.

Les lettres aux journaux, corrigées et annotées par Pierre Cantin, Marie Ferron et Paul Lewis, préface de Robert Millet, VLB Éditeur, Montréal, 1985.

La conférence inachevée, contes, VLB Éditeur, Montréal, 1987.

Le désarroi, lettres de Jacques Ferron à Julien Bigras, VLB Éditeur, Montréal, 1988.

Une amitié bien particulière, lettres de Jacques Ferron à John Grube, Éditions du Boréal, Montréal, 1990.

Le contentieux de l'Acadie, VLB Éditeur, Montréal, 1991.

Sur Jacques Ferron

Marcel, Jean, « De Zeus à Jacques Ferron : les théogonies québécoises », ***L'illettré*** (supplément « Jacques Ferron », vol. 1, n° 2, février 1970).

Vanasse, André, « Le théâtre de Jacques Ferron : à la recherche d'une identité », ***Livres et auteurs québécois, 1969 : revue critique de l'année littéraire***, Éditions Jumonville, Montréal, 1970.

Marcel, Jean, ***Jacques Ferron malgré lui***, Éditions du Jour (Collection « Littérature du Jour »), Montréal, 1970.

Roussan, Jacques de, ***Jacques Ferron : quatre itinéraires***, portr. de Robert Millet, Daniel Fontigny *et al.*, nombreux autres documents iconographiques, Les Presses de l'Université du Québec (Collection « Studio »), Montréal, 1971.

Boucher, Jean-Pierre, ***Jacques Ferron au pays des amélanchiers***, Les Presses de l'Université de Montréal (Collection « Lignes québécoises : textuelles »), Montréal, 1973.

Les « contes » de Jacques Ferron, L'aurore (Collection « L'Amélanchier : essai »), Montréal, 1974.

Taschereau, Yves, ***Le portuna : la médecine dans l'œuvre de Jacques Ferron***, préface de Gilbert La Rocque, L'Aurore (Collection « L'Amélanchier : essai »), Montréal, 1975.

Paquette, Jean-Marcel, « Jacques Ferron ou le drame de la théâtralité », dans ***Le théâtre canadien-français : évolution, témoignages, bibliographie***, Fides (Collection « Archives des lettres canadiennes »), Montréal, 1976.

L'Hérault, Pierre, ***Jacques Ferron, cartographe de l'imaginaire***, Les Presses de l'Université de Montréal (Collection « Lignes québécoises »), Montréal, 1980.

Finale

DOCTEUR FERRON

A FAIT L'OBJET
D'UNE SÉRIE D'ÉMISSIONS
RADIOPHONIQUES
DU RÉSEAU FM STÉRÉO
DE RADIO-CANADA
DIFFUSION : LES LUNDIS SOIR
DE JANVIER 1991
À MAI 1991

RÉALISATION : DORIS DUMAIS
PRODUCTION : RADIO-CANADA RIMOUSKI
COMÉDIENS : SYLVIE LÉONARD (SAMM),
JEAN-LOUIS MILLETTE (BÉLIAL),
YVES DESGAGNÉS (ABEL),
MARCEL SABOURIN (JACQUES FERRON)

MUSIQUE ORIGINALE : JOCELYN BÉRUBÉ
INTERPRÉTÉE PAR JOCELYN BÉRUBÉ ET ROBERT LACHAPELLE

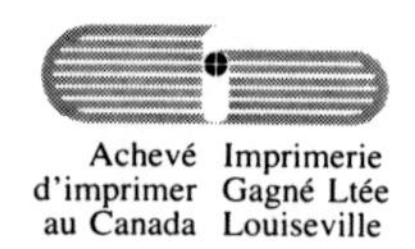

Achevé d'imprimer au Canada
Imprimerie Gagné Ltée Louiseville